Critique sociologique et

critique psychanalytique

Dans la même collection :

Problèmes d'une sociologie du roman (2ᵉ édition)

par Lucien Goldmann, Nathalie Sarraute, Alain Robbe-Grillet, Georges Lukàcs, René Girard, Erich Köhler et Michel Bernard, 1963, 242 pages.

épuisé

Littérature et Société
Problèmes de méthodologie en sociologie de la littérature

Colloque du 21 au 23 mai 1964, par Arthur Doucy, Edoardo Sanguinetti, Roland Barthes, Erich Köhler, Geneviève Mouillaud, Alphons Silbermann, Henri Lefebvre, Félix-Brun, Charles Aubrun, Robert Escarpit, Bernard Dort, Yan Kott, Lucien Goldmann, 1967, 224 pages.

Sociologie de la littérature

par F. Bonhôte, M. Brûlé, W. Delsipech, J. Elsberg, A. Goldmann, L. Goldmann, G. Huaco, B. Laudy, J. Leenhardt, N. Peeters, J. Warwick, 1970, 240 pages.

Critique sociologique et critique psychanalytique

Colloque organisé conjointement par
l'Institut de Sociologie de l'Université Libre de Bruxelles
et l'Ecole Pratique des Hautes Etudes (6e section) de Paris
avec l'aide de l'UNESCO
du 10 au 12 décembre 1965

Etudes de sociologie de la littérature

Editions de l'Institut de Sociologie
Université Libre de Bruxelles

*Ce livre a été établi par les soins de
Mesdemoiselles Agnes Caers et Brigitte Navelet,
et de Messieurs Michel Caraël, Roger Lallemand,
Jacques Leenhardt et Pierre Verstraeten.*

INTRODUCTION
par Maurice LEFEBVE

Nous sommes ici réunis pour faire le point dans les recherches concernant la sociologie de la littérature et son enseignement ; mon vœu le plus vif est que cet enseignement puisse s'étendre car je pense que nous en avons le plus grand besoin. Me permettrez-vous de citer un cas particulier ? C'est ainsi que l'enseignement de Lucien Goldmann à l'Université de Bruxelles consiste en un séminaire qui est réservé somme toute aux post-gradués. J'ai pour ma part essayé d'en étendre l'accès à des étudiants qui n'avaient pas encore acquis leurs diplômes ; malheureusement le nombre de tâches qui leur incombent empêche que ces étudiants y participent. Je crois que si un cours de cette espèce pouvait être créé et compris dans les programmes de Faculté de philosophie et lettres, nous en serions tous très heureux. Un second point que je voudrais souligner, c'est que nous regrettons que Monsieur Doucy qui est le directeur de l'Institut de Sociologie ne soit pas parmi nous, car c'est grâce à lui que Lucien Goldmann a pu établir son enseignement à l'Université de Bruxelles.

Un dernier point enfin, pour entrer dans le vif du sujet. Je dois avouer que je ne suis pas sociologue et que je prends ici la parole sans être qualifié pour le faire. Vous savez que la critique, de nos jours, a de plus en plus tendance à se faire passer pour la littérature, tandis que la littérature de son côté reflète toutes les tendances de la critique : il y a une sorte de mélange des deux. Ce mouvement est plein d'intérêt et correspond certainement à une vue nouvelle du phénomène littéraire, à ce qu'on pourrait définir comme une prise de conscience intérieure de l'écriture et de ses problèmes. Mais cela n'exclut nullement que d'autres points de vue soient possibles, que l'on puisse envisager le phénomène et la production littéraires de l'extérieur et selon des méthodes scientifiques. N'importe quel fait est un fait social, et c'est pourquoi la littérature a sa dimension sociologique, c'est pourquoi, sur le plan de la critique, la sociologie me paraît être l'antidote rêvé à cette approche de la littérature par l'intérieur dont nous parlions il y a un instant. Vous savez que Kafka disait : « Je hais tout ce qui n'est pas la littérature, y compris les discussions sur la littérature. »

Eh bien, j'espère que nous n'en sommes pas encore là ; je forme tous mes vœux pour que les présentes discussions soient fructueuses, et je repasse la parole à notre président.

Goldmann : Je déclare le II⁰ Colloque International de Sociologie de la Littérature ouvert et donne immédiatement la parole à Monsieur le Doyen Le Bras qui a eu l'amabilité de venir parmi nous. Je tiens cependant à dire encore que, en France, la sociologie de la littérature et moi-même lui devons beaucoup puisque c'est une des dernières grandes figures de l'Université Libérale et que c'est en partie grâce à son appui actif et passionné que — malgré les différences théoriques qui nous séparent — la VI⁰ section de l'Ecole pratique des Hautes Etudes a créé un enseignement de sociologie de la littérature dont je suis chargé.

Je prie Monsieur J.-M. Lefebve de bien vouloir présider la séance puisque Monsieur le Doyen Le Bras devra partir tout de suite après sa communication.

Le Bras : Mesdames, Mesdemoiselles, Messieurs, bien qu'engagé dans un mariage ce matin et dans une conférence sur le Droit Romain à 5 h. cet après-midi à la Faculté de Droit, j'ai accepté naturellement l'invitation de Lucien Goldmann car il est impossible de résister à ce torrent. Pourtant, je me suis fait des objections sérieuses après coup : d'abord, je pensais n'avoir jamais écrit sur la sociologie de la littérature, et puis l'ancienneté, pour ne pas dire l'antiquité, n'est pas un titre suffisant pour présider l'ouverture d'un colloque et enfin le mot « Colloque International » m'a un peu effrayé. Or, par suite d'un mystère que ceux qui pratiquent la science des rêves pourraient éclaircir, c'est en trois nuits que mes objections sont tombées.

La première nuit j'ai vu en songe le public, vous tous. J'ai vu apparaître, dans mon rêve, nos amis belges, nostri cari amici italiani, et puis quelques Américains, et il se trouve que nous sommes tous de la même confraternité : je suis membre de leurs Académies et mon grand âge m'autorise à dire que je suis Docteur de beaucoup de leurs Universités. Je me suis trouvé à l'aise puisque nous serions entre... j'allais dire entre camarades, entre compagnons, entre coéquipiers, et non pas dans une réunion de politique internationale où l'on traite de questions brûlantes, bien que les nôtres, les questions littéraires, soient brûlantes aussi — et je suis sûr que vous leur donnerez du feu si elles ne brûlent pas assez ! Et voilà ma première nuit, elle a été par conséquent réconfortante.

La deuxième nuit a été encore plus réconfortante car — Lucien Goldmann vient de vous le rappeler — c'est mon ancienneté qui m'a permis de combattre avec lui et pour lui. Nous avons la même ardeur. Il venait de faire des découvertes sensationnelles qui nous ont servi d'arguments dans le Conseil de la VI⁰ section, et en toutes circonstances j'ai été heureux — même lorsque je n'étais pas d'accord avec lui sur bien des points — de soutenir cet homme courageux, plein d'idées, plein de feu, ce stimulateur exemplaire... je n'en dirai pas davantage, mon cher Lucien, pour que vous ne me retourniez pas des compliments car on ne sait jamais avec vous si ce seront des compliments à l'envers ou à l'endroit.

Et enfin la troisième nuit j'ai fait une découverte encore plus stupéfiante : je me suis aperçu que j'ai passé la moitié de ma vie à faire de la sociologie de la littérature ; ce fut ma plus grande surprise ! En effet, les ouvrages, les articles, les comptes rendus, les préfaces que j'ai écrits traitent des Collections Canoniques qui, comme vous le savez tous, Mesdemoiselles et Messieurs, sont une des parties importantes de l'histoire de la littérature. Et je voudrais vous montrer en quelques mots — parce que, tout de même, ceci peut nous acheminer vers des voies nouvelles — comment nous sommes arrivé à cette conclusion, que seule la sociologie, seule la sociologie de cette littérature des Collections Canoniques, pouvait nous rendre compte de ces Collections. Vous savez que ce sont des recueils, des fragments de décrétales, des fragments de Canons Conciliaires, mais aussi des fragments des Pères et des lois impériales. Or, qu'avait-on fait au XIXe siècle ? On avait fait des catalogues — dont le plus beau est celui de Maassen, sous le titre de *Geschichte der Quellen*, qui a donné une notice sur des centaines de Collections du Moyen Age arrivées jusqu'à nous. C'était un *catalogue,* ce n'était pas une histoire. Mon maître, Paul Fournier, s'est demandé quelle avait été l'histoire de ces Collections et de ces Manuscrits, et nous avons écrit ensemble cette *histoire.* Mais ce n'était pas encore de la vraie sociologie. Où a commencé la vraie sociologie ? C'est lorsque nous nous sommes demandé dans quelle société, pour quelle société, avec quel langage propre à cette société, sont nées ces Collections Canoniques. Et je suis arrivé — d'autres y sont arrivés aussi bien que moi puisque P. Fournier avait dégagé les voies — à la conclusion que ces Collections Canoniques, ces milliers de manuscrits répandus dans toutes les bibliothèques, on peut les ordonner parfaitement si l'on se rend compte qu'ils dépendent étroitement de la *morphologie* des Eglises. Une Eglise qui n'a pas de hiérarchie, de territoire, comme celle de l'Irlande au VIe siècle, est une Eglise où chacun **fabrique** sa petite Collection : les moines irlandais s'enfermaient dans leur cellule et fabriquaient des pénitentiels, et chacun attribuait au péché la pénitence qui lui paraissait la meilleure pour les autres. « Celui qui boira une fois et qui s'enivrera aura deux jours de pénitence », « Celui qui s'enivrera deux fois, vingt jours », « Celui qui s'enivrera... » etc., cela pouvait aller jusqu'au millier d'années (*rires*). L'un de ces pénitentiels déclare en conséquence : l'homme riche pourra pécher davantage parce qu'il aura des esclaves pour faire une partie de sa pénitence.

Pour les Eglises qui, au contraire, ont des divisions territoriales mais pas de tête — prenez par exemple la Gaule mérovingienne — chaque évêché, chaque monastère a sa Collection, mais cette fois sous la surveillance de l'Evêque ou de l'Abbé. Les Eglises qui sont unifiées, comme l'Eglise wisigothique, auront des Collections nationales ; les Eglises qui sont simplement régionalisées, comme Arles au début de l'époque mérovingienne, des Collections régionales ; et enfin les Eglises centralisées comme l'Eglise romaine auront une Collection unique. Or vous avez pu remarquer que, par ce parcours, nous sommes arrivés — je m'excuse, cher Goldmann, d'employer cette terminologie que vous connaissez et qui est un peu pédante, mais il faut bien l'utiliser dans des circonstances comme celle-ci — à une *étiologie*, c'est-à-dire que nous avons trouvé des causes, à une *typologie* puisque nous avons classé en régions et à une *morphologie,* puisque nous sommes arrivés à cette conclusion que les Collections Canoniques dépendent très étroitement de la morphologie des Eglises. Nous pouvons aller plus loin dans cette direction, et j'ajouterai que ce n'est pas une loi inutile. Quand à Rome, il y a quelques années, on a entrepris de faire un Code des Eglises orientales, j'ai dit immédiatement : « Vous ne le ferez pas, car l'Eglise est trop centralisée pour qu'il y ait un Code des Eglises orientales et un Code des Eglises occidentales, ce n'est pas possible. » Eh bien, ce qui n'était pas possible n'a pas été possible. L'archevêque de Beyrouth, mon ancien élève Mgr Ziadé, que vous avez pu connaître à la Sorbonne, m'écrivait ces temps derniers — et il l'a fait imprimer : « Dans une Eglise centralisée comme la nôtre, on peut faire des paragraphes propres à telle région, on ne peut pas ne pas faire une seule Collection. » Vous voyez par conséquent que nous arrivons à des conclusions tout à fait pratiques et, en tout cas, à une clarté dans la vue des Collections Canoniques qui est due à quoi ? à la sociologie, et si je devais dire à qui ? je dirais d'abord à mon maître Paul Fournier qui a parfaitement dégagé les voies.

Ceci m'amène — et ce sera ma conclusion mais je voudrais qu'elle fût un tout petit peu pratique — à vous dire que je crains que le secteur le moins cultivé jusqu'à présent dans la sociologie de la littérature ne soit la littérature chrétienne. Je sais bien qu'il y a d'excellents auteurs pour étudier le Jansénisme, je sais bien que sans L.G. — je ne donnerai que ses initiales pour ne pas trop répéter son nom et infliger de difficultés à sa modestie — nous ne connaîtrions ni Barcos ni bien des choses : mais enfin il reste beaucoup à faire et je concevrais qu'il y eût une sociologie de la littérature chrétienne. En plusieurs périodes, cela va de soi : d'abord l'Antiquité, c'est-à-dire les Pères, et puis il faudrait aller ensuite jusqu'à la scolastique, et puis l'Eglise moderne, l'humanisme, et enfin l'Eglise contemporaine. Je ne dis pas que de grands auteurs, comme Proellsch, ont ignoré ce problème ! Mais croyez-vous que tout historien de la théologie s'en préoccupe, croyez-vous que les innombrables qui écrivent sur le christianisme actuellement, croyez-vous que les spirituels qui sont nombreux eux aussi, les mystiques, se doutent que nous sommes à l'affût et que nous voulons faire leur sociologie ? Pourtant, c'est là un très beau domaine. Si j'entrais dans les détails j'achèverais de vous convaincre, j'en suis sûr, car enfin la Patristique, à elle seule, nous offre un champ considérable. Et dans quelle mesure les grands auteurs du XIIe siècle — pour nous en tenir à celui-là — ont-ils été influencés par la société où ils vivaient ? Dans quelle mesure cette société acceptait-elle leur langage, leurs préoccupations, leurs précautions ? Ne pensez-vous pas que, si nous examinions de très près chaque œuvre et ceci non pas seulement pour savoir de qui elle est et de quand elle est, mais pour savoir dans quel genre de société elle a été écrite, cela nous mènerait à la solution d'autres problèmes ? Comment expliquer tel ou tel écrit de Tertullien — je commencerais par le *De Unitate* — comment pouvons-nous expliquer tout cela en nous aidant de la sociologie ? Vous voyez quel service énorme vous avez à rendre, vous voyez, Goldmann, que vous avez encore du travail à faire, et à faire faire !

Je m'excuse de m'exprimer avec un peu de passion, mais enfin nous sommes de la même famille, mon pauvre ami, nous ne pouvons dire les choses avec tranquillité, avec un irénisme total bien qu'il soit au fond de nos cœurs et de notre esprit.

Si j'avais réussi à persuader cet auditoire qu'il y a là un vaste champ à peine défriché mais dans lequel nous avons déjà rencontré quelques cultivateurs exemplaires, eh bien ! je n'aurais pas seulement ouvert un Colloque mais aussi un vaste champ à la science.

LE PROBLEME DE LA RECEPTION

par Umberto ECO

On a pu remarquer, pendant ces dernières décennies, certains faits, de caractère éminemment socio-technologique, qui ont influé de différentes façons non seulement sur les rapports culturels, mais aussi sur la nature esthétique même des œuvres d'art. Pour mieux dire, ces faits ont rendu actuels et concrets des problèmes et des possibilités qui jusqu'alors n'étaient qu'entrevus dans le domaine de la spéculation philosophique.

Le développement de l'édition de masse, la révolution des paperbacks, les expériences culturelles rendues accessibles à tous grâce au succès des publications par cahiers hebdomadaires, ces phénomènes et d'autres ont changé la notion traditionnelle de « lecture ». Dans tous les cas, ils ont démontré que celle-ci était partielle, fondamentalement classique et, en définitive, fausse. Cette nouvelle notion de « lecture » que nous devons envisager n'est peut-être pas un fait totalement positif : quoi qu'il en soit, c'est un fait et c'est un bien que ses coordonnées soient devenues claires pour tout le monde.

Quelle est la notion traditionnelle de « lecture », celle qui est désormais entrée dans le « dictionnaire des idées reçues », professée à un certain niveau par les Bouvard et Pécuchet du paléo-humanisme ?

Cette notion peut se résumer ainsi : la Page (ou le Livre) est la communication d'un Absolu — et donc d'un Immodifiable — entre deux Universels : un Homme d'un côté et un Homme de l'autre. Lire signifie pénétrer dans cet univers intangible et unique que l'Homme de l'autre côté a transfusé en Forme. La Forme est ce qu'elle est : du moment qu'elle est née, elle ne s'adapte pas au monde, à l'histoire, à la société, à l'espace et au temps, mais le monde, la société, l'histoire, l'espace et le temps s'adaptent à elle et se façonnent à son image. Lire, c'est accomplir cet acte d'identification et d'unité, pénétrer dans ce nœud de l'éternel où tout a une seule définition, où tout changement est licence, et où toute possibilité se résout dans l'obéissance aux lois supérieures de la Forme.

L'étude des actes de communication (qui trouve à présent ses instruments adéquats dans la théorie de la communication, la linguistique, la sociologie de la culture) nous apprend que quand un être humain communique avec un autre il élabore un *message* sur la base d'un *code* de conventions communicatives qui vaut à l'intérieur d'un groupe social et d'une situation historique. On obtient les meilleures conditions pour le passage de la communication lorsque celui qui reçoit le message le déchiffre sur la base du code même employé par l'émetteur. Mais même dans ce cas la communication est soumise à de multiples aventures. Chaque signe du message correspond à une signification précise seulement si l'on considère signifiés, signifiants et code sur la base abstraite et statistique d'une communication théorique ; en réalité chaque signifiant ouvre, dans l'esprit de celui qui le reçoit, un champ sémantique plutôt vaste ; le jeu des rappels et des évocations est soumis à la psychologie personnelle, à la situation concrète des individus. Tout message est toujours un pari sur la façon dont il sera reçu ; l'émetteur s'efforce de l'articuler de sorte que les quiproquos, les variations réceptives personnelles touchent le moins possible le récepteur, et dans bien des cas (comme par exemple l'horaire des chemins de fer ou l'affiche d'appel aux armes) la communication est reçue de façon univoque (mais même dans ce cas il peut encore arriver que celui qui doit recevoir le message ne domine pas tout à fait le code).

Il en est bien autrement de ce genre particulier de message qu'est le message esthétique : dans ce cas l'auteur s'efforce justement de former une série de signes qui échappent à la rigide univocité de la communication ordinaire ; il veut que celui qui reçoit soit entraîné dans une aventure interprétative, qu'il interroge les signifiants, les rapporte à leur matrice physique (son, couleur, pierre, métal — en un mot : « matière »), qu'il enrichisse le message d'apports personnels, qu'il le charge d'évocations accessoires. Et cependant il veut qu'il saisisse quelque chose que lui, l'auteur, a voulu dire ; qu'il lise l'œuvre de la juste façon tout en découvrant des possibilités que lui, l'auteur, n'avait pas tout à fait entrevues. Tel est le défi du message esthétique, sa capacité de vivre dans l'histoire, de demeurer le même et de devenir toujours nouveau dans cette dialectique continue qui avait déjà été pour Marx un problème provoquant, quand il se demandait comment les chefs-d'œuvre de la poésie grecque pouvaient encore nous intéresser, bien que liés aux structures d'une société désormais disparue. Dans ce défi le lecteur avisé s'efforce d'un côté de retrouver le code de l'auteur, de l'autre de découvrir l'œuvre à l'aide d'un code enrichi : on peut dire, pour employer une terminologie accessible, bien que vague, que c'est ainsi que se résout la dialectique critique entre philologie et imagination, entre fidélité au texte et courage interprétatif.

Il me semble que la question : « Quand je transmets un message, que reçoivent effectivement des individus différents dans des situations différentes ? Le même message ? Un autre, semblable ? Un autre, tout à fait différent ? » — question commune à toute recherche sur la communication humaine — devient particulièrement pressante dans le domaine des communications de masse. On y vérifie une déformation du rapport habituel qui touche même la situation exceptionnelle que l'on avait reconnue au message artistique. Dans le passé l'auteur d'un acte de communication, par exemple l'artiste du palais de Knossos en Crète, élaborait un message (disons le relief en plâtre du Prince des Fleurs de Lys) pour une communauté de receveurs bien définie. Cette communauté possédait un code de lecture pareil à celui de l'artiste : elle savait par exemple que le bâton dans la main gauche représentait un sceptre, que les fleurs stylisées du collier, du diadème et du fond, étaient des lys ; que la couleur jaune foncé de la figure indiquait la jeunesse ; et ainsi de suite. Le fait que cette œuvre pût être regardée de façon tout à fait différente par les conquérants achéens, qui avaient d'autres attributs pour indiquer la royauté, était purement accidentel eu égard aux buts de la communication. Il s'agissait d'un *décodage aberrant* dont l'artiste n'avait pas du tout conçu la possibilité.

Il y avait différents genres de décodages aberrants :

a) avant tout par rapport aux peuples étrangers qui *n'auraient pas du tout possédé le code* (telle est notre situation par rapport à la langue étrusque) ;

b) par rapport aux générations successives, ou peuples étrangers, qui auraient superposé au message un code étranger (c'est ce qui s'est passé dans les premiers siècles du christianisme, et même après : on interprétait comme image sacrée une image païenne ; et c'est ce qui se passerait aujourd'hui si un Oriental tout à fait étranger à l'iconographie chrétienne prenait une image de saint Paul pour la représentation d'un guerrier, du moment que par convention, il porte l'épée) ;

c) par rapport aux différentes traditions herméneutiques (l'interprétation romantique d'un sonnet du « stil novo » médiéval, qui voit comme situations érotiques ce qui, pour le poète, était des allégories philosophiques) ;

d) par rapport à différentes traditions culturelles qui voient le message, inspiré d'un code différent, comme un message mal inspiré à son propre code (c'est ainsi que l'artiste du XVIe siècle pouvait voir comme une erreur de perspective le tableau du primitif, composé selon les conventions d'une perspective à « arête de poisson » étrangères aux conventions de Brunelleschi).

On pourrait trouver d'autres exemples. Dans tous les cas, le décodage aberrant était l'exception imprévue et non pas la règle. La philologie s'efforçait d'autre part, dans les périodes plus férues du point de vue critique et en possession du sens des différences historiques et ethnologiques, à garantir un décodage exact.

Le panorama change complètement lorsqu'on considère un message émis pour une masse indifférenciée de récepteurs et véhiculé à travers les canaux de la communication de masse. Dans ce cas, l'émetteur s'inspire d'un code communicatif qui, on peut le prévoir *a priori,* ne sera pas possédé par tous les récepteurs. Il suffit de lire un ouvrage comme *New lives for old* de Margaret Mead pour observer comment les indigènes de l'île de Manus (Mélanésie) interprétaient les films américains projetés pour eux par les troupes d'occupation. Les aventures de personnages américains, inspirées d'un tableau de références éthiques, sociales, psychologiques différentes, étaient vues à la lumière du tableau de références propres des indigènes ; d'où la naissance d'un nouveau genre d'éthique qui n'était plus ni indigène, ni occidental.

Un modèle de cette situation peut être donné par un jeu scolaire dans la phrase « I vitelli dei romani sono belli ». La phrase, si elle est interprétée selon le code de la langue italienne, signifie « Les veaux des Romains sont beaux » ; si elle est interprétée selon le code de la langue latine elle signifie « Va, ô Vitellius, au son de guerre du dieu romain ».

Or nous soutenons qu'une situation qui, dans ce jeu, paraît du point de vue communicatif si paradoxale, s'avère normale au cours de la plupart des procès de communication qui ont lieu dans le domaine des mass media. Le décodage aberrant (simple accident pour ce qui est du message que l'artiste de la Renaissance adressait à ses concitoyens — à qui il était uni par des liens d'une civilisation commune) est *normal dans les communications de masse.*

L'inégalité des codes, qui peut atteindre l'incommunicabilité totale, rend la communication, à l'extrême limite, neutre. Sans arriver à ce point, donnons un masque africain à Picasso ; les trois quarts des motivations ethnologiques de l'objet lui échapperont ; il superposera au message — par lui-même muet — le code d'une imagination occidentale engagée dans un procès polémique de déformation de l'harmonie méditerranéenne. Dans ce cas, l'œuvre vit et change dans le temps, et même trop. Seule justification, la naissance d'une œuvre nouvelle. Pour comprendre le message de l'auteur africain il faudra attendre les éclaircissements d'un anthropologue.

Il y a quelques années, quand Sartre écrivait *La Nausée,* il s'adressait à un lecteur français qui possédait le code « langue française » et qui était à jour des problèmes communs à une culture européenne affrontant la crise. La communication, à des niveaux différents, selon les possibilités intellectuelles des récepteurs, était cependant encore possible. Dans tous les cas *les récepteurs constituaient un public homogène*.

Aujourd'hui *La Nausée* entre dans le circuit des paperbacks et rien qu'en Italie, arrive entre les mains d'environ cent vingt mille personnes. Il n'est point d'optimisme qui puisse nous convaincre que nous avons affaire à un public homogène qui possède des codes homogènes. Si nous avions encore quelques doutes, une enquête comme *La fatica di leggere* (publié en Italie par Simonetta Piccone-Stella et Annabella Rossi) suffirait à nous montrer ce qui est en train de se passer. Ne parlons pas de l'épisode effarant (cité dans le livre) de l'étudiant néo-fasciste qui lit *Pour qui sonne le glas* comme un livre fasciste (et il n'est pas complètement en dehors du registre : selon ses motivations, il sélectionne dans l'ouvrage les éléments qui servent à montrer les républicains cruels et violents, les phalangistes de pâles figurants de fond). Nous parlons du fait que l'on ne peut concevoir dans tous les cas que le maçon qui lit *Résurrection* ou *Le docteur Jivago* possède les mêmes motivations culturelles que Tolstoï ou Pasternak — ou, s'il les possédait, qu'il les exprime habituellement avec les mêmes signes.

Donc la littérature, qui jusqu'à hier était un message émis dans la sphère d'un corps homogène dont faisaient partie l'auteur aussi bien que le récepteur, est en train de devenir, grâce à sa diffusion industrielle, une circulation de messages qui seront lus avec des codes, pour la plupart inconnus des auteurs qui n'étaient pas au fait de la réalité psychologique et culturelle de leurs récepteurs actuels. C'est ainsi que se complète un processus historique qui avait commencé au XVIIIe siècle avec la naissance d'une littérature populaire destinée à de grands tirages ; avec la différence que Richardson (et même plus tard, Dumas) savait pour qui il écrivait et tâchait d'entourer son message de redondances telles qu'elles permettaient un décodage adéquat.

La situation industrielle actuelle met en crise le mythe de la Lecture Absolue et vérifie les théories esthétiques d'une ouverture et d'une disponibilité de l'œuvre, dans l'espace comme dans le temps. Mais elle la vérifie à l'extrême limite, là où la notion même de l'œuvre (et du message) risque de se dissoudre dans une circulation d'informations désordonnées que chaque récepteur se forge pour soi, en se donnant l'illusion de les recevoir. C'est ainsi que l'illusion illuministe d'une diffusion de la Culture débouche dans la désorganisation d'une culture.

On pourrait dire que c'est ici que s'arrête l'esthétique, impuissante à définir un fait qui contraste avec sa notion d'œuvre, et qu'au maximum une sociologie de la culture, engagée à définir une situation de désordre communicatif, prend sa place. Si ce n'est qu'il reste encore place pour une réflexion qui tend à retrouver des possibilités d'unité dans ce panorama d'un désordre, d'une vitalité impressionnants. Avant tout, une fois détruit le mythe classiciste de la Lecture Absolue pour un lecteur Universel (et en réalité identifié à un lecteur privilégié du point de vue de classe) il ne faut pas tomber dans un autre malentendu : que les autres lecteurs sont fatalement inadéquats. D'un côté l'œuvre possède une telle unité d'organisation qu'à elle seule elle peut suggérer des clés pour la lire ; d'un autre côté une communauté portée d'une façon si violente, mais si riche, au contact d'œuvres inusitées, pourrait s'emparer peu à peu, même d'une façon approximative et désordonnée, de codes dont jusqu'à présent elle a été exclue.

En outre, comme nous l'ont enseigné les formalistes russes (qui précédèrent de trente ans les découvertes de la théorie de la communication), l'élément pour lequel l'œuvre d'art nous impose un processus actif d'interprétation est le sens d'*ostrannenie* (Verfremdung), d'étrangement, d'extranéité (être et paraître surprenant, non habituel) avec lequel des signes s'imposent à nous, en nous entraînant à ce défi que l'on appelle lecture passionnée, honnête, fidèle. Et en face d'une société de lecteurs traditionnels (tellement habituée aux œuvres qu'elle lit et à leur monde culturel, qu'elle ne les sent plus en tant que quelque chose de nouveau et de provocant, mais en tant qu'éléments d'un rite fatigué), le nouveau lecteur ne serait-il pas le récepteur idéal pour un message qui est nouveau pour lui et qui ouvre de nouvelles voies à son imagination et à son intelligence ? Quelle méfiance à l'égard de la communication artistique que de croire qu'il suffit d'un léger trouble pour en bloquer les possibilités communicatives ! Pourquoi le jeune qui écoute pour la première fois le disque commercialisé de la Ve de Beethoven ne l'accueillerait-il pas avec une fraîcheur désormais inconnue du théoricien de la culture, qui en craint la diffusion et la transformation en objet commercial ?

Une nouvelle situation est en train de prendre forme. Affrontons-la tout en connaissant ses dimensions et ses possibilités. Si la moitié des énergies que l'on dépense pour mettre en garde contre les dangers de la diffusion du livre était employée pour apprendre à bien lire, nous serions peut-être au seuil d'une révolution culturelle. Mais ceci relève de la politique, pas de l'esthétique.

L'INTERPRÉTATION PSYCHANALYTIQUE DES PRODUCTIONS CULTURELLES ET DES ŒUVRES D'ART [1]

par André GREEN

Qu'il y ait un état post-freudien de l'interprétation des créations artistiques et des productions culturelles n'est pas un fait à démontrer ; la meilleure preuve en est la présence de psychanalystes à ce colloque. Mais c'est aussi parce qu'on a le sentiment d'être en droit d'attendre d'eux certains éclaircissements ; je ne sais en vérité si je serai capable d'y répondre, cependant il n'est pas possible de s'y dérober. Dès lors que la psychanalyse est sortie du domaine thérapeutique — auquel son fondateur n'a jamais souhaité qu'elle fût confinée — pour entrer dans le monde de la culture, la culture en retour interroge la psychanalyse. Cependant la symétrie n'est qu'apparente. S'il est vrai que Freud a parfois émis le jugement que la cure psychanalytique est seulement l'une des applications de la psychanalyse, il restera que seule celle-ci permet l'observation de façon convaincante des phénomènes inconscients. Aussi ne sera-t-il pas étrange que les explications fournies par le psychanalyste ne parviennent pas à satisfaire ceux qui ne peuvent les apprécier qu'à partir de son interprétation des faits culturels. D'autant que l'interprétation psychanalytique prend souvent la forme d'une contestation. Non d'une contestation de la culture elle-même, mais des interprétations qui assignent à une élévation particulière de la conscience le processus d'acculturation. Selon Freud l'inconscient

---

[1] Quand Lucien Goldmann m'a fait l'honneur de m'inviter à participer à ce colloque, il m'avait demandé, en vue de faciliter les échanges entre participants, de soumettre à la discussion des travaux qui pussent être déjà portés à leur connaissance. C'est pour obéir à ce vœu que l'exposé que je fis alors portait sur un travail déjà publié sur l'*Orestie* (*Les Temps Modernes*, n° 217). Comme je ne vois pas l'utilité de redoubler cette publication par un travail redondant, j'ai préféré lui substituer une mise au point, dont l'utilité m'est apparue au cours des débats, sur certains aspects des contributions de la psychanalyse au thème général du colloque, en y ajoutant quelques vues personnelles. Depuis le colloque, j'ai développé amplement les thèmes oraux et écrits qui constituent ma contribution à ce colloque dans un ouvrage intitulé *Un œil de trop : Le complexe d'Œdipe dans la tragédie*. Ed. de Minuit, 1968.

culturel n'a pas de spécificité propre, les mêmes mécanismes et les mêmes fonctions devant être assurés pour répondre aux mêmes besoins que ceux des individus.

Il ne fait pas de doute que pour Freud l'essentiel demeure l'investigation de phénomènes qu'aucun autre abord ne permet de mettre en évidence. Témoin, la définition qu'il donne de la psychanalyse dans un article rédigé pour une encyclopédie : « La psychanalyse est le nom 1º d'un procédé d'investigation de processus mentaux qui sont à peu près inaccessibles d'aucune autre manière ; 2º d'une méthode (basée sur cette investigation) pour le traitement des troubles névrotiques ; 3º du recueil de l'information psychologique obtenue selon ces voies, dont l'accumulation progressive conduit à une nouvelle discipline scientifique [2]. »

Telle est donc la contradiction de départ qu'il nous faut accepter et que, je dois le dire, je ne vois aucune mesure susceptible de lever. Toutefois, si tout le monde ne peut faire l'expérience personnelle de la psychanalyse pour se convaincre, et pas seulement de façon théorique ou par rapprochement avec les utilisations dérivées que ce terme a prises chez des auteurs non psychanalystes, de l'existence de l'inconscient, il n'est pas obligatoire de se référer nécessairement aux troubles névrotiques pour se frayer un chemin vers lui. Parmi les formations de l'inconscient, le rêve, l'acte manqué, le lapsus ou l'oubli des noms mettent chacun de nous en présence de témoignages irréfutables de l'univers découvert par Freud. Les résistances ne manquent jamais pour empêcher d'analyser complètement ces manifestations ; cependant même si toutes les articulations qui entrent dans leur composition ne sont pas à la disposition de la conscience de celui chez qui elles surviennent, il ne semble guère niable qu'un point de non-retour ait été atteint dans la façon de les considérer. Le témoignage d'une présence permanente de la vie de l'inconscient — même dans une vision embuée par ce qui s'oppose à ce qu'on en reconnaisse les sources profondes — ne permet plus de se trouver d'accord pour reléguer celui-ci au domaine limité des phénomènes pathologiques et la psychanalyse aux moyens employés pour leur résolution. Mieux encore, lorsque les manifestations de l'inconscient sont analysées chez le névrosé, elles ne sont soumises à aucune dégradation, bien au contraire. Freud ne se contente pas de les avoir promues à un rang de signification qui leur avait été refusé jusque-là, il reconnaît en elles une élaboration digne des créations les plus estimables de l'esprit humain. Ainsi dira-t-il de l'Homme aux

---

[2] *La Psychanalyse*, 1922. Voir Standard Edition of the complete psychological works of Sigmund Freud, vol. XVIII, p. 235. Nous désignerons désormais la Standard Edition par le sigle S.E.

Rats : « Toujours est-il qu'en approfondissant les rêves de notre patient relatifs à ces événements [la sexualité infantile et sa régression], on trouvait chez lui les signes les plus nets d'une sorte de création imaginaire dans le genre d'un poème épique, dans lesquels les désirs sexuels envers sa mère et sa sœur, de même que la mort prématurée de cette dernière, étaient mis en rapport avec le châtiment par le père du petit héros [3]. »

Cette phrase devrait apaiser les craintes de ceux qui se sentent gênés par l'intrusion du psychanalyste dans les créations culturelles, redoutant toujours plus ou moins obscurément que le résultat de son analyse aboutisse à une assimilation du cadre de la culture à celui de la pathologie au détriment de la première. S'il y a une communication entre ces ordres de phénomènes, elle n'est jamais à sens unique et en tout cas n'implique aucun jugement de valeur. Seul est souligné le fait que les symptômes pathologiques ne sont d'aucune utilité sociale et ne sont mis au service que de buts purement privés. « C'est ainsi que les hystériques sont sans aucun doute des artistes imaginatifs, même s'ils expriment leurs fantasmes principalement *mimétiquement* et sans s'occuper de les rendre intelligibles aux autres ; que les cérémoniaux et les prohibitions des névrosés obsessionnels nous amènent à supposer qu'ils ont créé leur propre religion privée, et les délires des paranoïaques offrent une désagréable ressemblance externe et une ressemblance interne avec les systèmes de nos philosophes. Il est impossible d'échapper à la conclusion que ces malades font d'une manière *asociale* tout ce qu'ils peuvent pour résoudre leurs conflits et apaiser leurs besoins pressants qui, lorsque ces tentatives se manifestent sous une forme qui est accessible à la majorité, se font connaître sous le nom de poésie, de religion, de philosophie [4]. » La distorsion imprimée par les réponses individuelles et asociales à des problèmes communs à la condition humaine attire donc notre attention sur les autres voies qui ont pu être adoptées par les groupes et les sociétés d'une façon très générale, pour promouvoir les solutions acceptables à la déception des désirs insatisfaits. La névrose a ouvert la voie, car elle est suffisamment proche de la normalité pour retracer le processus de la déformation. D'un autre côté, le détour qu'elle permet a donné la possibilité, par une démarche rétroactive, d'appréhender la signification des créations culturelles non comme terme dernier, mais en tant qu'elles-mêmes sont le résultat d'une élaboration de l'inconscient. L'homme non névrosé, le normal, nous offre le témoignage des produits où cette élaboration

---

[3] « L'homme aux rats » dans *Cinq Psychanalyses*, trad. M. Bonaparte et R. Loewenstein, p. 234.
[4] Préface à l'ouvrage de REIK sur le rituel, S.E., XVII, 260-261.

peut être vue à l'œuvre à partir de matériaux plus bruts de l'activité psychique. L'exemple du rêve montre la persistance de ces matériaux, leur retour périodique chaque nuit et le réarrangement dont ils sont l'objet, y révélant les processus fondamentaux de la signification (condensation, déplacement) qui ne cessent pas de les habiter, ceux-ci obéissant toutefois à une logique d'un autre ordre, qui a pour but d'obtenir, en dépit des renoncements de la vie éveillée en société, la réalisation des désirs.

Les hommes qui se donnent pour tâche la progression du processus de civilisation ne peuvent, malgré ce qu'il leur en coûte, la sauvegarder qu'au prix d'une formidable coercition. La civilisation a à se défendre contre l'individu toujours prêt à réaffirmer, aussitôt qu'il le peut, ses exigences, protestant contre le renoncement imposé aux pulsions. Bien entendu ceux qui exercent cette coercition n'appartiennent aucunement, par privilège spécial, à une catégorie qui échapperait à ses contraintes internes. D'où la nécessité pressante de moyens substitutifs de satisfaction dans les idéaux collectifs, l'art, la religion [5], susceptibles d'apporter un apaisement à la fois partiel et général. Il n'y a donc pas de différence essentielle quant au destin des désirs humains entre réalisations névrotiques et réalisations sociales. « Notre connaissance des maladies névrotiques des individus nous a été d'un grand secours pour notre compréhension des grandes institutions sociales. Car les névroses elles-mêmes se sont trouvées être des tentatives pour trouver des solutions *individuelles* aux problèmes de compensation trouvées par les désirs insatisfaits, alors que les institutions cherchent à fournir des solutions *sociales* à ces mêmes problèmes [6]. » On voit par le passage que nous venons de rappeler qu'il s'agit beaucoup moins d'opposer l'abord sociologique et l'abord psychanalytique que de faire reconnaître dans leurs articulations une interprétation à laquelle s'attache la psychanalyse.

I

On ne peut venir à bout de l'opposition entre l'abord sociologique et l'abord psychanalytique que par l'analyse de la structure sociale et la reconnaissance en elle des mêmes éléments d'hétérogénéité que ceux qui spécifient l'individu. Cette hétérogénéité, Marx, comme Freud, l'a aperçue lorsqu'il envisage les bouleversements sociaux. « Quand on considère les bouleversements, il faut toujours distinguer deux ordres

---

[5] Cfr *L'Avenir d'une Illusion*, S.E., vol. XXI, chap. II.
[6] *L'intérêt pour la psychanalyse*, S.E., XIII, p. 187.

de choses. Il y a le bouleversement matériel des conditions de production économique. On doit le constater dans l'esprit de rigueur des sciences naturelles. Mais il y a aussi les formes juridiques, politiques, artistiques, philosophiques, bref les formes idéologiques dans lesquelles les hommes prennent rarement conscience de ce conflit et le poussent jusqu'au bout. On ne juge pas un individu sur l'idée qu'il a de lui-même. On ne juge pas une époque de révolution d'après la conscience qu'elle a d'elle-même.[7] » Le mouvement actuel des idées — avec les travaux d'Althusser surtout — tend à doter d'une plus grande autonomie ces phénomènes idéologiques. Si Marx a bien souligné ces deux ordres de faits, il semble qu'il n'ait pu résister à la tentation de faire dériver l'un de l'autre, c'est-à-dire d'accorder la prééminence à celui des conditions de production économique. L'essentiel n'est-il pas qu'il marque dans ce texte l'idée de l'inadéquation d'une interprétation des phénomènes idéologiques à partir de la conscience que les hommes en ont ? L'interprétation de Freud est évidemment diamétralement opposée, mais elle distingue aussi, dans l'apparente unité des tâches sociales, une pluralité d'aspects visant toujours le même but : l'effort pour se délivrer des conséquences des entraves qui s'opposent à la satisfaction. « La psychanalyse a montré qu'il existait un rapport étroit entre la réalisation psychique des individus d'une part et celle des sociétés d'autre part en postulant qu'il y avait une seule et même source dynamique pour les uns et les autres. Son point de départ réside dans l'idée fondamentale que la fonction principale du mécanisme psychique est de soulager l'individu des tensions créées en lui par ses besoins. Une partie de cette tâche peut s'accomplir en obtenant des satisfactions du monde extérieur et dans ce but il est essentiel d'avoir le contrôle du monde réel. Mais la satisfaction d'une autre partie de ces besoins, au nombre desquels certaines impulsions affectives, est régulièrement frustrée par la réalité. Ce qui mène à la tâche suivante qui est de trouver d'autres moyens de venir à bout des impulsions insatisfaites. Tout le cours de l'histoire de la civilisation n'est rien d'autre que la relation des différentes méthodes adoptées par l'humanité pour « lier » ses désirs insatisfaits qui selon les changements de conditions (modifiées en plus par les progrès technologiques) ont affronté une réalité qui a eu à répondre parfois par la faveur, parfois par la frustration[8]. » Les mythes, la religion, la morale prennent place dans cette deuxième tâche, ainsi que l'art. *L'avenir d'une illusion* (1929), *Malaise dans la civilisation* (1930) ne modifièrent en rien cette opinion de 1913, en y ajoutant une note pessimiste supplémentaire.

---

[7] *Critique de l'économie politique.* Avant-propos.
[8] *L'intérêt pour la psychanalyse*, loc. cit., p. 186.

On reconnaît dans les composantes d'une réalité sociologique un produit de l'histoire d'une société. Les vues des historiens modernes tendent de moins en moins vers une vision globale de l'évolution des sociétés mues par les ressorts d'une causalité univoque en ses effets. Et si le système des institutions tend à faire persévérer les normes qu'il établit, le ressurgissement de ce qu'il exclut ne se manifeste pas seulement dans les transgressions qu'il entraîne en retour, mais dans la création de champs culturels où les produits de l'exclusion trouvent droit à s'exprimer. Ainsi Morazé écrit-il : « L'humanité, comme la nature, est appelée à des accroissements d'ordre, mais comme la nature elle y résiste et s'y divise [9]. » Cette observation est applicable à la configuration sociale qui est forcée d'admettre la contrepartie de la considérable répression des désirs individuels nécessitée par la coexistence en société. La réalité sociale s'en trouve ainsi scindée, laissant à un domaine la possibilité de se développer pour le soulagement des conflits que l'action civilisatrice n'a pu éviter de créer. Au sein d'une société donnée l'analyse aboutira à la distinction entre ses soubassements économiques, ses institutions, son idéologie religieuse, ses modes de pensée, etc... Mais toutes ces séparations conduiront nécessairement à s'interroger en fin de compte sur la signification de quelques questions fondamentales qui seront toujours les mêmes. Qu'est-ce que le pouvoir ? Comment s'exerce l'autorité ? De quelle morale la sexualité est-elle l'objet, sous le déguisement plus acceptable de la magnification des formes de la vie amoureuse ? Que privilégie-t-on en elle, l'objet ou la tendance ? Par quelles consolations rend-on plus acceptables les privations entraînées par tel ou tel système non seulement dans la distribution des richesses, mais eu égard aux règles de la censure qui s'exercera sur la vie pulsionnelle ? Quelles satisfactions narcissiques sont recherchées pour donner à l'orgueil les compensations des sacrifices consentis aux renoncements pulsionnels, etc. ?

On ne peut éviter d'être frappé par le fait que les témoignages que nous possédons des sociétés ayant vécu à des périodes reculées de l'histoire et de celles qui sont demeurées à un état de non-développement montrent un rapport saisissant entre des prohibitions fondamentales, dont nous avons oublié le sens et la portée, tant elles paraissent s'être donné, pour nous, un statut de seconde nature, et le foisonnement, sans commune mesure avec ce que nous connaissons dans notre vie actuelle, d'une pensée mythique que l'interprétation traditionnelle ne nous fait considérer que sous l'angle esthétique et l'interprétation moderne uniquement comme l'exercice d'une combinatoire complexe. Si cette dernière tendance a justement protesté contre l'assimilation

---

[9] *La logique de l'histoire*, NRF, p. 92.

de la production mythique à une pensée de qualité inférieure ou prélogique, on ne peut oublier que le sens de cette prolifération ne peut pas se saisir autrement que dans sa relation avec la pesée active, quasi persécutrice, des interdits qui règnent dans le milieu où elle prit naissance et qui laisse en contrepartie coexister ces fantasmes collectifs que sont les mythes.

La plus grande part de l'attention est attirée, pour qui cherche à remonter aux sources du présent, sur l'histoire en laquelle nous fondons l'essentiel de notre connaissance de l'évolution de l'humanité. Cela ne doit faire oublier en aucun cas qu'elle n'a la dimension que de la hauteur d'un doigt sur le sommet d'une montagne. Pendant des millénaires et des millénaires, les mythes, les croyances religieuses, les pratiques rituelles ont été, en dehors de leur valeur projective, sous forme de récits légendaires permettant d'assurer la cohésion du groupe qui se reconnaissait en eux, des facteurs puissants de connaissance et de savoir. Leur importance a été parallèle à celle de la maîtrise du monde extérieur par l'acquisition des techniques et l'établissement de liens de causalité moins étroitement fondés sur la réalisation de désirs. Il serait illusoire de penser que la contamination de ces deux démarches ait pu être en tous points évitée et le mouvement d'historicisation en a peut-être porté la marque au plus haut degré. Le mouvement d'historicisation fut une ressaisie de ce qui l'avait précédé dans le temps ; il ne put se priver de modeler le passé, dont les racines lui échappaient, selon les normes du présent : « Alors l'histoire, qui avait commencé de suivre et de noter les événements du présent, jeta aussi un regard en arrière, rassembla traditions et légendes, interpréta les vestiges laissés par le lointain passé dans les mœurs et édifia ainsi une histoire du passé préhistorique. Il était inévitable que cette préhistoire fût plutôt l'expression des opinions et des aspirations du présent que l'image fidèle du passé. [10] » On connaît l'hypothèse audacieuse de Freud selon laquelle les peuples garderaient le souvenir, sous forme de traces mnésiques inconscientes, des expériences de cette préhistoire, hypothèse invérifiable sans doute. Voyons surtout en elle cette insistance qu'il met à vouloir souligner l'effet de résonance que nous gardons face aux événements du mythe. On a abandonné aujourd'hui l'idée de la valeur explicative des mythes. Mais, ce faisant, on a jeté par-dessus bord leur valeur par rapport à ce que Freud nomme, dans *Moïse et le Monothéisme*, « la vérité historique opposée à la vérité matérielle[11] ». Ce qu'il s'agit de rejoindre ici est ce que l'histoire ne peut atteindre, car celle-ci s'est construite en recouvrant l'obscurité sur quoi elle s'édifiait. Si l'on

---

[10] *Un souvenir d'enfance de Léonard de Vinci*, trad. M. Bonaparte, p. 69.
[11] *Moïse et le Monothéisme*, trad. par A. Berman, p. 194.

hésite à ajouter foi à de telles explications, tentons du moins de considérer que notre sensibilité toujours présente aux mythes tient à leur rencontre avec les structures les plus fondamentales du désir humain — qu'ils laissent s'exprimer en eux. Sous prétexte d'une rigueur scientifique qui ne s'appuie sur la science que pour s'arrêter devant ce qu'elle ignore, il y aurait peut-être plus de légèreté qu'on ne croit à penser que les expériences répétées sur des millénaires où la violence et la cruauté ont trouvé tant d'occasions de se donner libre cours pour la satisfaction des désirs n'aient eu aucun retentissement sur l'organisation psychique humaine. D'autant que celle-ci est le produit d'une sélection qui a dû son résultat à l'élaboration et au raffinement des utilisations de l'agressivité plus qu'à sa suppression. Lorsque Marie Delcourt, qui pense qu'il faut voir dans la légende d'Œdipe une expression du conflit des générations, explique la transposition dans le cadre familial d'un tel conflit au moment de la fixation des modes d'hérédité patrilinéaire, ne peut-on voir en ce déplacement le retour de ce que les rites du combat entre le Jeune et le Vieux Roi comportaient eux-mêmes de transposition dans le cadre politique, de la lutte entre fils et pères ?

« Les mythes sont tout ce que nous laissèrent de raconté neuf cent mille ans d'activité préhistorique [12]. » Mythes, croyances religieuses et pratiques rituelles n'ont dû leur extraordinaire efficacité qu'à ce qu'ils représentaient eux-mêmes : un univers de discours dans lequel une structure est lisible. On retrouve ici la préoccupation essentielle des mythologues modernes. Mais cela ne peut suffire à contenter le psychanalyste. Ce qu'il s'efforce de lire à travers l'ensemble qui permet de saisir les correspondances d'un mythe à l'autre est la permanence d'un noyau d'opacité qui ne s'atteint qu'à tenter de cerner le rapport, toujours maintenu à travers la variation, du dévoilé et du caché et des voies suivies pour parvenir à ce résultat. Il s'agit donc moins d'un système de représentations ou d'une vision du monde que d'une communication allusive qui ne doit jamais révéler son sens plein. « Il semble tout à fait possible d'appliquer les points de vue psychanalytiques tirés des rêves aux produits de l'imagination ethnique tels que les mythes et les contes de fées. Le besoin d'interpréter ce genre de productions s'est fait sentir depuis longtemps. On a soupçonné que quelque " sens secret " se trouve derrière eux et on a présumé que ce sens était dissimulé par les changements et les transformations. L'étude que la psychanalyse a faite des rêves et des névroses lui a donné l'expérience nécessaire pour pouvoir trouver les procédés techniques qui ont régi ces distorsions mais dans un certain nombre de cas elle put aussi révéler les motifs cachés qui ont mené ces modifications du sens ori-

---

[12] Morazé, *loc. cit.*, p. 113.

ginel de ces mythes. Elle ne peut accepter de considérer comme l'impulsion primitive tendant à la construction des mythes le désir ardent de découvrir une explication aux phénomènes naturels ou de rendre compte des observances et des usages des cultes qui sont devenus inintelligibles [13]. » Ici se trouvent indiquées les limites de l'accord de Freud avec la tendance structuraliste qui élide plus qu'elle ne la laisse dans l'ombre la question des sources dynamiques qui sont à l'œuvre dans la combinatoire.

La voie sociologique de l'interprétation des phénomènes culturels aura toujours à se poser le problème de la fonction des produits de la culture. Elle ne peut le faire qu'à partir d'un déjà institué qui doit toujours amener à poser la question de savoir non seulement sur quoi il s'institue, mais contre quoi une telle institution a à se maintenir. Et si en fait à l'institution, en général, ne s'applique pas la réflexion de Frazer que Freud cite dans *Totem et Tabou* à propos des lois de l'exogamie « elles avaient pour but l'accomplissement du résultat qu'elles avaient en fait accompli[14] ». L'abord sociologique, en replaçant les produits culturels dans leur contexte, est l'occasion d'un retour réflexif sur la société qui leur donna naissance ; en tant que tels ils sont les médiations indispensables de cette interrogation rétroactive. Mais la façon dont une société se reconnaît dans ses institutions, s'identifie à ses œuvres ou les refuse n'est jamais révélée par une lisibilité immédiate. Il y a un écart irréductible qui apparaît quand on fait glisser le système des représentations sociales et le discours de ces productions. La distance que les produits culturels prennent à l'égard du présent comme fond sur lequel ils émergent réintroduit un rapport plus fondamental, celui de la relation du désir à ses expressions, à la mise en forme de celui-ci par d'autres cadres que ceux de la réalité sociale, et qui sont ceux de la réalité psychique, où se reflète moins ladite réalité sociale que ce qui ne peut être inclus par elle.

II

Il est temps maintenant d'aborder le problème plus particulier de l'interprétation psychanalytique des œuvres d'art. Je crois qu'il faut distinguer les différentes perspectives ouvertes par ces extensions du travail psychanalytique. On trouve chez Freud des exemples disparates de l'application à l'art des découvertes de la psychanalyse. On peut distinguer dans les écrits freudiens divers types d'abord :

---

[13] *L'intérêt pour la psychanalyse*, S.E. XIII, p. 185.
[14] S.E., XIII, p. 121.

a) sur le processus de la création lui-même. Ils sont rares, Freud admettant que pour l'essentiel la psychanalyse ne peut rendre compte du don créateur, mais seulement aller à la recherche de quelques-unes des sources de la création où il met en évidence le rôle du fantasme ;

b) sur les rapports pouvant exister entre un auteur et les produits de sa création, comme dans le cas de Léonard, visant à l'élucidation d'un trait ou d'un ensemble de traits susceptibles d'éclairer hypothétiquement une problématique inconsciente qui aurait influé sur l'œuvre par une marque spéciale ;

c) sur l'analyse des œuvres, en dehors de toute référence à leur auteur, soit pour leur valeur exemplaire (le cas des « exceptions » illustré par le *Richard III* de Shakespeare, ou l'analyse de *Macbeth* comme exemple de « ceux qui échouent devant le succès »), soit parce que l'impression qui se dégage de leur contact semble déceler en eux une énigme particulièrement sensible appelant une solution (*Moïse* de Michel-Ange).

Divers points nous arrêteront ici, qui concernent le rapport entre l'objet d'art, son producteur et son consommateur. Un abord général des œuvres d'art, dans le but de saisir de la façon la plus compréhensible possible les fonctions qu'elles remplissent, ne peut nous détourner de la voie à partir de laquelle nous ressentons la certitude que ce ne sont pas là des créations gratuites, des produits d'une spéculation tournant à vide, mais des pourvoyeuses d'émotions et de significations. C'est un état d'*arrêt* qu'elles provoquent en nous, qui suspend le cours de nos pensées, ne nous permet plus la libre disposition de notre activité psychique, en même temps qu'elles nous fixent dans une attitude interrogative. C'est de cette évidence de l'*affect* qu'il faut partir. Un affect qui se présente comme une médiation entre l'objet qui le fait lever de façon inattendue, et la surimposition sur cet objet, par la voie d'associations plus ou moins obscurément perçues, de représentations ou d'évocations qui y conduisent sans prendre une forme nette, sans qu'elles entraînent toujours une réminiscence ou un souvenir qu'elles laissent seulement deviner. Ces indices demeurent comme à l'état de fragments attendant leur réinsertion dans un ensemble autre ou plus vaste.

C'est là l'effet de l'œuvre d'art qui intéresse Freud, faisant surgir le besoin profond de mettre à nu les racines de la jouissance esthétique. Et d'alléguer une disposition rationaliste qui l'empêche de jouir de l'émotion, tant qu'il ne réussit pas à en connaître le motif. On rappellera sans doute ici les deux grands tempéraments qui s'opposent dans la jouissance devant l'art. Ceux qui préfèrent à toute connaissance intellectuelle le contact direct et immédiat avec l'œuvre, et ceux auxquels est nécessaire l'érudition savante qui doit d'abord faire le lit de l'émotion esthétique. Il ne s'agit de rien de tel ici. Les seules ressources de l'analyse qui procède à la mise au jour des ressorts émotionnels sont prises dans l'expérience de la rencontre avec l'objet d'art.

Le fait étrange, celui qui se donne en premier, est l'impression que quelque chose se dérobe à la compréhension. C'est ce qui frappe Freud devant le *Moïse* de Michel-Ange. « J'ai été par là rendu attentif à ce fait d'allure paradoxale : ce sont justement quelques-unes des plus grandioses et des plus importantes œuvres d'art qui restent obscures à notre entendement. On les admire, on se sent dominé par elles, mais on ne saurait dire ce qu'elles représentent pour nous [15]. » On voit alors que cette sollicitation personnelle est moins liée à la communication d'un contenu qu'au refus présenté par l'œuvre de se laisser cerner par une signification. Signification que pourtant elle propose, qui s'ouvre à la béance d'un manque qui se double de celui de notre difficulté à parler d'elle, alors même que nous reconnaissons son emprise sur nous. Au-delà de cette impression, le sens de la circulation de l'affect s'inverse. L'œuvre cesse d'être appel, tentation, appât, elle peut devenir, elle devient en fait, le point d'où nous sommes regardés. Freud se cache sous un pseudonyme pour publier son travail sur *Moïse*, comme il s'esquive devant l'œuvre dont il recherchait auparavant la jouissance que lui donnait sa contemplation : « Toujours j'ai essayé de tenir bon sous le regard courroucé et méprisant du héros. Mais parfois je me suis alors prudemment glissé hors de la pénombre de la nef comme si j'appartenais moi-même à la racaille sur laquelle est dirigé ce regard, racaille incapable de fidélité à ses convictions, et qui ne sait ni attendre ni croire, mais pousse des cris d'allégresse dès que l'idole illusoire lui est rendue [16]. » C'est cette tension entre un effet ressenti comme dérobement à la compréhension et cette inversion du mouvement par lequel l'intérêt pour l'œuvre renvoie à quoi l'œuvre *nous* intéresse et où se retourne l'exploration dont elle fut primitivement l'objet en question concernant son observateur, qui est à la source de l'émotion esthé-

---

[15] *Le Moïse de Michel-Ange. Essais de Psychanalyse appliquée*, trad. M. Bonaparte et Mme E. Marty, p. 10.

[16] *Loc. cit.*, p. 12. On pensera sans doute ici aux raisons personnelles de Freud d'être sensible à une telle œuvre. Outre sa condition de Juif qui le rend particulièrement réceptif à la situation qu'il évoque, Freud lui-même se trouve, à la date où il écrit le *Moïse*, dans une disposition d'esprit analogue à celle de la figure légendaire du peuple juif ayant à maintenir la barre de la psychanalyse contre les dissidences des disciples qui se sont séparés de lui. Mais ce qui compte pour lui n'est pas cette signification générale, mais l'exploration des voies par lesquelles une telle impression peut être produite, à partir d'un détail qui exige un travail de reconstruction analogue à celui du rêve.

tique. L'œuvre appelle donc, avec sa découverte, une connaissance qui sera en fait une reconnaissance, puisqu'elle visera à mettre au jour ce qui d'elle s'est déjà fait connaître par l'impact qu'elle a produit. A cet égard les références extérieures à l'œuvre, par l'utilisation de ce que nous savons de son milieu d'appartenance ou des circonstances de sa naissance, seront toujours secondes par rapport à son organisation propre et c'est vers celle-ci qu'il faut aller en premier. C'est dans la mesure où l'œuvre nous donne l'occasion d'un repassage sur les traces qu'elle porte d'une intention qui en a guidé l'élaboration, dont nous ne possédons que le ressurgissement dans le produit fini, que nous pouvons tenter d'effectuer le déchiffrage de ce qu'elle cèle en le laissant deviner. « Je sais qu'il ne peut être question ici, simplement, d'intelligence compréhensive ; il faut que soit reproduit en nous l'état de passion, d'émotion psychique qui a provoqué chez l'artiste l'élan créateur [17]. » A cet égard, la lecture de l'œuvre par rapport à l'intention qui lui a donné naissance — intention dont la plus grande partie est inconsciente — nécessite le même travail de *construction* que Freud assigne au but de la psychanalyse. A travers les productions des symptômes, des fantasmes, des rêves, nous sommes constamment mis en présence de ce fait qu'ils sont l'expression des déformations de la vérité. Ils ne sont pas des produits à récuser au nom du faux ou de l'incohérent. Ils attestent seulement que la vérité ne peut s'atteindre que par le détour de la déformation. L'identification passionnelle ou émotionnelle à l'élan créateur sera donc essentiellement identification au *travail* de l'artiste, pour suivre, à partir d'indices discrets, comment la défiguration de l'intention est le moteur de la figuration de l'œuvre. C'est ce travail qui nécessite le temps préalable à la construction, d'une déposition de l'œuvre et de l'attention orientée vers ce qui fait tache en elle, non dans le sens d'une impureté à éliminer, mais dans celui d'un point d'appel à partir duquel le démembrement permettra la recherche des condensations, déplacements et de leurs redoublements répétitifs qui permettront d'étayer l'hypothèse du sens inconscient qu'elle véhicule.

Je voudrais ici insister sur le fait que toute autre perspective nous conduit

— ou bien à situer l'effet de l'œuvre dans des zones de moins en moins spécifiques, où des influences sont recherchées qui court-circuitent l'élaboration de son producteur,

— ou bien à n'offrir dans le discours critique qu'une sorte de paraphrase de son contenu explicite à l'usage des consommateurs de l'œuvre.

---

[17] *Loc. cit.*, p. 10.

Lorsqu'on reproche aux analystes d'ajouter inconsidérément à ce que l'œuvre donne à voir ou à entendre, on peut se demander si ce n'est pas le discours critique traditionnel qui ne devrait pas encourir semblable jugement. « Ce n'est pas que les connaisseurs et les enthousiastes manquent de mots lorsqu'ils nous font l'éloge des œuvres d'art. Ils n'en ont que trop, à mon avis [18]. » Car l'essentiel est bien l'élucidation de l'appréhension énigmatique qui marque la rencontre avec le phénomène esthétique.

L'interprétation psychanalytique ne prétend pas livrer tous les secrets de l'œuvre. En tout cas pas celui de la création proprement dite. Ni le choix des meilleurs thèmes ni la connaissance des procédés ne peuvent garantir le succès dans la production d'une œuvre. L'originalité de la démarche analytique est de chercher à repérer au niveau des effets qu'elle produit chez son consommateur sa relation au plaisir. Nous ne pouvons ici entrer longuement dans la difficile question de la sublimation. Rappelons seulement que le plaisir esthétique comme celui de la sublimation est un plaisir sexuel inhibé quant à son but ou, plus carrément, ayant subi un changement de but et d'objet. Deux caractéristiques doivent retenir l'attention. D'une part les pulsions qui entrent en jeu dans l'émotion esthétique ne sont susceptibles d'aucune décharge complète. D'autre part le plaisir en jeu dans la sublimation étant fortement désexualisé confère une dimension essentiellement narcissique à ce plaisir.

Quant à la première de ces deux caractéristiques, elle répond bien à ce que Freud désignait sous le nom de *prime de séduction*. « On appelle prime de séduction ou *plaisir préliminaire,* un pareil bénéfice de plaisir qui nous est offert afin de permettre la libération d'une jouissance supérieure émanant de sources psychiques bien plus profondes [19]. » Ainsi le plaisir esthétique se trouve-t-il relié au plaisir préliminaire, mais à la différence de ce dernier qui n'est qu'un introducteur de la décharge finale, par un mécanisme analogue à la perversion, celui-ci couvre tout le champ du plaisir à escompter. Cependant, dans le cas de l'émotion esthétique les pulsions partielles ne seront pas en mesure de promouvoir la décharge. La modification de l'objet et du but permettra seulement que soit assurée la communication avec « les sources psychiques profondes » dont les tensions seront soulagées mais non réduites.

La deuxième caractéristique collabore à ce résultat puisque c'est la désexualisation dont les pulsions sont l'objet qui inhibe leur décharge. Mais cette opération aboutit en revanche à un surinvestissement nar-

---

[18] *Loc. cit.,* p. 10.
[19] *La création littéraire et le rêve éveillé, loc. cit.,* p. 81.

cissique du moi. Surinvestissement qui se produit chez le producteur comme chez le consommateur, la circulation se faisant dans les deux sens à travers l'objet.

A l'origine de toute création, on trouve un mouvement de suspension de l'activité psychique et un détournement de la réalité — qui n'est pas niée mais seulement mise à l'écart — et l'installation d'un état activement recherché qui soit favorable à l'irruption de fantasmes. L'élaboration de ces fantasmes se fait en diverses orientations selon le type d'activité artistique. Mais le résultat est toujours la réélaboration de ces contenus fantasmatiques, ce qui est le plus facilement observable dans l'expression littéraire. Comme c'est elle qui est susceptible de fournir, en l'état actuel de nos connaissances, le plus de renseignements, c'est vers elle que nous nous tournons — sans oublier cependant que le privilège de la littérature, par rapport à l'activité fantasmatique, est loin d'être exclusif, puisque Freud a démontré la possibilité d'une investigation analogue pour la peinture avec Léonard et la sculpture avec Michel-Ange.

Freud observe que, à la différence des personnes du commun dont la révélation de leurs fantasmes ne suscite chez autrui aucune impression agréable et plutôt même une certaine aversion, il en va tout autrement du créateur littéraire que nous suivons sur ce terrain avec grand plaisir. « Comment parvient-il à ce résultat ? C'est là son secret propre et c'est dans la technique qui permet de surmonter cette répulsion, *qui est en rapport avec les limites existant entre chaque moi et les autres moi*, que consiste essentiellement l'*ars poetica*[20]. » Cette remarque permet de faire l'hypothèse que l'objet d'art vise à s'offrir comme une construction dont l'effet doit être de constituer un *double narcissique* du créateur. En lui doit se trouver accomplie la perfection à laquelle aspire le narcissisme. « Etre à soi-même son propre idéal voilà le bonheur que veut atteindre l'homme[21]. » Ce programme est réalisé par la fabrication de cet objet de médiation — dont la réussite sera assurée s'il parvient à créer la même impression chez le consommateur de l'œuvre. C'est en quoi nous proposons d'appeler l'objet d'art un objet *transnarcissique*. L'analyse du phénomène du double, auquel Rank s'est attaché, montre qu'il est en définitive en rapport avec l'idée d'immortalité. Mais il importe de souligner que le double est l'émanation soit du refoulé, la part à laquelle le Moi a dû refuser l'existence pour se constituer, soit de l'instance d'observation qui surveille et critique

---

[20] *Loc. cit.*, p. 80 (souligné par moi).
[21] *Introduction au narcissisme*.

le Moi et qui, dans certaines structures pathologiques telles que la paranoïa, peuvent se constituer en un ensemble fonctionnel autonome [22].

Ce double est le produit d'une condensation — il est le résultat d'une part de la projection de la propre image du sujet, telle que sa problématique conflictuelle la détermine au moment de sa création, et d'autre part de l'interlocuteur imaginaire sans lequel aucune œuvre ne peut voir le jour. Michel de M'Uzan s'est attaché à en préciser les caractéristiques sous le nom de « personnage intérieur » [23] : il s'agit bien entendu moins d'un être ou d'une personne définie que d'une sorte d'instance impersonnelle, censeur et objet de séduction à la fois. Cette émanation du surmoi est parfois tournée, comme j'ai tenté de le montrer, par une accentuation de la valeur narcissique de la création, comme accomplissement d'un idéal personnel ayant rompu ses attaches avec tout objet. Mais on constate alors que ce détournement du destinataire est généralement payé par les tortures d'une perfection jamais satisfaite, de plus en plus inaccessible [24].

L'acte de la création suppose la rupture des pressions coercitives du refoulement et comme tel donne toujours, malgré la tension pénible qui l'accompagne, l'impression d'un exploit et d'un triomphe. Le sentiment mégalomaniaque d'omnipotence connote l'acte de création par la réussite de la production de ce double narcissique du sujet. Mais il faut prendre garde à ne pas confondre ce double narcissique avec l'auteur. On a fait observer judicieusement la différence entre l'auteur et le narrateur [25]. Le narrateur est le guide, l'introducteur à ce double narcissique que l'œuvre entière constitue. Cet état de choses illustre la division du sujet créateur. Cette division se retrouvera au niveau du destinataire de l'œuvre, constitué par le groupe des pairs et des pères d'une part, et par le consommateur anonyme de l'œuvre de l'autre. Plus ce consommateur sera obscur, éloigné du monde de l'art, moins prédestiné à être atteint et touché par l'œuvre, plus le sentiment d'omnipotence sera grand, plus sera forte l'illusion que le personnage intérieur aura été maîtrisé, séduit. Le langage véhicule bien ce double sentiment quand on dit qu'on est conquis par une œuvre. Un texte de

---

[22] Il faut remarquer que ces aspects structuraux, outre le fait qu'ils créent une nouvelle réalité, aboutissent à des créations de systèmes imaginatifs de synthèses explicatives sur des grands problèmes métaphysiques ou sur la constitution du réel dont la valeur esthétique a frappé d'autant plus qu'ils survenaient chez des individus que rien ne semblait désigner pour de telles capacités.

[23] « Aperçus sur le processus de la création littéraire ». *Revue française de Psychanalyse*, t. XXIX, 1965, p. 43.

[24] « Une variante de la position phallique narcissique ». *Revue française de Psychanalyse*, t. XXVII.

[25] Bernard Pingaud, cfr. dans *Inventaire*, « La main chaude et les ruses de l'écrivain ». Gallimard.

Kandinsky [26] témoigne de ce que ces remarques ne sont pas uniquement valables pour la littérature.

> Les causes de la nécessité qui nous oblige, « à la sueur de notre front », à progresser par la souffrance, le mal et les tourments restent pour nous voilées d'obscurité. Quand une station est atteinte, quand la route est débarrassée de maintes pierres perfides, méchamment une invisible main y jette de nouveaux blocs qui la recouvrent quelquefois si complètement qu'on ne la reconnaît plus.
>
> Alors, immanquablement, un homme surgit, l'un de nous, en tout notre semblable, mais qui possède une puissance de « vision » mystérieusement infuse en lui.
>
> Il voit ce qui sera et le fait voir. Il voudrait parfois se libérer de ce don sublime, de cette lourde croix sous laquelle il fléchit. Mais il ne le peut pas. En dépit des moqueries et de la haine, il s'attelle au lourd chariot de l'humanité afin de l'arracher aux pierres qui le retiennent et, de toutes ses forces, il le tire en avant.
>
> Souvent, depuis longtemps, rien de son « moi » corporel ne subsiste plus sur terre. On tente alors de reproduire par tous les moyens et plus grande que nature, dans le marbre, dans l'airain, dans le bronze, dans la pierre, cette forme corporelle, comme si elle pouvait avoir de l'importance chez de tels martyrs, divins serviteurs des hommes, qui n'ont jamais eu que mépris pour la matière et n'ont servi que l'esprit. Mais ce « marbre » est le visible témoignage que des hommes de plus en plus nombreux sont parvenus au point qu'atteignit le premier, celui que l'on glorifie maintenant.

L'hypothèse que nous venons de soutenir, de l'œuvre comme double narcissique, nous montre bien que l'abord psychanalytique de l'objet d'art ne passe pas nécessairement par l'étude de la biographie ou des événements personnels de la vie de l'artiste. L'œuvre peut parfaitement être considérée en soi, si on ne se limite pas à voir en elle le reflet — comme on dit — de la personnalité de l'artiste, mais une création réplicative. Toutefois cette création ne peut éviter d'être frappée du sceau de l'organisation inconsciente des conflits du créateur, surtout de ceux qui ont été actualisés et réactivés au moment de la création. En revanche, il n'y a aucune nécessité dans cette perspective de s'interdire, chaque fois que des rapports féconds peuvent être tirés de ces études et lorsqu'on possédera une information suffisamment significative — et il n'est pas nécessaire pour cela qu'elle soit exhaustive, il faut surtout qu'elle soit parlante — des rapprochements qui pourront contribuer à un éclaircissement de particularités autrement obscures.

Il faut surtout garder en mémoire que le produit fini de l'œuvre portera la marque des forces contradictoires du conflit et qu'il se présentera sous l'aspect des formations de compromis de l'inconscient. Ce sera même le but de la lecture psychanalytique de montrer que

---

[26] *Du spirituel dans l'Art.* Editions du Beaune, Paris.

l'effet de l'œuvre sur ses admirateurs, dans le cas où elle atteint son but, sera justement dû au respect de cet équilibre entre tendances antagonistes et aussi entre le « donner à voir » et le « garder caché ». Partant, la référence aux données sociologiques du moment de l'éclosion de l'œuvre, voire aux mouvements internes à un art donné, ne constituera jamais que l'emploi des moyens les plus adéquats, propres à atteindre non pas, comme on le prétend souvent, une humanité générale ou ce qu'il y a d'éternel dans l'homme, ce qui n'a aucun sens pour les consommateurs de l'œuvre, mais ces « sources psychiques profondes » dont parle Freud, qui restent l'objet d'une exclusion dont les effets les plus immédiatement perceptibles se révèlent au niveau même du processus de civilisation. Nous sommes évidemment bien loin d'épuiser toutes les questions propres à la création artistique. Si un peu de lumière seulement avait été jetée sur le problème, ce serait déjà beaucoup.

*
* *

Je voudrais conclure en quelques mots sur un point d'articulation possible entre psychanalyse et sociologie. Ce point, je n'irai pas le chercher dans une application de la théorie freudienne au champ de la culture, mais à un niveau plus originel, un point source — si je puis me permettre d'employer cette expression.

L'originalité la plus profonde de la théorie psychanalytique est, à mon sens, de fonder le sujet dans sa relation à ses géniteurs. La relation à l'autre n'est plus, comme dans les mouvements philosophiques contemporains, ni une relation à un autrui construit sur le même modèle que le sujet ni non plus à un autrui complètement anonymisé, abstrait, flottant. Au-delà, elle institue la relation à l'Autre dans la différence. Différence des sexes : tout être humain étant issu d'un être de même sexe et d'un être de sexe différent, et différence des générations : différence entre géniteurs et engendrés. Cette deuxième différence a pour résultat que le sujet existe avant même sa venue au monde, dans le désir de ses parents, ce qui fait de lui un porteur des idéaux de ceux-ci. Or les idéaux plongent profondément dans la culture, se nourrissent d'elle et vont constituer un relais important dans les identifications imaginaires du sujet. De même que la culture se trouve à la racine de la constitution du sujet, elle se trouve aussi dans la perspective de son horizon qui doit le dégager de ses origines. Ce sont les inhibitions imposées par la culture qui évitent l'absorption entière de toute l'énergie psychique de l'individu par la famille et contribuent au relâchement des liens familiaux dont le résultat éloigné sera la constitution d'une autre unité familiale ou de liens équivalents. Ainsi la culture borne à l'origine et à l'horizon le sujet, marquant de son sceau la sexualité et l'inconscient comme elle est marquée par eux. La perspective théorique qui lie toutes ces notions en un tout cohérent est celle représentée par le complexe d'Œdipe qui n'est pas seulement le complexe nucléaire des névroses, mais le complexe constitutif du sujet.

Ainsi par la famille se trouve assurée doublement la continuité de la génération par la dépendance biologique de l'enfant à ses géniteurs et l'imprégnation par les modèles culturels. L'ordre du signifiant les conjoint et se repère dans les échanges qui se déroulent au sein de la configuration œdipienne, dont le débouché par la constitution du sur-moi opère le déplacement des liens familiaux sur les liens sociaux.

DISCUSSION

GOLDMANN

Savoir comment est lu, comment est reçu un message, n'est pas simplement une question de fait, c'est une question d'épistémologie. Une étude sérieuse de la réception, qui apportera certainement des éléments de compréhension de la vie sociale et de la vie culturelle, n'est possible que si nous développons des méthodes sociologiques qui réussissent non seulement à résoudre le problème du comment, mais aussi à poser celui du pourquoi.

Au niveau sociologique et épistémologique, la tâche essentielle consiste à mettre en lumière les catégories mentales. Connaître une mentalité, c'est définir sa structure à un moment donné, et c'est rechercher aussi ses virtualités et transformations. Il ne s'agit pas simplement de savoir comment est lu un texte mais encore comment il pourrait l'être dans une société où seraient intervenus des changements de structure plus ou moins profonds. La problématique centrale d'une sociologie positive vise donc à déterminer non pas la conscience réelle mais la conscience possible, en recourant à des recherches empiriques.

La sociologie de la littérature présente deux possibilités de formuler des hypothèses particulièrement importantes. La première méthode consiste à rechercher ce que Eco appelle la distorsion du message, à partir des lectures qui ont été faites d'un même texte. Je prends un exemple : dans la manière de lire Pascal, les rationalistes, Voltaire et Valéry, éprouvent les mêmes difficultés de compréhension. Ce sont des esprits particulièrement pénétrants qui, à l'intérieur d'une mentalité, poussent les possibilités de compréhension aussi loin que le permettent certaines structures mentales. A partir de ce fait, j'ai le droit de poser au moins à titre d'hypothèse l'existence d'un type de conscience propre à cet ensemble d'écrivains.

Une telle hypothèse pourrait se contrôler sur le plan de la recherche empirique en faisant l'analyse de contenu de la réception d'une œuvre importante par des intellectuels, des critiques et des journalistes. On pourrait, d'une part, grouper certains journaux de même orientation et se demander ce qu'il y a de commun dans les lectures qu'ils proposent. Le résultat sera probablement très insuffisant car les structures mentales d'un groupe social n'ont pas le type de classes rigoureuses que nous trouvons en physique ou en chimie. On pourrait, d'autre part, procéder par une méthode inverse, faire d'abord le relevé des textes qui présentent des parentés structurales et établir par la suite leur dispersion dans diverses orientations idéologiques et même dans divers groupes sociaux.

Une autre possibilité beaucoup plus fructueuse en sociologie positive consisterait à organiser des enquêtes où l'examen porterait sur les résistances, les points précis qui empêchent les messages de passer dans certaines mentalités. Il ne faudrait pas se servir du questionnaire, qui est insuffisant, mais d'un genre d'interview directif et même contradictoire qui n'a jamais été mis au point à ma connaissance.

GREEN

Sur quoi portent les résistances dont vous parlez ?

GOLDMANN

Il s'agit de résistances au passage d'un message. Nous ne pouvons évidemment interpréter objectivement aucun message. C'est le problème de toute science et plus précisément celui des sciences humaines. Mais nous pouvons arriver tout de même à des interprétations qui intègrent le tout dans une structure cohérente et qui rendent compte de 85 à 95 % du texte. A partir d'une interprétation qui englobe cette proportion, il est possible d'analyser les lectures qui ont été faites d'une œuvre et de parler de distorsion s'il s'avère que tel élément organisant tout un ensemble de faits reste complètement étranger au lecteur. Ainsi, Voltaire et Valéry n'ont pas vu la signification qu'il fallait attribuer dans la problématique de Pascal, à la phrase : « Le silence des espaces infinis m'effraie. » Ils manquent dès lors un des facteurs principaux intervenant dans la structuration de la pensée pascalienne et l'on peut parler de distorsion.

Luporini

Goldmann a eu raison d'affirmer que l'on doit parvenir au problème du pourquoi. Je pense pourtant que le problème du comment reste très important et qu'il faut le préciser encore. Ainsi, à propos des catégories de la réception, on aurait avantage à se référer au langage mathématique et à remplacer le terme de « distorsion » — dangereux puisqu'il implique un jugement de valeur — par celui de « variable ». On parle de variable à l'intérieur de limites déterminées, dans un champ de variations. Le problème qui a été posé changerait quelque peu de nature. Les distorsions n'auraient pas, dans cette perspective, un caractère aussi fondamental que le suggère votre exemple de lecture d'Hemingway par un étudiant fasciste.

Eco

C'était un crétin !

Luporini

Laissons-le donc là. Je sais que des distorsions interviennent toujours dans la lecture, mais je suis toujours émerveillé de la rapidité avec laquelle l'essentiel des grandes œuvres d'art est compris dans les couches culturelles qui ont une préparation très rudimentaire, qui sont même presque analphabètes.

Plus de la moitié de la production philosophique est faite de l'interprétation de philosophes par d'autres philosophes. Ces interprétations constituent des écarts par rapport à l'œuvre originale. Il importe moins de considérer leur fausseté que de reconnaître les visions du monde qui ont déterminé certains choix qui y sont faits.

Pour juger de la réception de chaque domaine culturel, on doit tenir compte d'abord de l'histoire propre de celui-ci et puis des caractéristiques historiques des sujets qui le reçoivent. De l'un à l'autre, les choses se passent de façon très différente. Par exemple, on sifflote un thème de Beethoven. Je n'en suis pas scandalisé et pense même que Beethoven mérite que son thème soit aujourd'hui sifflé pendant qu'on se fait la barbe. Car enfin nous avons trois siècles d'une certaine culture musicale derrière nous et nous possédons certains systèmes d'attente. Celui qui siffle un thème de Beethoven en a la compréhension la plus raffinée dans une certaine tradition culturelle. Au rebours, on ne sifflera pas la musique moderne. Cette musique ne répond pas à une attente ; elle est enfermée dans un domaine étroit de tradition culturelle de même par exemple que la musique africaine ou orientale.

Bergeron

Je m'excuse auprès des conférenciers d'intervenir brièvement uniquement pour préciser ma pensée par rapport à ce qu'a dit Goldmann.

Lorsqu'il parle de technique de repérage des catégories mentales, je crois cela très fécond. Mais je n'accepte absolument pas son point de départ : la dualité du pourquoi et du comment.

Quand on est sociologue, il faut absolument choisir entre comprendre et transformer le monde. Claude Bernard déjà le disait : « Le pourquoi des choses échappe à notre entendement. » Ce qui était vrai en physiologie au XIXe siècle, est *a fortiori* vrai en sociologie au XXe et peut-être pour quelques siècles à venir.

Je m'occupe de science politique. Cette discipline n'apparaît pas encore comme une science, obnubilée qu'elle est par la question constante du pourquoi qui l'obsède visiblement. A mon sens, il faut considérer les sociétés comme des unités de fonctionnement, et éviter d'introduire de façon très prématurée des préférences idéologiques sous forme d'interprétations du pourquoi.

L'obsession du pourquoi est néfaste en son principe : elle gauchit nos méthodes et nos techniques ; elle tranche résolument le problème avant de l'établir en ses composantes. Comment vouloir découvrir le pourquoi lorsque le comment nous glisse encore toujours entre les doigts ?

GREEN

Je voudrais essayer de poser le problème qui vient d'être discuté dans sa double dimension : diachronique — pourquoi la poésie grecque est-elle susceptible de nous toucher encore ? — et synchronique — qu'advient-il lorsque des techniques de diffusion amènent à faire circuler une œuvre de façon qu'elle devient l'objet d'une réception non prévue par l'auteur ?

Je crois que dans cette double dimension, il y a un énorme danger, je ne dirais pas méthodologique, mais idéologique, à considérer qu'il existe un sens absolu du message et qu'il faut le chercher. Car alors toutes les approches ne peuvent être que des approches de défaillance à l'égard de ce sens absolu et elles deviennent nécessairement des défaillances de l'autre. Une telle perspective est forcément normative et cette normativité est un danger idéologique. Monsieur Eco a eu un cri du cœur, il a dit de l'étudiant fasciste : « Evidemment, c'est un crétin. » Je pense que c'est malheureusement un cri du cœur et qu'il sous-tend toute une idéologie personnelle de la culture. Quant à la position de Monsieur Goldmann qui vise au repérage de zones de résistance au passage du message (je lui ai fait préciser ceci), elle implique aussi la reconnaissance d'un sens absolu du message et me paraît, par conséquent, fondamentalement contradictoire avec la démarche structuraliste.

Cette démarche conçoit l'émergence du sens dans les rapports entre signifiants et jamais comme un rapport direct entre signifiant et signifié. Quand on se demande s'il existe une relation, une approximation suffisante entre ce que veut dire le signifiant et ce qui est signifié, on introduit une différence entre décodage et déchiffrement. Quant à moi, je dirais qu'il n'y en a aucune, que tout décodage est forcément aberrant et que c'est dans la mesure où un contenu dit autre chose que ce qu'il veut dire qu'il peut continuer à circuler. Il s'agirait sinon d'une tautologie permanente et d'un renvoi à travers des miroirs de différentes facettes, qui ne pourrait finalement pas faire avancer le sens d'un pas.

GOLDMANN

Nous voici déjà au centre de la discussion méthodologique en sciences humaines. Commençons donc le débat.

D'abord, il est très clair que ma méthode, comme celle d'Eco, implique une attitude normative. La question est de savoir si les positions qui refusent l'attitude normative n'en impliquent pas une elles aussi ; s'il ne vaut pas mieux, la normativité étant inéluctable, la reconnaître et se demander laquelle risque de déformer le moins la réalité.

Voyons les positions de Bergeron et du Docteur Green. Lorsque Bergeron nous dit : « Pas de pourquoi, seulement le comment », tous les historiens des sciences et de la philosophie savent qu'ils se trouvent devant une méthodologie très précise, la méthodologie positiviste ; ils savent aussi que toute une série de penseurs, de Kant à Marx, ont essayé de montrer que les positivistes ont effectivement échoué chaque fois qu'ils ont recherché le pourquoi. Je ne vais pas trancher ici. Je dirai seulement quel est le danger que j'accepte de considérer comme réel. L'idéologie intervient nettement dès lors qu'on se limite au pourquoi, en oubliant qu'il n'y a pas de pourquoi, pas d'explication, si on ne sait ce qu'on explique, si on n'étudie pas d'une manière aussi rigoureuse que possible le comment. Mais je ne crois pas qu'il y ait une raison scientifique de supprimer le pourquoi. De toute façon, en ce qui concerne l'objet de notre colloque, il n'y a pas d'équivoque : il s'agit d'examiner la psychanalyse et la sociologie comme méthodes d'interprétation *et* d'explication. Nous allons discuter de ce que chacune d'elles apporte sur le plan du comment et sur celui du pourquoi.

Je connais très peu le Docteur Green mais il suffit de l'écouter pour rattacher sa pensée à celles de **Merleau-Ponty** et de **Lacan**, à la philosophie de l'ambiguïté. C'est là un courant qui connaît aujourd'hui un développement extraordinaire. On peut se demander à quoi il est lié et dans quelle mesure il peut aider effectivement à comprendre les phénomènes. C'est sur cette base que nous allons discuter.

Je suis tout à fait convaincu que tout message peut avoir des sens différents, sans pour cela être ambigu.

GREEN

Le message n'a pas n'importe quel sens.

GOLDMANN

Il n'a pas n'importe quel sens. Si je l'insère dans des contextes différents (biographie du créateur, structure sociale) j'obtiendrai des sens différents. Ce qui importe, c'est que le sens existe et que nous pouvons poser le problème de sa mise au jour, selon certains critères scientifiques, sans tomber dans l'ambiguïté et le relativisme absolu. Nous discuterons d'ailleurs les positions du Docteur Green tout à l'heure et je lui ferai voir qu'il privilégie lui aussi un sens.

Je terminerai en vous proposant deux exemples concrets de lecture orientée ; ils me permettront d'illustrer mon point de vue.

Je demande un jour à un étudiant très intelligent mais qui n'avait jamais fait de sociologie de la littérature, de présenter le remarquable chapitre de Bénichou sur Molière dans *Les morales du grand siècle*. Le garçon propose cette lecture : Bénichou nous dit que Molière est un auteur bourgeois qui s'oppose à l'aristocratie. Je lui ai démontré l'impossibilité de prouver cela par le texte et je lui ai expliqué la distorsion qu'il avait introduite. Deux jours après, il m'a fait un des plus remarquables exposés que j'aie entendus sur le chapitre de Bénichou. Que représente cette situation du point de vue scientifique ? Ce garçon a abordé le texte avec ce qu'il savait de Molière ; il y a lu ce qu'on lui avait toujours dit, à savoir que Molière est un écrivain bourgeois ; une seule lecture n'était pas suffisante pour supprimer des catégories déjà données. Il a évidemment suffi de lui mettre les points sur les i pour que les choses se rétablissent.

Si vous prenez l'exemple des philosophes kantiens, remarquablement intelligents, qui ont étudié le texte de Kant — je pense aux différentes écoles néo-kantiennes — vous verrez comment leurs positions idéologiques, élaborées à partir de situations sociales précises, les ont empêchés d'accepter la problématique de la chose en soi et du bien suprême.

Il y a donc une distinction à faire entre les distorsions accidentelles et celles qui sont dues à des structures épistémologiques fondamentales.

Eco

Je répondrai surtout aux objections de Luporini et de Green qui touchaient de près à mon exposé ; Goldmann est évidemment d'accord avec moi ou soulève de nouveaux problèmes auxquels je n'ai pas à répondre.

Je suis d'accord avec Luporini pour éviter de construire des édifices de méfiance autour d'une certaine vitalité des gens de bon sens qui peuvent faire un emploi sain de l'héritage culturel, pourvu qu'on mette à leur disposition quelques éléments de compréhension. Luporini a fait l'éloge du garçon qui sifflote la Ve de Beethoven. J'ai dit pourquoi celui qui écoute pour la première fois le disque commercialisé de cette symphonie peut l'accueillir avec une fraîcheur désormais inconnue aux théoriciens de la culture de masse qui passent leur temps à craindre la diffusion et le mercantilisme. Dans mon livre sur cette forme de culture, la plus grande part de ma polémique était dirigée contre ces attitudes de méfiance. Il n'y a absolument pas de réformisme dans le royaume des idées. Modifier une situation ne signifie pas la bloquer. Lorsqu'on met en circulation une valeur culturelle, celle-ci accomplit des voyages inconnus dont nous ne pouvons prévoir la richesse. J'ai une certaine confiance dans cette vitalité d'une culture.

Un participant

N'est-ce pas un peu romantique ?

Eco

Romantique ? Non. J'ai un certain optimisme. Cela dit, j'ai peur que cet optimisme ne soit une forme de libéralisme culturel. Ce qui me préoccupe surtout, c'est la confusion possible entre décodification et déchiffrement ; je ne dirais pas que toute décodification est un déchiffrement, mais au contraire que tout déchiffrement est une décodification.

Que se passe-t-il quand je me trouve devant un message dont je ne connais pas le code, ni parfois l'émetteur, et que je dois déchiffrer ? Si je suis l'agent secret 007, je procède comme suit : j'applique une succession de grilles au message jusqu'à ce que l'une d'entre elles fonctionne. Je procède de la même façon quand je résous un rébus dans un hebdomadaire à énigmes. Le mode de perception est du même ordre dans les deux cas : je surimpose un code, je reviens sur mon choix, j'en essaie un autre et je perçois enfin l'objet, j'arrive à établir un schéma perceptif qui me permet de le connaître pour ce qu'il me sert en ce moment-là. Or, si le déchiffreur sait qu'il surimprime des codes qui peut-être ne sont pas adaptés, je ne crois pas qu'il en aille de même pour les récepteurs se trouvant dans la situation typique des communications de masse. Ceux-ci se trouvent surimposer un code qui ne convient pas au message, avec la pleine et tranquille conscience d'être dans les conditions optimales de décodification.

Revenons maintenant aux objections de Monsieur Green. Je crois comme lui qu'il est scientifiquement impossible de parler d'un sens absolu du message. *L'Œuvre ouverte* repose sur la conviction que toute communication esthétique est ouverture à une série d'interprétations divergentes. Un message est une forme que l'histoire passe le temps à remplir. Je nomme un message, et déjà ce n'est plus lui qui existe, mais c'est l'histoire, moi constituant l'histoire, qui le remplit. Pourtant il y a une limite à cette perspective. Il existe une dialectique entre une structure du message qui provient du projet opératoire de l'auteur, et ma liberté ou la liberté de tout interprète. Tout discours sur la communication est un discours en processus ; chacun s'y efforce d'établir l'existence de structures objectives du message et de variables, et l'établissement de structures objectives fournit déjà des variables. Il y a tout de même des assises, des paramètres sur lesquels on peut s'appuyer. Je peux donner des interprétations diverses aux livres de Kafka ; leur fécondité réside précisément en ce que Kafka a créé des formes qui s'ouvrent à des interprétations différentes. Mais si quelqu'un me dit que *Le Procès* ou *Le Château* sont des manuels pour obtenir le permis de conduire, je suis obligé de le refuser. Pourquoi ? Parce que les signifiants que Kafka a employés sont reliés à une culture, à une langue, et renvoient par convention à certains signifiés qui existent dans une société. Là se situe la limite entre la description objective du message et la liberté des interprétations.

Je ne crois pas que la description du message puisse se limiter à celle des relations entre signifiants. Dès l'instant où je nomme le signifiant, je lui donne déjà un signifié. Je voudrais demander au Docteur Green — je crois connaître déjà sa réponse — s'il considère son intervention sur le mythe de la tragédie grecque comme une description de signifiants ou de signifiés. Je lui dirai que dès lors qu'il choisit des éléments de la tragédie et les insère dans une structure, il constitue l'histoire qui remplit cette forme, vide, en principe.

J'ajouterai que je m'intéresse au signifié quand j'étudie la réception d'un message par une communauté, parce que je m'intéresse à la société et pas seulement au message. Ma préoccupation n'est pas d'établir le sens absolu d'un message mais de rechercher comment on peut éviter à la société de se trouver dans la situation d'une réception acritique. Je ne dis pas que je fais cette étude pour modifier la situation mais tout projet de modification d'une situation doit partir quand même d'une prise de conscience. J'ai dit évidemment que l'étudiant fasciste était un crétin. En fait, je le juge ainsi moins pour avoir mal interprété Hemingway que pour être resté fasciste après quatre ans de droit. C'était un cri du cœur ! Soit. Je ne peux pas renoncer à cela. C'est mon défaut à moi. C'est mon point de vue sur le monde. Je suis daltonien ? Je le suis, j'en prends conscience.

Pourtant lorsque la recherche sociologique m'a montré qu'il existe à Rome un étudiant qui lit Hemingway de façon fasciste, l'esthéticien que je suis et qui ne peut se passer de l'analyse des sociologues, se penche sur cette distorsion du message. Dès que je possède cette donnée empirique, je revois tout le processus qui va d'Hemingway à son message et de celui-ci au public. Et je m'aperçois que le vitalisme hemingwayen, son amour de l'acte héroïque, justifiaient peut-être la réponse de l'étudiant romain qui dès lors n'est plus un crétin. Un schéma fourni par l'interprète de l'œuvre m'a permis ainsi de réviser ma notion de celle-ci.

Green

Je voudrais, sans taper du poing sur la table, si c'est possible, répondre à MM. Eco et Goldmann, de façon à bien préciser certaines choses.

Je crois que M. Goldmann n'a pas répondu à mon objection en disant que la normativité est acceptable du moment qu'elle est reconnue. Ce n'est pas la même chose de reconnaître un choix éthique et de poser que la normativité est la règle et la contrainte dont le sens va naître.

Dans ma réponse à Monsieur Eco, je critique simplement le fait de juger que la diffusion de masse est saine ou malsaine. Il appartient au pouvoir d'en décider, d'accepter ou de refuser cette diffusion dans la mesure où il s'estime servi ou menacé par elle. Pour moi, la question ne se pose pas. Nous savons tous que les bourreaux d'Auschwitz ne sifflaient pas Beethoven mais connaissaient par cœur ses partitions. Nous savons également qu'on peut être un individu complètement méprisable et posséder une immense culture. Juger la communication de masse en termes de santé ou de non-santé me paraît un point de vue extrêmement conjectural qui dérive du postulat que ce qui est dans l'énoncé est fait pour être reçu.

En tant qu'analyste, je rappellerai que la communication fonctionne au moins à un double niveau qui comporte toujours un niveau de tromperie. Je considère même qu'il n'y a pas de contradiction entre ceci et la défense de la notion d'ambiguïté.

Je ferai remarquer aussi que la tragédie a donné lieu à la première forme de communication de masse. Car enfin Eschyle ne savait pas qu'il écrivait une tragédie tandis qu'il l'écrivait. Il soumettait une œuvre à quatorze mille Grecs réunis dans le théâtre d'Epidaure. Il s'est passé que la tragédie a reçu une audience et est devenue objet d'une communication de masse. Nous ne pouvons absolument pas parler d'un public différencié, parce que l'objet de nos critiques et de nos investigations est peut-être quelque chose qui n'était pas reçu ou qui ne pouvait être explicité comme ayant été reçu.

Monsieur Goldmann s'est trompé en référant ma pensée à celles de Merleau-Ponty et de Lacan. C'est à Lacan en tant que successeur de Freud, que je me réfère. Je reprends la notion d'ambiguïté mais ne considère pas qu'il s'agit d'une ambiguïté essentielle. Parler de polysémie ne signifie pas que l'on puisse dire n'importe quoi mais que l'on peut dire autre chose que ce qui est dit.

Si vous considérez le sens comme une des interprétations possibles, toujours en suspens, vous aboutirez à une impasse. Ainsi pour Kafka : d'une interprétation à l'autre, vous vous rapprocherez de celle qui présente *Le Procès* comme manuel pour le permis de conduire. A aucun moment vous ne pourrez dire : je m'arrête, ici ce n'est plus recevable. Pourquoi ? Parce que, comme le disait Monsieur Goldmann, dans trente ans, il peut être admis que Kafka est ce manuel. Là réside toute l'ambiguïté.

En fait, la vérité n'est pas séparable des moyens par lesquels on l'atteint et le problème essentiel est l'étude de ceux-ci. L'analyste ne peut pas analyser un rêve en disant : « Vous avez vu un parapluie, c'est votre pénis. » Il est obligé de trouver le niveau de structure où une telle correspondance peut s'établir. Et c'est la force de la pensée structuraliste de faire émerger deux niveaux de sens, l'un constitué par ce qui est donné tel quel et l'autre qui indique comment fonctionne le premier. Si vous n'adoptez pas cette position structurale, vous êtes pris dans un système de paraphrases d'où Racine devient le « peintre des passions », où c'est l'interprétation pure, c'est-à-dire le sens qui n'est suspendu à rien.

Dans mon exposé, je n'ai pas prétendu : ceci est comme cela. J'ai dit : si nous prenons ces éléments, nous découvrons des correspondances telles que, à ce type, peuvent en répondre d'autres qui révèlent une cohérence du système. Hors d'une telle procédure, il y a nécessairement référence au niveau du désir de l'interprète. Et rien ne pourrait empêcher alors l'étudiant si brillant de M. Goldmann d'être mal reçu par Monsieur le professeur X qui déclarerait irrecevable son exposé corrigé sur Bénichou. Ce n'est pas un spectacle tellement inhabituel de voir des professeurs de même rang s'injurier et se traiter mutuellement de débiles.

Reste une dernière question absolument fondamentale : par quels moyens aborde-t-on le signifié ? Avons-nous pour l'atteindre des méthodes aussi sûres que pour décrire le signifiant ? Ceci pourrait être le thème de débats futurs et je ne vais pas empiéter sur les développements ultérieurs.

Bénichou

Je ne parlerai pas du chapitre auquel il a été fait allusion. Je ferai seulement une remarque sur l'emploi du mot et de la notion de « distorsion ».

M. Eco les a appliqués à une série d'interprétations aberrantes qui proviennent de certains niveaux de culture différents de celui auquel appartient l'auteur d'un texte. Mais en même temps, il a prétendu, au début de son exposé, que l'on pouvait utiliser cette expérience des distorsions pour éclairer le fait qu'une œuvre pouvait vivre à travers des interprétations différentes, à des époques différentes. Ensuite, en partant de cette même idée d'interprétation aberrante — je l'emploie sans intention péjorative — M. Goldmann explique les divergences qui peuvent exister dans la lecture d'une œuvre, notamment dans celle de Pascal par Voltaire et Valéry.

Je crois qu'il y a là une extension abusive d'un même mot à deux faits qui me semblent très différents. Pour ma part, je distingue d'abord les transformations surprenantes et irrésistiblement comiques — quelque largeur d'esprit qu'on veuille avoir — qui se produisent lorsque des milieux incultes reçoivent une œuvre produite dans un milieu plus cultivé. En Argentine où j'ai vécu plusieurs années, il y a un poème très célèbre, le récit d'un vieux gaucho qui est allé voir *Faust* et qui raconte ce qu'il en a compris ; c'est évidemment irrésistible. Un tel fait ressortit à une sociologie du contre-sens. Il intéressera beaucoup les sociologues, très peu les gens de lettres. L'œuvre littéraire reste le patrimoine et l'apanage de ceux qui appartiennent au niveau de culture de l'auteur.

On ne peut assimiler aux contre-sens des incultes la plasticité que les grandes œuvres offrent à l'interprétation d'esprits cultivés. Voltaire, Valéry et M. Goldmann sont du même niveau culturel que Pascal ; les interprètes de la tragédie grecque du même niveau que les auteurs grecs, les critiques grecs qui appréciaient la tragédie. Il ne s'agit plus, à mon avis, de distorsion introduite par quelqu'un qui ne dispose pas des moyens de comprendre une œuvre, mais de la liberté d'interprétation.

Sans doute, cette liberté a-t-elle certaines limites comme M. Eco l'a fort bien dit. Comment établir celles-ci scientifiquement ? Elles se démontrent par l'absurde : quand on sort du raisonnable, tout le monde le perçoit ; le sentiment universel joue tout de même un rôle en cette matière.

Lorsque M. Goldmann considère l'admirable lecture de Pascal par Voltaire comme une distorsion, je crois donc qu'il sort des droits de la critique. Il peut la refuser si elle lui semble erronée. Personne ne peut empêcher un critique de se demander pour quelles raisons M. Goldmann donne tellement d'importance au pari de Pascal et d'en trouver une excellente raison dans sa structure mentale. Il s'agit de respecter la liberté d'appréciation en face des œuvres parce que ce sont des messages extrêmement riches, condensés et énigmatiques. Le caractère du chef-d'œuvre n'est-il pas précisément de ne pas avoir de sens uniforme ?

Goldmann

Je répondrai d'abord aux objections du Docteur Green. Je ne crois pas que la normativité existe seulement là où elle est reconnue, où l'on prend explicitement des positions morales ou politiques. Elle existe implicitement dans toute analyse purement théorique qui constate des faits et il est très important pour le sociologue de montrer quelle est la normativité de celui-là même qui veut l'éviter. Je la crois inévitable et estime donc qu'il vaut mieux en être conscient avant de prendre des positions.

Je sais bien qu'il est difficile de décider en cartésien ce qui est vrai et faux. Mais il est tout aussi difficile de prétendre qu'une interprétation est absurde parce qu'il n'y a rien dans le texte qui corresponde à ce qu'elle en a dit — manuel pour obtenir le permis chez Kafka — et puis de la légitimer tout de même sous prétexte qu'on pourra trouver dans trente ans quelque élément qui corroborera cette hypothèse. Si on défend sérieusement cette position, cela implique qu'il y a des interprétations plus ou moins valables.

Pour Bénichou, les interprétations sont déterminées par des raisons psychosociologiques ; je l'ai dit moi aussi. Malgré tout, si on veut faire de la science, il faut des critères qui permettent de travailler (qu'on les respecte ou non, c'est un autre problème ; l'adversaire le montrera d'ailleurs lorsqu'on ne le fait pas). Or, de critères, je n'en connais qu'un : l'interprétation sera d'autant plus valable qu'elle élimine le moins d'éléments du texte et ne lui en ajoute aucun. Celle qui est obligée d'éliminer, par exemple, le Pari de la pensée de Pascal, la Chose en soi et le Bien suprême de la pensée de Kant, a peut-être une importance culturelle indéniable, mais sera moins valable qu'une autre qui pourra les intégrer. Comme dans toute science, il y a là non pas une vérité qu'on possède mais une norme de vérité par rapport à laquelle on doit juger.

Je pense aussi comme Bénichou que les hommes qui appartiennent au même niveau culturel que l'auteur d'une œuvre, les penseurs exercés ou les créateurs, peuvent donner les lectures les plus élaborées. Mais Bénichou est trop sociologue pour ne pas savoir que la manière dont le gaucho a compris *Faust* peut être traduite par un écrivain dans une œuvre de niveau culturel plus élevé. Inversement, la manière dont Valéry ou Voltaire ont lu Pascal exprime celle des avocats, des médecins, des commerçants, formant le milieu où s'est développé le rationalisme.

Eco

Je suis parfaitement d'accord avec le Docteur Green sur un point. Moi aussi, je refuse des définitions comme « sain » ou « malsain » à propos de la communication de masse, et je m'insurge contre un moralisme au nom duquel je devrais crier à l'apocalypse dès que mon concierge lit Balzac de telle ou telle façon. Quand j'employais le terme « aberrant », je ne donnais d'ailleurs pas à cet adjectif une signification péjorative. Je jugeais un type de décodification, eu égard à l'emploi du code qu'utilisait l'émetteur. Nous avons parfois les moyens de connaître assez bien les intentions qui ont amené celui-ci à employer certains signifiants et le code sur lequel il s'appuie. Dans ce cas, nous pouvons parler de décodification aberrante sans lui refuser pour autant le droit de subsister.

En fait, il n'y a pas d'interprétation absurde d'un message. L'absurdité n'atteint jamais la relation entre l'interprétation et le message, mais bien la situation globale dans laquelle un message part avec un certain but et arrive en produisant des effets tout à fait différents de ceux qui étaient escomptés. Je me suis trouvé devant un fait précis lors d'une émission sur la vengeance en Sicile : une organisation nationale émettait un message cachant des intentions qu'il était possible de déceler en connaissant le code ; il y avait à Pérouse une communauté qui décodait le message dans un autre sens. Voilà une situation absurde. Il est absurde tout de même qu'il y ait des décalages de ce genre dans la société où je vis et je définis ainsi une certaine situation sociale des communications. Peut-être que toute interprétation de l'émission sur la vengeance est valable du point de vue de la pure communication ; du point de vue du projet politique de communication que je me pose si je suis directeur de la télévision, je me trouve dans l'absurde. Pour moi qui adopte une perspective qui n'est pas seulement sémiologique mais sociale, le décalage entre l'emploi du code par l'émetteur et le récepteur pose évidemment des problèmes.

Lorsque le Docteur Green dit que la tragédie grecque est une communication de masse, je suis d'accord avec lui. Et j'admets aussi qu'Eschyle ne savait pas que ce qu'il proposait aux Grecs d'Epidaure deviendrait l'objet dont nous étudions la réception. En définissant la tragédie, Aristote a été le destructeur de ce qu'avaient fait les tragiques mais il a établi leur code. Si je veux savoir ce qui s'est passé entre Eschyle, son message et son public, je peux m'appuyer sur la recherche d'Aristote en l'utilisant comme grammaire, syntaxe et code.

Si je veux faire une sociologie de la civilisation grecque, je dois établir à partir des seuls documents que je possède quel était le code sur lequel se mouvaient les tragédiens et s'il y avait par rapport à celui-ci des interprétations aberrantes ou non. Si je fais de la psychanalyse, je considère la tragédie d'Eschyle non en tant que message lié à un moment donné de la civilisation grecque, mais je l'analyse par rapport à d'autres paramètres. Une erreur foncière qui vicie notre discussion, c'est d'avoir uni les termes psychanalyse et sociologie de la littérature. Ce sont deux démarches très différentes et selon qu'on adopte l'une ou l'autre, les notions d'objectivité des messages, de décodification aberrante, de fidélité de lecture, se modifient essentiellement.

GOLDMANN

Je remercie Monsieur Eco d'avoir non seulement répondu aux intervenants mais d'avoir opéré la transition à la discussion sur l'exposé de Monsieur Green.

UN PARTICIPANT

J'ai une question de méthode à poser au Docteur Green. J'ai l'impression que votre thèse est en contradiction avec votre propre terminologie. Vous parlez du mythe en général et plus spécialement du mythe grec. Votre thèse capitale est que mythe, représentation et interprétation sont inséparables. Mais vous ne dites pas d'où vous connaissez le mythe grec. Aujourd'hui il n'existe plus que dans l'interprétation de poètes et de philosophes grecs qui ont déjà donné ainsi une forme à la connaissance que nous en avons. Il y a là une mythologie filtrée par un hasard historique. Vous ne vous arrêtez pas à ce problème.

DIERKENS

Je voudrais revenir un moment sur la nécessité de structurations particulières indispensables à la compréhensibilité d'un message tel que celui de l'*Œdipe* et de l'*Orestie*. Dans le cas d'Oreste il est évident qu'un spectateur ne peut pas recevoir le message d'une déstructuration psychotique, intolérable dans son intensité de réveil personnel, sans une mise en scène particulière qui agisse comme les artifices utilisés par l'inconscient dans les rêves. Il est donc nécessaire, entre autres, qu'on ne voie pas la déstructuration d'Oreste s'accomplir tout au long de la pièce et que cette phase n'intervienne qu'à la fin. Dans le cas d'Œdipe, ce qui importe c'est une mise à jour de l'acte, toujours angoissante pour un névrosé qui a peur de perdre le contrôle de soi. Etant donné que le sujet-spectateur s'identifie plus facilement au névrosé qu'au psychotique, la transmission du message œdipien est facilitée lorsque certains artifices pareils à ceux du rêve sont déjà indiqués dans la mise en scène.

Ma principale critique à l'égard de toutes les enquêtes sociologiques et entre autres de celles qui ont été proposées ici, c'est qu'elles se fondent sur des éléments conscients donnés par le sujet. Il est évident que si on demandait à quelqu'un pourquoi il a aimé *Œdipe-Roi,* il ne répondrait pas que cette pièce trouve une résonance dans son complexe d'Œdipe. Consciemment, chacun donnera des prétextes absolument différents.

Je crois enfin que la possibilité d'interprétations multiples d'une œuvre provient surtout du fait que trois éléments interviennent dans la constitution de celle-ci : une structure, un contenu ou vécu affectif et une convention sociale d'ordre historique. La structure peut très bien survivre avec un code et même un contenu différents ; des contenus peuvent se maintenir avec des codes différents, etc. Il faut rester attentif à cette triple origine d'une œuvre d'art, quand on étudie son évolution.

GOLDMANN

Je voudrais poser quelques questions de méthode au Docteur Green. La première portera sur le sens de l'interprétation d'une œuvre littéraire ; la seconde, sur celui de l'explication des processus qui ont pu amener l'écrivain à l'écrire.

Commençons par le problème de l'interprétation. Je me demande s'il y a dans l'*Orestie,* le moindre passage relatif au désir libidinal d'Oreste de tuer sa mère. Lorsqu'on interprète un texte, il me semble extrêmement problématique d'ajouter quoi que ce soit qui n'est pas dit manifestement dans la plus minime de ses parties. L'œuvre esthétique existe au niveau de ce qui est écrit et l'interprétation ne peut connaître qu'une seule chose : le texte. L'inconscient est le fait d'un homme vivant ; Freud, Eschyle, n'importe quel lecteur de l'*Orestie* en ont un. Mais Oreste n'est pas un homme vivant ; il n'est rien d'autre que ce qui apparaît dans l'écrit. Ce qui a amené Eschyle à écrire est un problème qui ressortit à l'explication. L'interprétation d'une œuvre a pour seul critère le texte et sera d'autant meilleure qu'elle en intégrera une portion plus grande. Eu égard à ceci, je me demande si les psychanalystes n'ajoutent pas toujours des éléments étrangers au texte dans leurs analyses, par exemple un désir de tuer dans le cas d'Oreste, et inversement, s'ils ne laissent pas de côté d'autres problèmes, par exemple l'établissement de l'Aréopage, l'existence d'une cité.

Analysons un point de l'exposé du Docteur Green. Il nous dit que le tragique naît de ce que le héros se trouve en faute pour avoir transgressé une norme absolue en voulant se conformer à une autre. En fait, la situation d'Oreste, que vous avez si bien décrite, est telle qu'elle présente non pas un conflit entre un désir et une exigence normative, mais l'existence de deux lois, deux exigences normatives : il faut venger le père et s'identifier à lui, devenir roi. Pourquoi interpréter comme une identification de type psychanalytique ce qui est manifeste dans le texte, la vengeance du père et la succession, la légitimité, c'est-à-dire des problèmes explicites ? Beaucoup d'interprétations psychanalytiques ont la faiblesse d'ajouter au personnage un inconscient qui ne peut appartenir qu'à l'auteur.

Voyons encore le rôle du rêve dans la tragédie, par exemple celui d'*Athalie*. Quelle autre fonction peut-il avoir sinon de manifester d'une manière prémonitoire, pas immédiatement comprise mais tout de même compréhensible pour le lecteur, la vérité de ce qui va se passer ? Le lecteur sait que ce rêve annonce une vérité : il le replace à l'intérieur de la pièce et c'est tout ce qu'il peut et doit faire.

J'en viens maintenant au problème de l'explication. Je suis absolument convaincu que des éléments du texte se réfèrent, comme l'indiquent les psychanalystes, au psychisme tant de l'auteur que de certains de ses lecteurs. La question que je pose est de savoir si ces éléments explicatifs sont constitutifs de l'œuvre d'art en tant que telle ou s'ils ne constituent pas seulement des documents individuels. Quand je lis l'étude d'Anzieu, qui vient de paraître dans *Les Temps Modernes*, et y apprends que les romans de Robbe-Grillet sont l'œuvre d'un obsessionnel, je trouve que cela pose des problèmes importants. Car l'œuvre d'art n'est pas un témoignage de folie. Il y a beaucoup de fous, d'obsessionnels, de psychotiques, de névrotiques dans le monde ; ils écrivent souvent, et on possède leurs écrits. Qu'est-ce qui fait que l'*Orestie* n'est pas seulement un témoignage individuel ? Dans quelle mesure la structure psychique individuelle a-t-elle une valeur explicative, non pas de la signification du texte pour Eschyle, mais de sa signification historique et littéraire ? En considérant que l'œuvre de Robbe-Grillet est celle d'un obsédé, on se tranquillise puisqu'on imagine que les hommes bien portants voient un monde différent de celui qui y est décrit. Or il se trouve, j'ai pu le montrer moi-même, que bien des éléments de cet univers qualifié d'obsessionnel, entretiennent une relation étroite avec l'univers réel des hommes normaux et expriment en la transposant bien entendu leur expérience. La psychanalyse peut-elle expliquer ce qui différencie un texte esthétiquement valable d'un témoignage ayant seulement une signification individuelle sans être une œuvre d'art ?

Green

Je vais répondre dans l'ordre où les questions m'ont été posées. Dans quelle mesure ne suis-je pas dépassé moi-même par ma propre terminologie puisque ma connaissance de la mythologie est déjà une interprétation filtrée par le hasard ? Je crois qu'il faut bien différencier — j'aime moi aussi les distinctions. Je pense qu'il existe un niveau d'étude qui concerne le recensement mythologique et qui fait l'objet du travail des hellénistes. Il y a ainsi des ouvrages qui font foi de ce qui existe ; par exemple, pour me référer au mythe d'Oreste, l'essai sur les projections légendaires du matricide de Marie Delcourt ; dans *Oreste et Alcméon,* elle en étudie les deux formes principales ; elle conclut aussi à un certain nombre de corrélations entre ces récits mythiques : l'absence de rituel est propre au matricide qui entraîne aussi la folie avec une automaticité sans équivalent en ce qui concerne le parricide. Nous sommes là sur le plan de l'étude des documents. Que celle-ci soit tributaire de l'inconnaissable, je vous l'accorde tout à fait. Je crois, en effet, qu'il est de l'ordre de l'inconnu d'avoir affaire à un matériel essentiellement troué et lacunaire.

Dans les recherches structurales, ce qui manque compte moins que la relation de ce qui existe et qui peut déjà refléter un ensemble significatif, se donner pour un fonctionnement cohérent.

Moi-même, j'ai choisi les mythes d'Oreste et d'Œdipe à partir de l'hypothèse suivante : s'ils ont connu une richesse et un développement plus grands que les autres, c'est qu'ils constituent le noyau sémantique autour duquel nous pourrons reconstruire d'autres constellations.

Un participant

Eschyle n'a pas écrit le mythe d'Œdipe. Le vrai mythe d'Œdipe est antérieur et extérieur à l'œuvre d'Eschyle.

Green

Vous voulez dire par là qu'à partir du moment où nous avons affaire à des recensions de mythes, nous n'atteignons plus le mythe lui-même. Je suis tout à fait de votre avis. Seulement cela supprime-t-il le fait qu'à partir de ces recensions, nous sommes renvoyés à un signifié qui est le support par rapport auquel les variantes vont se constituer ? Le mythe est toujours déjà travaillé, c'est entendu ; il n'y a pas de message absolu, mais différentes distorsions. Comment nous retrouver ? Nous nous retrouvons dans un texte cohérent tel que l'interprétation eschyléenne de l'*Orestie.* Seule cette cohérence est importante.

Quant à savoir quel est le mythe véritable ou originel, la pensée structuraliste renonce par définition à cette position et se contente de repérer les recoupements et les correspondances qui peuvent exister entre les versions différentes. (A cet égard, je ne suis pas du tout d'accord avec Lévi-Strauss qui présente l'interprétation freudienne du mythe œdipien comme une variante). J'essaie donc de montrer des réseaux de correspondances et ceci au niveau de la problématique du désir. Mon champ d'interprétation, c'est le désir.

GOLDMANN

Le désir d'Eschyle ?

GREEN

Non. J'étudie la façon dont les divers personnages d'un mythe sont reliés entre eux par des problèmes de désir, dans la mesure où ce qui spécifie justement la triangulation œdipienne, c'est la problématique du désir.

GOLDMANN

De quelle triangulation œdipienne s'agit-il ? Celle de Freud, celle d'Eschyle ou celle du spectateur ?

GREEN

Celle qui est constitutive de la conscience et de l'inconscient humains. Dans la position psychanalytique, la théorie du sujet consiste à concevoir celui-ci comme constitué symboliquement par sa relation à ses géniteurs. C'est là, à mon avis, le point de départ d'une nouvelle philosophie qui ne serait pas celle du « cogito ». Jusqu'à présent, il y a une règle universelle : tout homme est obligatoirement né d'un être de même sexe que lui et d'un être de sexe différent. Les questions majeures qui se posent sont les suivantes : d'où est-ce que je viens ? de qui suis-je le fils ? qu'est-ce qui se passe entre mes parents ? Elles fondent la problématique générale du désir.

Les deux mythes que j'ai choisi d'étudier me semblent essentiels parce qu'ils mettent en jeu les relations de parenté. Toute la pensée structurale moderne, où l'on trouve des penseurs qui sont étrangers à la psychanalyse, a vu l'importance des relations de parenté. Dans les cultures primitives, ce sont celles-ci qui promeuvent le premier mode de classification, c'est-à-dire le pouvoir catégorisant de l'esprit. Et je crois, contrairement à Lévi-Strauss, que l'homme ne classifie pas simplement par isomorphisme avec sa structure physico-chimique, mais parce que la seule différence indubitable est celle des sexes.

Abordons le problème de l'interprétation. Je suis d'accord avec Monsieur Eco pour dire qu'il y a moyen d'interpréter au niveau sociologique en plus de celui où je me situe. Mais je refuse de considérer la pensée d'Aristote en la situant ailleurs qu'au niveau philosophique proprement dit, au niveau réflexif.

Voyons maintenant quelle est la valeur explicative de la psychanalyse. Comment celle-ci rend-elle compte de l'efficience du pouvoir de la tragédie ? Pour moi comme pour Freud, cette efficience prend sa source dans le traitement d'un matériel inconscient par le préconscient qui englobe tous les procédés stylistiques employés par l'auteur : la forme, la référence à des formes culturelles existantes, etc. Pour comprendre ce qui fonctionne au moment de la réception, lisons une lettre de Freud à Fliess, qui date de 1897, c'est-à-dire avant la découverte de la psychanalyse : « J'ai trouvé en moi comme partout ailleurs des sentiments d'amour envers ma mère, et de jalousie envers mon père ; sentiments qui sont je pense communs à tous les jeunes enfants. S'il en est bien ainsi on comprend — en dépit de toutes les objections rationnelles qui s'opposent à une hypothèse d'une inexorable fatalité — l'effet saisissant d'*Œdipe-Roi*. Chaque auditeur fut en germe, en imagination, un Œdipe et s'épouvante devant la réalisation de son geste dans la réalité ; il frémit suivant toute la mesure du refoulement qui sépare son état infantile de son état actuel. » Si l'œuvre tragique nous touche, c'est donc bien parce qu'il y a un accord particulier entre le traitement préconscient et la structure inconsciente mobilisée.

J'en arrive maintenant au problème spécifique de l'*Orestie,* c'est-à-dire à l'intervention de la folie. Celle-ci est une des constantes importantes des œuvres du théâtre ; ai-je besoin de citer Ophélie, Lear ? Faut-il, comme le propose M. Dierkens, une mise en scène ou une structure spéciales pour percevoir ce dont il s'agit dans la folie d'Oreste ? Non. Et ce n'est pas moi pourtant qui introduis la folie car si j'ai opposé la névrose à la psychose, je les ai opposées dans une cohérence particulière, à savoir qu'Œdipe s'aveugle — nous, psychanalystes, dirions qu'il se châtre ; mais sommes-nous tous d'accord pour dire qu'il se punit ? Ceci vaudra, en effet, pour tous les contextes. Œdipe se punit tandis qu'Oreste a des hallucinations. Toute structure hallucinatoire renvoie à la psychose ; ceci est un fait d'ordre scientifique et non une interprétation. A partir de ces deux situations, je cherche à établir point par point tout le jeu d'oppositions entre les fonctions qui jouent pour Oreste et celles qui jouent pour Œdipe. Cela répond à une cohérence qui me permet de donner une structure de la psychose, opposée à celle de l'auto-punition et de la méconnaissance d'Œdipe. Je signale, en passant, que les auteurs n'ont pas assez insisté sur le fait que, dans *Œdipe à Colonne,* le héros a nié toute son histoire, son désir de pouvoir est resté absolument intact, il n'a rien appris. Dans le jeu d'oppositions que j'établis, je puis utiliser par exemple les remarques sur le style d'Eschyle que Mme Jacqueline de Romilly, qui est une helléniste extrêmement sérieuse, propose dans son essai sur « La crainte et l'angoisse dans le théâtre d'Eschyle » ; elle parle d'un style très enraciné dans le physiologique, dans le corporel.

En faisant fonctionner mes deux structures comme je viens de le montrer, je n'ai rien introduit dans le texte contrairement à ce que vous pensez.

Restent enfin les questions : qu'est-ce qui est constitutif de l'œuvre d'art ? Quelle est ma position à l'égard d'Anzieu ?

Je vous dirai tout de suite que je n'approuve pas l'article d'Anzieu, qui prête à beaucoup de malentendus. En fait, cet auteur emploie le mot obsessionnel dans une perspective psychanalytique qui se soucie particulièrement de ne pas faire de distinction entre le normal et le pathologique, qui considère qu'un obsessionnel peut être un individu parfaitement normal. Anzieu est peut-être critiquable car il ne rend pas compte de la manière particulière dont l'inconscient a été traité par le préconscient dans l'œuvre de Robbe-Grillet.

La psychanalyse ne s'occupe pas de ce qui est véritablement constitutif dans l'œuvre d'art. Freud a toujours respecté ce qu'il appelait le mystère de la création et considérait qu'il y avait là quelque chose qui n'était pas abordable par la psychanalyse.

En ce qui concerne le problème d'Oreste, je n'ai rien introduit dans le texte.

Goldmann

Le désir est-il inscrit dans le texte ?

Green

Le désir est l'instrument de mon interprétation. Le désir d'Œdipe pour la mère est nommé explicitement : Jocaste dit que tous les hommes ont rêvé d'épouser leur mère. Mais nous parlons maintenant du désir d'Oreste de venger le père. Qu'implique une telle attitude ? Tel est notre point de départ. Vous l'interprétez en termes de lois contradictoires. Il n'y en a pas. Il y a seulement cette fourchette dans laquelle le héros est pris et que j'interprète en termes de désir.

Goldmann

Tout le problème réside dans les mots interprétation et explication. A partir d'un complexe d'Œdipe, Eschyle pourrait avoir écrit l'*Orestie* dans laquelle ce complexe n'est pas exprimé. Il constitue donc un phénomène valant pour l'*explication* et non pour l'*interprétation*.

Green

Je ne parle pas de l'inconscient du personnage. J'ai dit que ce dont Eschyle parle correspond à une certaine structuration de l'inconscient. Mais tout le monde a un inconscient et un complexe d'Œdipe. Ce qui nous intéresse, ce sont les moyens par lesquels cela nous est communiqué et la raison pour laquelle la communauté des hommes vivants se sent concernée par cette affaire.

Goldmann

Je doute fort que cette communauté soit concernée uniquement à partir du complexe d'Œdipe. Pourquoi les personnages ont-ils des exigences de type religieux, moral : venger le père, restaurer la légitimité ? Freud lui-même a dit que la plus grande partie d'*Œdipe-Roi* n'a pas d'intérêt. Si l'on peut retrancher quelque chose du texte en affirmant que c'est secondaire, comme on peut y ajouter d'autres choses, alors, vingt-cinq interprétations deviennent possibles.

Green

Plusieurs interprétations sont possibles.

Goldmann

Et nous tombons dans l'arbitraire.

Green

Nous ne tombons pas dans l'arbitraire, si nous sommes à même de dévoiler un réseau qui fonctionne.

Goldmann

On peut très bien faire fonctionner tous les réseaux avec un tel raisonnement. On nous a dit par exemple de Pascal : il est chrétien, un chrétien ne peut pas parier sur l'existence de Dieu car il est sûr que Dieu existe, donc le pari est écrit pour le libertin, etc...

Rosolato

On a parlé du complexe d'Œdipe d'Eschyle : je crois qu'il existe une certaine affinité personnelle entre un mode de création et son créateur, mais il ne faut pas nous faire dire ce que nous ne disons pas, à savoir que cette création « s'explique » — le mot est effroyablement mauvais — par le complexe de l'auteur. L'œuvre d'art transcende les motivations personnelles de l'écrivain même s'il y a une structure complexuelle à la base.

Dire que les êtres fictifs ne peuvent pas avoir de complexe d'Œdipe est tout à fait vrai. Mais c'est là que les questions apparaissent : que sont les personnages d'un roman, d'une tragédie ? Qui est le narrateur, qui parle à qui ? Dans la structure de l'œuvre, qui est un champ de fictions, nous trouvons un certain mode de fonctionnement du sujet qu'il ne faut pas faire coïncider avec la psychologie des personnages. Pour le décrire, nous sommes obligés d'apporter des éléments qui ne sont pas dits en clair. C'est bien sûr de l'interprétation, ce qui ne veut pas dire de la gratuité. Quand j'analyse le terme A par rapport au terme B, au terme C ; quand je trouve une relation de cette série avec la série A', B', C', D', où A est à B' comme C est à D', je veux parler de correspondance cohérente et signifiante au point de vue sémantique. Vous ne pourrez pas le récuser en disant que nous introduisons dans le texte des éléments qui n'existent pas dans le texte et qu'il s'agit d'être fictif. Il ne peut pas être question en définitive que du seul complexe d'Œdipe d'Eschyle.

GOLDMANN

Je n'ai jamais dit que des personnages ne peuvent pas avoir de complexe d'Œdipe.

GREEN

Vous l'avez dit.

GOLDMANN

J'ai dit que les personnages de l'*Orestie* ne peuvent pas avoir un complexe d'Œdipe, puisqu'il n'est pas dit dans le texte qu'ils en ont un ; ce n'est pas la même chose.

GREEN

Mais le propre du complexe d'Œdipe, c'est que personne ne l'a.

GOLDMANN

Dans *Les Gommes* Robbe-Grillet nous raconte l'histoire d'un personnage dont il suggère qu'il a un complexe d'Œdipe.

GREEN

Je pourrais vous donner des références de l'*Orestie* qui montrent de quoi il s'agit. Quand Athéna dit : « Sans conteste, je suis pour le père ; le serment qu'il y a entre les époux est au-dessus de tout », il est question de la préférence accordée à la position du père par rapport à celle de la mère. Où situer ceci sinon dans le complexe d'Œdipe !

GOLDMANN

Ce texte pourrait aussi bien signifier : je suis pour le mariage légitime, le père étant le chef de la famille dans une structure patriarcale. Il ne faudrait pas introduire dans le texte ce qui ne saurait être que du domaine de l'explication extérieure.

Green

La différence jaspersienne entre « comprendre » et « expliquer » constitue l'impasse méthodologique la plus importante qui se soit introduite dans les sciences psychologiques. Je pense que la notion d'explication est un concept réducteur quand il s'agit de travail de type herméneutique. En fait, on n'explique rien. Mais interpréter ne veut pas dire qu'on dit n'importe quoi. C'est vous qui l'affirmez parce que vous tenez à nous coincer entre interpréter et expliquer. Toute recherche est un travail d'approximation qui consiste à découvrir quelle clef ouvre quelle porte et quelle est la clef qui peut ouvrir le plus de portes possible et qui s'avère la plus satisfaisante en tant qu'elle nous dévoile, premièrement, ce qui n'est pas apparent, et deuxièmement, comment ce qui n'est pas apparent constitue une structure cohérente.

INTRODUCTION A UNE SOCIOLOGIE DE L'OPERA

par Robert WANGERMÉE

On a beaucoup écrit sur l'opéra. Dans une littérature surabondante on peut distinguer deux courants principaux. Le premier est fait d'ouvrages purement descriptifs et anecdotiques qui évoquent l'activité des grandes et des petites scènes lyriques, qui racontent la vie et les exploits des étoiles du chant et parfois des compositeurs spécialisés. Le deuxième s'efforce de mettre en évidence par des études générales ou particulières l'évolution organique d'un genre en montrant la vie des formes — le développement de l'ouverture, par exemple : la structure de l'air, des ensembles, l'élaboration du récitatif ; sous l'influence du wagnérisme il s'est souvent attaché aussi à souligner les rapports complexes du texte et de la musique, de l'élément dramatique et de l'élément musical, avec comme principal souci d'aller puiser dans le passé des exemples qui illustrent la vérité des thèses wagnériennes.

Ce n'est que dans ce deuxième courant qu'on trouve des écrits d'une valeur scientifique estimable sur l'histoire de l'opéra. Mais les deux tendances méritent d'être prises en considération dans leurs lacunes aussi bien que dans leurs apports parce qu'elles illustrent deux manières de concevoir l'opéra qui nous permettent de mesurer ce qu'il a été pour les hommes des sociétés passées et ce qu'il est encore aujourd'hui pour nous.

La conception musicologique se réfère à l'opéra comme à une œuvre d'art tandis que la conception anecdotique ne voit en lui qu'un divertissement. Si cette conception — qui ne faisait qu'étendre des écrits journalistiques sous forme d'ouvrages pseudo-scientifiques — a encore une importance c'est parce qu'elle reflète une réalité dont l'évidence n'a pas toujours retenu suffisamment l'attention : au XIXe siècle l'opéra a d'abord été un art de masse ; avec le roman feuilleton il a peut-être été la première création culturelle vraiment commercialisée de l'époque contemporaine. Un art de consommation auquel devait s'opposer en musique aussi un art de création.

Le phénomène a été estompé par le fait que l'opéra prolongeait un genre qui avait un passé glorieux, une tradition ; l'équivoque a été créée et habilement maintenue, grâce à laquelle cet art de consommation a bénéficié du prestige qu'avait acquis l'art de création dans les siècles antérieurs. En fait, même avant le XIXe siècle, l'opéra avait cependant toujours été un divertissement. A sa naissance au début du XVIIe siècle, c'était une fête de cour, un divertissement fastueux offert par un prince pour illustrer sa magnificence. Même lorsqu'il a été accessible au public payant, c'est sous la protection des princes et des rois qu'il s'est développé jusqu'à la fin du XVIIIe siècle ; il continuait à être pour eux la manifestation la plus prestigieuse de la pompe et du luxe ; avec sa machinerie, ses multiples décors, ses solistes, ses chœurs, ses danseurs, son orchestre, il n'existait que grâce à leur cassette. Sans doute est-il devenu bientôt le plaisir favori des sociétés urbaines, mais les aristocrates et les bourgeois qui, en louant leurs loges à l'année ou en achetant leurs places aux représentations non réservées à la cour, contribuaient au financement du spectacle se sont longtemps satisfaits de ce qui plaisait aux rois : les intrigues romanesques, les artifices de la mythologie, la noblesse des sentiments, la pompe, le faste.

Le cas de Lully est exemplaire à cet égard. Courtisan, bouffon et surintendant de la musique du roi, en 1672 il a obtenu de Louis XIV un privilège qui, en lui attribuant la direction de l'Académie royale de musique, lui réservait un monopole d'exploitation de l'opéra ; la troupe devait servir d'abord aux représentations données devant le roi mais pouvait être utilisée pour des spectacles publics et payants. Lully a étendu au maximum son privilège en se réservant l'exclusivité de la composition des œuvres lyriques représentées en France. *Cadmus et Hermione, Thésée, Amadis de Gaule, Armide et Renaud* étaient des « tragédies lyriques » ; des tragédies sans doute mais affadies par les livrets de Quinault ou de Thomas Corneille ; sur des thèmes mythologiques ou romanesques elles s'encombraient de décors à machineries et de grands ballets ; elles se développaient en une suite de scènes vite stéréotypées (où alternaient les tempêtes, les invocations aux dieux, les sacrifices, les combats, les souffles des zéphirs). Ces contraintes n'ont pas empêché Lully d'inventer une musique d'une grande efficacité dramatique et d'une grande beauté décorative. Son art avait pour premier souci de plaire au roi car ce qui plaisait au roi était le critère même de la valeur de l'œuvre.

Il en était ainsi à travers toute l'Europe : l'opéra s'est développé sous la protection des princes comme un luxe qui devait illustrer leur gloire. Les impératifs attachés à cette situation ont fait naître beaucoup d'œuvres médiocres qui ne méritent guère d'être tirées de l'oubli mais aussi bon nombre de chefs-d'œuvre qui peuvent nous séduire encore. De toute manière en les écrivant les musiciens étaient d'abord des courtisans qui adaptaient leur art non seulement aux contraintes du genre mais aux vœux précis de ceux qu'ils servaient.

Beaucoup d'exemples empruntés à tous les arts nous ont appris qu'une telle soumission pouvait avoir des vertus créatrices. Une société rigide et hiérarchisée admettait en religion et en morale des canons de vie unanimement reconnus ; il n'y eut pas de trouble dans les jugements esthétiques tant que, dans un groupe social d'ailleurs limité, des conceptions de vie et de morale communément admises entraînèrent aussi la reconnaissance d'identiques concepts de beauté. Lully imposé par le roi était tenu pour le plus grand des musiciens possibles dans la mesure où le pouvoir royal lui-même était non pas subi mais reconnu comme un ordre naturel.

Ce n'est donc ni par hasard ni par le simple jeu des conflits esthétiques si au milieu du XVIIIe siècle l'opéra de Rameau qui avait cependant des qualités musicales supérieures à celui de Lully a été vivement contesté. Rameau a écrit des tragédies lyriques — *Hippolyte et Aricie,* — des pastorales héroïques — *Acanthe et Céphise,* — des opéras-ballets — *Les Indes galantes, Les Fêtes d'Hébé,* où il continuait à emprunter ses sujets à la mythologie ou au roman, à recourir à des machineries compliquées, à affectionner le merveilleux et à faire une place très large à la danse pour entrecouper l'action. Lorsque les philosophes ont opposé aux grands opéras de Rameau le modeste intermède qu'était *La Serva padrona* de Pergolèse et qu'ils ont provoqué ce qu'on a appelé la « Querelle des bouffons », il ne s'est pas agi seulement d'un conflit esthétique ; du moins le conflit esthétique masquait-il une opposition plus profondément ressentie. Ce n'était pas non plus une offensive des partisans de la musique italienne contre les défenseurs d'un certain nationalisme français. Lorsque dans l'opéra de Rameau, Grimm, Diderot ou Rousseau s'en prenaient au merveilleux, à la machinerie encombrante, aux ballets plaqués sur l'action, au monde romanesque et au caractère conventionnel de la déclamation ; lorsqu'ils dénonçaient le grand opéra tout entier pour ses artifices c'est parce que, devenu un des ornements les plus fastueux de la royauté, ce grand opéra était en même temps l'illustration et presque le symbole d'un ordre de choses que les philosophes voulaient combattre. En proclamant le caractère artificiel du grand opéra ils refusaient d'admettre l'authenticité du monde où ils vivaient.

La Serva padrona — *La Servante maîtresse* — de Pergolèse qu'on a opposée à Rameau en 1752 était un opéra-bouffe en deux actes de vingt minutes et à trois personnages dont un muet. Comme l'opéra-comique en France, l'opéra-bouffe italien était conçu pour plaire aux bourgeois des villes. Les personnages qu'il mettait en scène n'étaient plus des héros mythologiques mais l'incarnation de types populaires marqués d'un pseudo-réalisme. Pourtant, toute querelle qui porte sur le naturel paraît absurde dans l'opéra. Il est évident que ce genre où l'on parle en chantant s'interdit tout naturel, tout réalisme véritables. En dépit des affirmations de philosophes, l'opéra-bouffe s'est créé lui aussi son monde de conventions, mais il s'est fait que ce monde, donc autre que celui du grand opéra, répondait aux vœux d'un nouveau public. Alors que le grand opéra avait toléré l'assistance des bourgeois à des spectacles conçus pour plaire au roi et à ses courtisans, l'opéra-bouffe et l'opéra-comique ont été créés pour les bourgeois eux-mêmes, ils ont illustré certains idéaux de la bourgeoisie montante ; il était bien normal qu'à cette bourgeoisie, ils aient paru dotés d'une vérité psychologique irrécusable.

A la fin du siècle, avec Grétry et surtout avec Mozart, l'opéra-comique et l'opéra-bouffe auront acquis une ampleur et une dignité plus grandes en développant encore leurs qualités essentielles.

Ils triomphent et imposent si bien leur vérité que les princes et les rois consentent désormais à partager les plaisirs des bourgeois et vont applaudir des œuvres qui sacrifient la pompe et le faste à une vie dramatique et à un certain réalisme.

Le grand opéra allait cependant connaître une faveur nouvelle lorsque la bourgeoisie, de classe en lutte contre les privilèges qu'elle était dans la société du XVIIIe siècle, se fut au XIXe installée en classe dominante. Elle a voulu que l'opéra joue pour elle le rôle qu'il avait tenu jadis auprès des princes. Le grand opéra bourgeois tel qu'il s'est élaboré dans les années 1830 avec Rossini et Meyerbeer a conservé certaines caractéristiques du grand opéra d'ancien régime mais a ajouté quelques défauts nouveaux issus des conditions économiques et sociales dans lesquelles il se situait désormais. En fait les Etats bourgeois n'ont pu se résoudre à relayer les rois d'autrefois dans leur mécénat. Des subsides toujours trop maigres ont condamné les théâtres lyriques à vivre des recettes et du public. Dès lors l'opéra a dû dépendre du succès commercial des représentations. Installé dans la société libérale l'opéra depuis 1830 a subi les lois économiques dictées par le marché. Fidèle à une certaine tradition, liée au genre lui-même, il n'a pas cessé d'être un grand spectacle ; le « grand spectacle » par excellence : il n'avait plus pour but de magnifier la grandeur royale mais, par un luxe d'autant plus éclatant qu'il était moins raffiné, de confirmer le triomphe de la bourgeoisie.

Les œuvres de Meyerbeer illustrent bien ce grand opéra romantique qui, pour augmenter ses recettes, a voulu séduire un public de plus en plus vaste et qui n'a pas hésité à sacrifier la valeur esthétique à un souci d'efficacité : pour gagner la faveur des foules, les mises en scène clinquantes, les effets techniques, la cohorte des figurants et des choristes, les vedettes du chant, ont souvent été d'un poids plus grand que la musique.

Apparaissant avec le romantisme triomphant, le *grand opéra* est romantique lui aussi ; mais il présente du romantisme une conception singulièrement affadie ; un romantisme de bourgeois et non plus d'artistes.

Au lendemain de la révolution de 1830, le *grand opéra* français a été le résultat des efforts conjugués d'un homme d'affaires, le docteur Véron, d'un librettiste, Scribe, d'un musicien, Meyerbeer, auxquels on peut adjoindre les noms de décorateurs comme Duponchel ou Cicéro.

Les conceptions libérales qui l'avaient emporté en 1830 ont entraîné aussi des réformes dans la gestion de ce qu'on appelait encore l'Académie royale de musique : d'abord on lui supprima son monopole. Ensuite, on décida d'en confier l'administration non plus à un fonctionnaire mais à un directeur-entrepreneur, qui serait un homme d'affaires, qui assumerait pour six ans les risques de la gestion ; l'Etat consentait encore à accorder des subsides mais fortement réduits.

Dans le royaume bourgeois de Louis-Philippe, le théâtre d'opéra allait être strictement lié à des lois commerciales. Il s'agissait d'attirer le public le plus nombreux.

Le premier directeur-homme d'affaires de l'Opéra, le Dr Louis Véron, personnage assez balzacien qui a laissé des *Mémoires d'un bourgeois de Paris,* ne s'est pas contenté d'un rôle d'administrateur, en laissant à un musicien le soin d'orienter la destinée artistique du théâtre. Il a véritablement essayé de trouver et de satisfaire une clientèle nouvelle en lui donnant un spectacle à sa mesure.

Pour atteindre ses fins il n'a pas employé que des moyens artistiques : connaissant l'espèce de fascination que peuvent exercer les coulisses il en a permis l'entrée à tous ceux qui avaient acquis un abonnement général, il a organisé des bals où les bourgeois avaient la joie vaniteuse de rencontrer des artistes : des grandes cantatrices, des danseuses. Il a fait du foyer de l'opéra le rendez-vous des élégances et du bon ton pendant les entractes.

Véron sut aussi acheter les journalistes, organiser une claque sur des bases presque scientifiques, avec un chef de claque attitré et des aides payés en argent ou en billets de service. Il a créé un bon orchestre sous la direction d'un excellent musicien, François Habeneck, directeur des concerts du Conservatoire, qui venait de révéler Beethoven à la France. Mais il a surtout su découvrir ou fabriquer des vedettes : des danseuses comme Marie Taglioni, Fanny Elssler, des chanteurs comme Nicolas Levasseur, le ténor Adolphe Nourrit, Corneille Falcon.

Véron apportait aussi un soin particulier à la mise en scène : plus que jamais, l'opéra allait être un spectacle ; d'une nature autre qu'au XVIIIe siècle, inspiré par les représentations de spectacles populaires qui étaient apparus depuis la révolution : les *spectacles d'optique,* où différents tableaux étaient présentés par un commentateur, les *panoramas,* les *dioramas* imaginés par Daguerre.

Dans *La Muette de Portici* d'Auber (1828) le moment culminant était une éruption du Vésuve. Dans *Guillaume Tell* de Rossini (1829) on voyait les montagnes de Suisse. Dans *Robert-le-Diable* de Meyerbeer on employait l'éclairage au gaz pour des effets de magie inédits et on étalait une richesse extraordinaire de costumes pittoresques évoquant la légende médiévale.

Dans *La Juive* de Halévy (1835) la mise en scène à grand spectacle, soucieuse de couleur locale, trouvait son apothéose dans le fameux cortège qui fut considéré à l'époque comme une exceptionnelle merveille.

Un des responsables du genre est le librettiste Eugène Scribe qui a écrit par centaines des livrets d'opéra à côté de mélodrames et de vaudevilles.

Il a eu l'habileté d'introduire dans ses livrets certains des éléments les plus caractéristiques du romantisme : mais il les réduisait à un bric-à-brac aux effets faciles ; le goût du gothique, l'amour du Moyen Age, les sentiments héroïques, l'exaltation de la liberté, le pittoresque et la couleur locale, tout cela est présent chez Scribe comme chez Victor Hugo. Il s'agit donc d'une dévaluation des thèmes romantiques — assez nouveaux pour exciter l'intérêt du commun des bourgeois, et assez édulcorés pour ne pas les troubler.

La Muette de Portici met en scène une révolution à Naples au XVIIe siècle ; *Robert-le-Diable,* c'est le monde des légendes médiévales, déjà vulgarisé par les romances à succès (elles-mêmes représentant un écho atténué des ballades germaniques de Bürger, de Gœthe), mêlé au fantastique mis à la mode par Hoffmann : on l'avait déjà rencontré dans le *Freischütz* de Weber, adapté en français en 1834 sous le nom de *Robin des Bois.* Dans *La Juive,* c'est le Concile de Constance ; dans *Les Huguenots,* ce sont les guerres de religion en France. Dans *Guillaume Tell,* c'était le Moyen Age suisse. Le tout transposé en images conventionnelles.

Chaque fois, Scribe exploite donc la légende médiévale ou l'histoire ; mais du passé il ne retient qu'une certaine couleur locale. Dans chaque pièce il met en évidence les idéaux susceptibles d'émouvoir les bourgeois de 1830, — par-dessus tout, l'idéal de liberté. *La Muette* et *Guillaume Tell* montrent la lutte d'un peuple opprimé contre la tyrannie politique ; dans *La Juive,* c'est la résistance d'une minorité juive contre une majorité chrétienne qui lui est hostile ; dans *Les Huguenots,* c'est l'intolérance des catholiques. Il s'agit donc toujours d'exalter la liberté sous une forme ou sous une autre. Mais en même temps,

Scribe célèbre des vertus bourgeoises moins exaltantes : la sainteté du mariage, les solides vertus de la vie de famille, un certain respect de la légalité. En tout cas, contrairement à ce que faisaient les grands artistes romantiques, il n'exalte pas un individu héroïque en lutte contre une société ou contre une morale.

L'action se ramène toujours à des conflits assez primaires : *Robert-le-Diable* doit choisir entre le Bien et le Mal ; Eléazar, dans *La Juive*, entre son amour pour sa fille et la haine qu'il éprouve contre les chrétiens. Mais Scribe sait mener une intrigue : il anime une série de tableaux dramatiques qui se succèdent dans une tension croissante pour amener un dénouement spectaculaire. Il veille aussi à intégrer le grand spectacle dans son drame (grands défilés, réjouissances, ballets).

Scribe a amené le drame populaire dans l'opéra, et en exploitant mieux qu'on ne le faisait auparavant *l'élément spectacle* de l'opéra, il en a fait vraiment un genre nouveau, qui ne se situait pas très haut dans la hiérarchie des arts, mais qui avait de puissantes vertus auprès du public.

*
* *

Si je me suis attardé quelque peu à évoquer ce genre oublié, c'est que le grand opéra du XIXe siècle a été une manifestation particulièrement significative de cette scission de l'art en deux parts qui s'est marquée au moment même où la démocratie tendait à s'affirmer à travers toute la société. D'une part, un art de masse qui, en visant à donner des satisfactions esthétiques au plus grand nombre, se « commercialisait », acceptait de se dévaluer ; en face, un art qui se refusait à séduire, qui méprisait les concessions, qui ne voulait plus tenir compte des goûts et des vœux du public, un « art pour les artistes ». C'est dans la société industrielle d'aujourd'hui qu'on a pris clairement conscience de la dualité de l'art. Les intellectuels et les artistes eux-mêmes n'attachent d'importance qu'à un art qu'on peut appeler de « haute culture » ; ils méprisent l'art de masse. En fait, cette rupture a commencé à se marquer au début du siècle dernier. En musique, elle s'est manifestée par une opposition entre une « musique légère », fabriquée pour plaire au plus grand nombre, et une « musique sérieuse », une « grande musique » qui délibérément ne prétendait s'adresser qu'à une élite, à ceux qui faisaient l'effort de s'initier à son langage.

L'opéra au XIXe siècle a été un art de masse. Certes, il ne répond pas entièrement aux caractéristiques de ce que Theodor W. Adorno et quelques autres après lui ont appelé une « industrie culturelle » en pensant aux bandes dessinées, aux films commerciaux, aux chansons sur disques à 45 tours ou aux feuilletons de télévision. Il lui manquait de pouvoir recourir à certaines techniques qui permettent la multiplication du produit et sa standardisation parfaite au meilleur niveau de qualité dans la fabrication. Mais l'opéra était bien une marchandise culturelle qu'il fallait vendre, qui pour cela devait s'adapter aux goûts de son public, qui devait aussi savoir séduire son public en recourant à tous les moyens.

En opposition à l'art authentique de cette époque et annonçant l'industrie culturelle d'aujourd'hui, l'opéra du XIXe siècle n'est pas une création individuelle ; il dépend moins de la volonté créatrice d'un compositeur que de la coopération avec le musicien d'un librettiste, d'un metteur en scène, d'un chorégraphe, d'interprètes chanteurs ou danseurs et d'un homme d'affaires qui organise l'ensemble de manière à satisfaire son public. La réalisation d'un opéra ne peut être atteinte que par une division du travail confié à des spécialistes. Sans doute, ces spécialistes ne sont-ils pas à égalité. L'individualisation se manifeste non pas au niveau de l'œuvre mais dans son interprétation. C'est l'opéra du XIXe siècle qui a créé les vedettes : une *prima donna,* un ténor ont fait le succès ou l'échec de beaucoup d'opéras ; et les grands chanteurs d'alors avaient su créer autour d'eux un halo d'érotisme qu'on trouve aujourd'hui autour des stars de cinéma.

En même temps, on assistait à un recours systématique à une sentimentalité qui établissait la meilleure complicité avec le public ainsi qu'à une standardisation relative des thèmes abordés, des situations dramatiques et des moyens de les mettre en évidence.

C'est avec l'opéra que dans notre société occidentale, pour la première fois, la musique a atteint le « grand public ». Ce « grand public » n'embrasse pas encore la quasi-totalité de la société : il n'est pas encore la masse d'aujourd'hui. Il est fait presque exclusivement de bourgeois. Au XIXe siècle, la bourgeoisie est une classe arrivée, une classe possédante ; elle domine la société. Mais contrairement à ce qui se passait sous l'ancien régime, cette classe dominante ne voit sa supériorité sanctionnée par aucune règle juridique. Le bourgeois du XIXe siècle, c'est avant tout le *capitaliste,* un homme qui vit non de son propre travail mais des revenus d'un capital. La seule supériorité véritable du bourgeois réside dans une situation de fait, sa puissance économique. Entraîné par les principes démocratiques d'égalité théorique des hommes qu'il se plaît à énoncer, le bourgeois a souvent voulu renforcer, justifier sa puissance économique en l'agrémentant, en la parant d'une supériorité plus décorative dans l'opinion et dans les mœurs. La noblesse d'ancien régime se prétendait d'une essence différente des autres classes de la société ; c'était une classe fermée ; il existait autour d'elle des barrières quasi naturelles qu'il était bien malaisé de franchir ; aussi la noblesse ne craignait-elle pas les opinions des autres groupes sociaux ; elle les méprisait. En matière d'art, elle ne s'inquiétait nullement de savoir si ses goûts étaient partagés ; elle décidait, assurée de détenir la vérité.

La bourgeoisie du XIXe siècle est, au contraire, une classe ouverte dont la supériorité est toujours susceptible d'être discutée. Aussi a-t-elle toujours cherché la considération des autres. Tout un code de vie bourgeoise s'est élaboré au XIXe siècle déterminant le bon ton, les bonnes manières, le savoir-vivre. C'est par là que la bourgeoisie a voulu donner à la société la preuve manifeste de sa supériorité. Pour acquérir la considération, il fallait que la bourgeoisie complique sa supériorité économique de supériorités spirituelles diverses : supériorité dans l'éducation, dans la morale, dans le langage, dans le costume. Il fallait que les qualités distinctives de la bourgeoisie ne soient pas naturelles, qu'elles ne soient pas nécessaires à la vie ; sinon, on aurait pu les trouver arbitrairement réparties dans toute la société : il fallait qu'elles soient artificielles, qu'elles soient voulues, créées, qu'elles soient un luxe.

L'*homo œconomicus* qu'était essentiellement le bourgeois du XIXe siècle ne ressentait pas un besoin profond de musique ; il a aimé l'opéra d'abord pour des raisons sociales ; notamment, parce que ce genre exigeait un cadre, un lieu privilégié où pouvait s'affirmer la conscience d'appartenir à un groupe supérieur en participant à des divertissements qui étaient d'autant plus honorables qu'ils avaient été jadis ceux de l'aristocratie et des rois.

Le mérite particulier de l'opéra aux yeux des bourgeois était lié au fait que c'était un art ; ce n'était pas — *a priori* — un simple divertissement, mais un plaisir qui élevait l'esprit. Connaisseurs médiocres, amateurs de romances, les bourgeois croyaient accéder aux plus hauts degrés de l'art, alors qu'ils étaient surtout sensibles aux émois sentimentaux provoqués par les grands airs, aux effets de voix des chanteurs et aux démonstrations spectaculaires de la scène. Grands chanteurs et grandes mises en scène contribuaient, du reste, à faire de l'opéra un art pas comme les autres ; un art qui n'était pas à la portée de tout le monde parce qu'il coûtait cher ; il devait coûter cher dans sa réalisation pour mériter la considération et pour conserver son caractère unique.

Mais dans la société libérale, ce sont ces caractères de rareté et de prix de revient élevé qui ont aussi entraîné l'opéra à s'étendre à un public de plus en plus vaste. Si aller à l'opéra était un signe de distinction sociale, l'ambition du petit bourgeois et bientôt du prolétaire aura été d'aller à l'opéra. Si l'opéra coûte cher, sa rentabilité est conditionnée par la participation d'un public qui devait sans cesse s'élargir.

C'est ainsi que l'opéra du XIXe siècle préfigure l'art de masse d'aujourd'hui. Comme lui, il a été soumis d'abord à des impératifs commerciaux. Mais cela ne signifie pas que, par nature, toutes ses productions aient été condamnées à la médiocrité. Il est assez d'exemples qui prouvent qu'en acceptant les contraintes apparemment humiliantes imposées à un art de masse, certains artistes parviennent à en tirer parti, réussissent à les dominer pour créer des œuvres de qualité : la *Comédie humaine* de Balzac doit beaucoup au roman-feuilleton. L'aspect industriel qui conditionne l'existence tout entière du cinéma n'a pas empêché l'élaboration d'un art qui, à côté de beaucoup de réalisations médiocres, a fait naître des chefs-d'œuvre. Le souci de rentabilité qui caractérise l'art de masse fait proliférer les productions de bonne facture dénuées d'ambitions esthétiques, mais il n'interdit pas l'apparition dans ce marais d'œuvres authentiquement créatrices qui transfigurent les conventions qu'elles semblent respecter.

De même, en musique, au siècle dernier, beaucoup de compositeurs ont été habiles à tirer parti de ce qui plaisait et se sont enrichis en écrivant d'innombrables opéras d'une qualité artistique suspecte. Mais en se conformant à toutes les contraintes de l'opéra comme art de masse, selon les goûts bourgeois d'alors, avec les histoires mélodramatiques, les fastueuses mises en scène, les concessions aux vedettes du bel canto, Bellini, Verdi, Bizet ou Puccini ont pu écrire des chefs-d'œuvre qui occupent une place capitale dans l'histoire de la musique.

Si l'on met à part les auteurs de romances et d'airs de danses qui représentaient le niveau le plus bas, le plus commercialisé, la distinction entre un art de masse et un art de culture s'est faite au XIXe siècle entre l'opéra et la musique pure (surtout la musique instrumentale, symphonies, concertos, musique de chambre). L'opéra était un art pour les bourgeois ; la musique instrumentale, un art pour les artistes. L'opéra est resté un genre fonctionnel asservi à un public de plus en plus vaste ; toutes les autres musiques sont devenues des musiques « pures » qui ont refusé toutes fonctions et qui se sont imposé seulement de satisfaire la conscience de l'artiste qui les créait.

Il ne convient pas d'étudier ici le processus psychologique qui a entraîné les musiciens les plus conscients au moment où leur public virtuel s'élargissait démesurément, à s'isoler dans la volonté d'épurer un langage qu'ils sentaient menacé par l'emprise de la vulgarisation et de le renouveler sans cesse. Mais on peut noter qu'une distinction nette s'est établie au XIXe siècle entre le compositeur d'opéra et les autres compositeurs. Le compositeur d'opéra est intégré dans la société ; il est couvert d'honneurs et de richesses ; c'est aussi un spécialiste qui n'a guère le loisir d'écrire autre chose sinon en marge, par passe-temps une symphonie, un quatuor — pour prouver aux autres artistes que c'est par choix qu'il se cantonne dans l'opéra mais qu'il pourrait faire autre chose — et en fin de carrière, un Requiem.

En opposition, le compositeur de musique pure est un inadapté, qui se veut solitaire mais qui, souvent, souffre de sa solitude, s'enferme dans le monde formel de la musique et qui, avant le socialisme, s'oppose à la bourgeoisie et à sa conception du monde.

Si Richard Wagner a critiqué l'opéra de son temps, avec une virulence particulière, s'il a dénoncé son asservissement à la commercialisation au service du public bourgeois, c'est parce que Wagner se sentait un véritable artiste — c'est-à-dire un musicien dans la tradition créatrice de l'art de « haute culture » — et qu'en même temps, il se sentait une vocation de musicien dramatique. On sait comment Wagner a résolu cette opposition fondamentale. Ses œuvres dramatiques, il n'a pas accepté qu'elles soient des opéras, ce sont des drames lyriques. Ce changement de terminologie assurait effectivement au théâtre lyrique des ambitions beaucoup plus hautes que celles de l'opéra traditionnel. Wagner a intégré cette transformation dans une conception générale destinée à revaloriser le théâtre dans la conscience de l'artiste. Bien loin d'être un divertissement sans ambition, l'œuvre d'art authentique doit être une manifestation religieuse. A une époque où les religions traditionnelles étaient elles aussi mises en question par le rationalisme, Wagner offrait le substitut d'un art synthétique — où la musique tenait une place éminente mais nullement privilégiée à côté de la poésie, de la danse, de l'architecture — qui voulait relier entre eux les hommes dans une commune participation à une cérémonie exaltante.

Pourvu d'ambitions si hautes le drame lyrique ne pouvait admettre d'être représenté dans les salles d'opéra, que Wagner appelait des « mauvais lieux » où l'on se bornait à gagner de l'argent en spéculant sur les goûts dévoyés du public. Le drame lyrique ne pouvait être représenté que dans des théâtres d'un type nouveau qui dans leur architecture retrouvaient le style des théâtres antiques comme ils en devaient retrouver l'esprit ; des théâtres spécialement réservés à des représentations cérémoniales qui devaient garder un caractère d'exception et de solennité : c'est ainsi qu'est né Bayreuth et son festival. Bien entendu, la musique renonçait à toute séduction mondaine, à tous effets faciles ; elle plongeait plutôt l'auditoire dans une magie sonore et amplifiait la portée des poèmes dramatiques dépourvus d'anecdotes et farcis de symboles.

Wagner voulait aussi que prenne fin la tyrannie des vedettes du chant sur le théâtre lyrique ; dans les représentations qu'il a organisées, les chanteurs étaient soumis à une discipline rigoureuse au même titre que les musiciens d'orchestre. Et la mise en scène épurée de vains accessoires visait à souligner la signification de l'action dramatique essentiellement exprimée par la musique.

Grâce à Richard Wagner, l'opéra était donc repris en charge par l'art de haute culture, mais au prix d'une rupture totale avec l'art de masse. Si les conflits esthétiques autour de Wagner ont pris une telle ampleur au siècle passé, c'est que la musique n'était pas seule en cause. Les littérateurs, les artistes, et l'intelligentsia internationale qui ont formé le premier groupe des fidèles rassemblés autour de Wagner ne l'ont sans doute compris que confusément de même que les bourgeois qui ont résisté avec énergie à ce qu'on appelait « la musique de l'avenir ». Mais leurs luttes éclairent un des conflits les plus significatifs entre l'art de masse et l'art de haute culture au XIXe siècle.

Wagner, quant à lui, croyait qu'il œuvrait pour l'éternité et qu'en regard des productions mondaines soumises aux caprices de la mode et donc périssables, il créait un art définitif qui exprimait une vérité intemporelle.

On sait depuis longtemps qu'il n'en est rien ; Wagner a pris place dans l'histoire ; mais son importance résulte non seulement de son œuvre mais aussi des conséquences qui en ont été tirées en dehors même de lui.

Déjà Wagner dans le souci de prouver la légitimité de son art avait cherché dans le passé de l'opéra des précurseurs qui, avec plus ou moins de bonheur, avaient préfiguré l'élaboration du drame lyrique. Des wagnériens plus savants que lui — un Vincent d'Indy à la *Schola Cantorum* — avaient montré la filiation qui de Monteverdi allait en une progression glorieuse jusqu'à Wagner en passant par Gluck, peut-être Mozart, Beethoven et Weber. Aux yeux des wagnériens, ces maîtres avaient eu le mérite, dans des époques obscures, de percevoir des parcelles de cette vérité qui était l'instauration du drame sacré sur le théâtre et d'annoncer la venue de celui qui devait réaliser leurs ambitions velléitaires.

C'est à la fin du siècle, lorsqu'il fallut bien admettre que Wagner n'était pas un aboutissement définitif et qu'une religion wagnérienne n'était qu'un leurre, qu'on a cessé de voir en Wagner un artiste d'exception et qu'on lui a fait prendre place dans le musée sonore. Art de masse et surtout art fonctionnel, l'opéra jusqu'alors avait vécu dans le présent à l'aide d'œuvres toujours nouvelles qui voulaient être adaptées aux goûts changeants du public.

C'est à la fin du XIXe siècle que l'opéra devient véritablement un art de haute culture lorsqu'il se constitue son musée. Un des premiers à l'avoir fait comprendre est Gustave Mahler, non par son action de compositeur mais en tant que directeur de l'Opéra de Vienne : il monte alors à côté du *Ring* ou de *Tristan, L'Enlèvement au Sérail, La Flûte enchantée, Orphée, Fidelio, Freischütz* et *Obéron* comme Wagner avait monté ses drames lyriques à Bayreuth en les considérant non comme des divertissements aux ambitions commerciales mais comme des œuvres d'art. Mahler a essayé de recruter une troupe stable, il a imposé aux chanteurs une grande rigueur dans l'ordre musical et dramatique, il a exigé des orchestres et des chœurs une discipline rigoureuse, il a rejeté les prétendues traditions et les effets stéréotypés pour concevoir des mises en scène qui mettaient en évidence la signification profonde de l'œuvre. Il a donné ainsi une dignité nouvelle à quelques chefs-d'œuvre qui émergeaient d'un vaste répertoire qui, pour le reste, semblait mériter d'être englouti.

Sans doute, en appliquant les principes wagnériens à ces œuvres diverses, Mahler avait-il aussi quelque peu wagnérisé l'esprit qui animait leur réalisation. Mais son mérite n'en est pas moins remarquable. En effet, les résistances étaient grandes qui voulaient maintenir l'opéra dans la tradition de l'art de masse. Malgré le zèle et l'enthousiasme de ceux qui ont suivi l'exemple de Mahler, pendant de longues années encore beaucoup de théâtres lyriques — et pas seulement les petites scènes provinciales — se sont maintenus dans les conventions les plus médiocres.

Il faut reconnaître que si aujourd'hui l'opéra cesse d'être un art de masse, il le doit moins à l'action réformatrice de quelques musiciens de talent qu'à une évolution des conditions sociologiques. Il semble, en effet, que les fonctions de divertissement que l'opéra remplissait dans la société du siècle dernier sont tenues désormais par d'autres techniques artistiques et surtout par le cinéma. C'est au cinéma, en effet, qu'on trouve désormais, avec une apparence d'authenticité que l'opéra ne peut plus lui disputer, ces mises en scène fastueuses, ces émois sentimentaux, ces vedettes séduisantes qui satisfont la sensibilité populaire. D'autre part, l'opéra a entièrement cessé d'être paré des prestiges qui lui permettaient de jouer un rôle de distinction sociale ; on peut même dire, au contraire, qu'il s'est progressivement dévalué. Il n'a gardé ses vertus qu'auprès d'un public âgé ou provincial.

C'est à partir du moment où l'opéra a été menacé en tant qu'art de masse qu'il a connu une crise dont on a beaucoup parlé sans en comprendre toujours la vraie signification. Car en même temps et en vertu d'un retournement qui est sans doute lié à la crise elle-même, l'opéra s'installait plus solidement dans l'art de haute culture. De l'histoire du théâtre lyrique, les wagnériens n'avaient sauvé que les œuvres qui préfiguraient les préoccupations dramatiques et synthétiques de

Wagner ; toutes les autres, assimilées à un divertissement sans scrupule et méprisées, étaient rejetées. Par la suite, cette attitude trop rigoureuse n'a pas paru justifiée. Le musée sonore qui s'était constitué d'abord avec des œuvres de musique pure, remontant de Beethoven à Mozart, à Bach, aux virginalistes anglais du XVIe siècle, aux polyphonistes flamands du XVe, à Guillaume de Machaut, à Pérotin, a dans un deuxième mouvement ouvert ses portes aux chefs-d'œuvre lyriques sans plus se soucier d'une hiérarchisation wagnérienne. On a reconnu qu'au siècle dernier des musiciens longtemps décriés par les puristes intransigeants avaient eu, sans doute, du génie — Puccini, Verdi, Donizetti, Bellini, Rossini — et que bien d'autres encore au XVIIe ou au XVIIIe siècle méritaient d'être retirés de l'enfer à quoi ils avaient été condamnés hâtivement.

C'est par la voie de la musique pure que l'opéra a été réintégré dans l'art de haute culture et l'on peut estimer que le disque a joué un rôle important auprès de beaucoup d'amateurs pour prouver la valeur d'un certain nombre d'œuvres oubliées. Reconnues belles, celles-ci ont ensuite été présentées sur des scènes de théâtre.

De sorte qu'aujourd'hui, si l'opéra en tant qu'art de masse est en grave péril et connaît la crise que l'on sait, il s'affirme comme art de haute culture ; s'il perd un vaste public traditionnel il conquiert un nouveau public fait d'authentiques amateurs de musique. Mais alors que l'opéra-art de masse faisait naître les œuvres en abondance, suscitait des vocations de compositeurs et donnait l'occasion de s'exprimer à plus d'un musicien de génie, l'opéra devenu ou redevenu art de haute culture paraît scléroser la création. Il vit essentiellement de la résurrection des œuvres du passé. Un théâtre d'opéra aujourd'hui, ce n'est autre chose qu'un musée où l'on présente les chefs-d'œuvre témoins d'une histoire prestigieuse actualisés par une mise en scène qui s'efforce d'effacer les rides et de mettre en évidence les qualités les plus durables. Le Bayreuth d'après-guerre, en gommant tout ce que Wagner avait laissé subsister de traditions suspectes héritées de l'opéra traditionnel, a servi ou de modèle ou de point de départ à une rénovation des mises en scène qui a permis à un nouveau public de cesser d'être incommodé par un médiocre spectacle et de s'abandonner au plaisir de la musique.

Les amateurs d'opéra sont aujourd'hui d'abord des passionnés de musique qui attendent du théâtre lyrique des satisfactions de même ordre que celles que leur donnent le concert, le disque, la radio.

Incontestablement, l'opéra s'est ainsi purifié, il a subi un ennoblissement esthétique — ou plutôt, il a pris une signification esthétique qu'il n'avait jamais revêtue pour la plupart de ses auditeurs. Mais il a connu aussi de nouvelles limites, car les chefs-d'œuvre du passé suffisent à satisfaire ce nouveau public. Des œuvres nouvelles ne sont plus jamais désirées. Parmi celles qui voient le jour, quelques-unes se situent encore — et désormais comme un anachronisme — dans la tradition de l'opéra de masse : c'est le cas de l'opéra de Menotti qui pimente d'harmonies quelque peu modernes des élans mélodiques puccinesques et qui s'imagine avoir remis l'opéra au goût du jour lorsqu'il a plaqué tout cela sur une intrigue inspirée par des faits divers d'aujourd'hui. Ou bien ces œuvres nouvelles se situent dans l'art de haute culture et empruntent le langage de leurs devancières — c'est ce que fait avec talent un Britten — mais leur langage trop sage ne leur donne pas de justification profonde pour l'art de haute culture qui prétend n'exister que dans une révolution permanente, dans une continuelle mise en question du langage. Les quelques œuvres qui assument totalement leurs conditions d'art de haute culture recourent à l'un de ces langages complexes, individualisés à l'extrême et en perpétuel bouleversement que connaît la musique comme art de haute culture. Aussi, ces œuvres nouvelles ne parviennent-elles que rarement à prendre place dans le répertoire.

Depuis le début du siècle, *Elektra, Pelléas et Mélisande, Wozzeck, Lulu* ont mérité d'être tenues par les musiciens pour des œuvres de grande valeur, mais elles réussissent mal à se faire admettre par les amateurs d'opéra. N'est-il pas significatif que *The Rake's progress* de Stravinsky, un des derniers chefs-d'œuvre du théâtre lyrique, paraisse entièrement tourné vers le passé : par son sujet, par la structure du livret, par les références et les allusions de la musique. Chaque année, on monte dans l'une ou l'autre ville des opéras nouveaux : ils sont écrits sur commande non pour répondre à une demande du public mais parce qu'on croit qu'il convient de prolonger un genre prestigieux ; cette vie artificielle ne peut faire illusion.

En fait, toute la musique connaît aujourd'hui une rupture de cette sorte : les amateurs de bonne musique se tournent vers le passé, vers le musée, dans la mesure où le présent leur parle un langage hermétique qui exige un trop grand effort d'assimilation.

Les musiques nouvelles n'ont qu'un public très restreint et très spécialisé, recruté grâce au disque et à la radio plus que par le concert. En raison du spectacle et du coût qu'il implique, l'opéra aurait besoin d'un public d'autant plus large ; on peut constater qu'il ne parvient pas à le trouver, même dans les plus grandes villes, avec des œuvres radicalement neuves dans leur langage.

Ainsi donc, ni l'opéra en tant qu'art de masse ni l'opéra nouveau en tant qu'art de haute culture ne paraissent répondre encore à un besoin profond de la part du public. Faut-il donc considérer que l'opéra appartient au passé et qu'il n'y aurait place aujourd'hui que pour la représentation de pièces de musée ? Faut-il admettre que l'opéra est un genre historiquement limité : il n'est apparu qu'au début du XVIIe siècle ; il n'est pas prouvé qu'il doive durer toujours.

Mais peut-être pourrait-on penser au contraire qu'il a des chances de survivre s'il consent à se transformer profondément pour retrouver sa nature la plus profonde qui est d'être un spectacle total acceptant de tenir compte des goûts actuels du public. Il est au moins un exemple récent d'une œuvre lyrique qui relève de l'art de masse et qui a su s'adapter aux exigences de la sensibilité populaire d'aujourd'hui : c'est *West side Story,* cette comédie musicale qui, malgré une partition d'intérêt modeste, est une œuvre de qualité parce qu'elle a fait concourir à sa réussite des éléments dramatiques et chorégraphiques et une mise en scène pleine d'invention. Peut-être n'est-il pas inutile de remarquer que c'est au cinéma que *West side Story* a trouvé son expression la meilleure ? Ne serait-ce pas dans la comédie musicale, en s'alliant au cinéma ou à la télévision, techniques de masse, que l'opéra — qui, pour exister, a besoin d'un vaste public — pourrait retrouver sa vocation d'art de masse mais adapté à notre temps ? Avec les risques de multiplication d'œuvres médiocres que l'entreprise comporte, mais aussi avec les possibilités de susciter des chefs-d'œuvre bien vivants parce qu'ils auront consenti à répondre à ces contraintes sociologiques imposées par la nature même de l'opéra.

Quant aux possibilités de création dans la tradition de l'art de haute culture, c'est en tournant le dos au grand opéra, à ses pompes et à ses fastes qu'on pourrait les imaginer : dans un opéra de chambre qui tirerait parti à la fois de l'esprit des musiques nouvelles et du théâtre nouveau et qui, s'adressant à de petits publics isolés, consentirait à ne recourir qu'à des moyens modestes. Un équivalent de l'opéra-comique du XVIIIe siècle en face du grand opéra : cette fois encore, c'est lui sans doute qui aurait l'agrément des philosophes et des intellectuels.

DISCUSSION

Adorno (Résumé Goldmann)

Il y a un accord très profond entre ce que M. Wangermée vient de nous dire et ce qu'Adorno a toujours pensé. Dans un de ses ouvrages, il y a un chapitre intitulé « l'Opéra Bourgeois » : Adorno y a développé la thèse qu'au XIXe siècle, l'opéra avait la fonction qu'a aujourd'hui le cinéma.

Cela dit, Adorno se limitera à formuler quelques remarques puisqu'il s'agit d'une discussion. Il a commencé par voir dans l'opéra une forme artistique et esthétique essentiellement bourgeoise. A partir de l'exposé qu'il vient d'entendre, il modifie son analyse et nous propose le schéma suivant : l'opéra pourrait être l'expression de l'alliance sociologique réelle de la bourgeoisie avec l'absolutisme. A un moment de l'histoire, bourgeoisie et absolutisme sont alliés et se soutiennent mutuellement. L'opéra devient une marque culturelle pour un public bourgeois mais lui apporte des valeurs, un contenu, imposés par le haut, ayant son orchestration et sa fonction sociale.

Ce phénomène est d'une importance capitale pour la situation contemporaine. On parle très souvent aujourd'hui de culture de masse, mais on oublie parfois — et Adorno pense que l'industrie culturelle en est responsable — le mécanisme par lequel cette industrie culturelle devient possible. Celle-ci n'est pas simplement née d'un besoin des masses que des forces commerciales et industrielles essaient de satisfaire en vue du profit ; elle implique aussi toute une idéologie et toute une culture, créées et fabriquées par une couche dominante pour les masses, et qui font naître certains besoins par la suite du fait même de leur existence.

Au premier abord, il pourrait sembler paradoxal de mettre en rapport l'opéra et son caractère d'irréalité, avec ce groupe orienté de manière très prosaïque et très réaliste qu'est la bourgeoisie. L'opéra a eu quelque chose de romanesque parce qu'il avait une fonction très précise à remplir au moment où le monde est devenu prosaïque, où a eu lieu ce désensorcellement décrit par Max Weber. Dans la mesure où il mettait l'accent sur la musique qui prenait une importance extraordinaire et ne pouvait pas par nature avoir une fonction réaliste, il représentait, au sein d'une société prosaïque et orientée vers la réalité, une sorte de rêve inoffensif dans lequel on pouvait introduire sans problème certaines visions d'évasion ou d'autres qui auraient pu être dangereuses dans une littérature liée à la réalité. Toute une série d'opéras comme *Madame Butterfly, Aïda, Carmen*, décrivent la situation de quelqu'un qui arrive à pénétrer par l'amour ou par un autre moyen, dans un milieu social plus élevé. En réalité, la bourgeoisie était très fermée et n'aurait jamais intégré les esclaves, les noirs ou d'autres éléments de ce genre. Mais l'opéra pouvait le raconter puisque c'était sans conséquences. Cela permettait au moins à cette bourgeoisie de dépasser, dans un domaine limité et entièrement irréaliste par statut, son lien avec la société réelle.

Adorno ne pense pas qu'on puisse présenter l'œuvre de Wagner comme un essai de ramener l'opéra à un niveau de culture authentique. Une telle hypothèse vaut peut-être pour *Tristan,* mais certainement pas pour les *Niebelungen* qui ont joué un rôle assez important dans le développement du nationalisme allemand, plus important en tout cas que les écrits d'Hitler que personne ne lisait alors qu'on allait voir les opéras de Wagner. Il y a chez ce créateur une tentative de s'allier un certain public contre les véritables techniciens de la musique et d'imposer certaines valeurs pseudo-culturelles.

La renaissance de l'opéra contemporain est liée à un public de gens cultivés qui restituent à ce genre sa valeur culturelle. Mais ce public ne vit pas dans la création musicale réelle d'aujourd'hui et refuse les œuvres authentiques de la musique contemporaine qui lui semblent trop difficiles et posant trop de problèmes. Il acquiert le prestige du statut culturel en allant voir ce musée de l'opéra qui lui permet de se distancer de la culture de masse sans accepter de payer le prix que représente une réelle participation culturelle.

Bénichou

Vous semblez expliquer la baisse de valeur qui caractérise l'opéra et un certain théâtre au xixe siècle, par le fait que ces genres s'adressent au public bourgeois tandis qu'une autre littérature touche plutôt un public artiste. Cela est vrai en partie. Au xviiie siècle pourtant, quand on représentait des tragédies ou des opéras de l'ancien genre, il y avait aussi des bourgeois parmi les spectateurs. Pourquoi les bourgeois auraient-ils introduit dans l'art théâtral une chute de valeur ? Le public que vous visez n'a-t-il pas été composé, plutôt que de bourgeois, de boutiquiers bien plus vulgaires que ne semble l'avoir proposé votre description. Ou bien la bourgeoisie est-elle frappée d'un anathème particulier qui, même en tant que classe dirigeante, lui interdit de communier avec des formes élevées de l'art ?

Wangermée

Je ne crois pas qu'il y ait d'anathème sur une classe déterminée mais je crois qu'au xixe siècle, il se fait non pas un élargissement mais un changement de public. Et l'opéra, tel qu'il est conçu, doit satisfaire un public vaste parce qu'il dépend des recettes. Il s'agit d'une masse encore étroite par rapport à l'époque contemporaine mais qui n'est plus la classe limitée qui va au théâtre au xviiie siècle. L'idéal du beau est déterminé par un milieu d'aristocrates et de bourgeois au xviiie siècle. Au xixe, ce n'est plus vrai, c'est le public qui détermine le niveau esthétique et si la qualité esthétique est plus basse c'est qu'il faut la situer au niveau d'une masse beaucoup plus grande.

Bénichou

A cette époque, il existait une forme de vie de bourgeois boutiquier, qui a été caricaturée assez souvent et qui était assez misérable au point de vue culturel. Tous les témoignages indiquent que c'était le public du drame ; je ne sais pas si c'était aussi celui des opéras. En ce qui concerne le drame, sa présence explique suffisamment le bas niveau de la production.

Wangermée

L'opéra est fréquenté par un public de bourgeois aisés mais aussi par une petite bourgeoisie. Comme il coûte cher, il a besoin d'or et par conséquent de toucher aussi ce public auquel vous faites allusion. Même les petits boutiquiers vont à l'opéra et en conditionnent le niveau assez médiocre. Pour cette raison, les artistes refusent d'écrire dans ce genre et s'adressent aux créateurs et à ceux qui font l'effort d'assimiler leur langage particulier.

FONCTION DU PERE
ET CREATIONS CULTURELLES

par Guy ROSOLATO

Une création culturelle apparaît à nos yeux comme une transformation dans un domaine précis de lois, de préceptes ou de règles, qui jusque-là faisaient autorité, avaient acquis la faveur sociale ou l'assentiment des spécialistes.

Ce qui peut retenir, dans cette optique proposée aujourd'hui, est donc la possibilité, à travers une tradition, de transgresser : on peut désormais aller plus loin.

Si une création ne fait pas double emploi, si elle s'affirme dans sa *rareté*, dans son exceptionnelle convenance pour résoudre ce qui restait en suspens, elle porte à s'interroger sur ce moment d'insatisfaction ou d'incompréhension obligées à partir de quoi une *autre* loi est adoptée. Mais peut-on parler de transgression quand une loi se trouve déjà disqualifiée et caduque ? Il faut bien imaginer une première contestation dans l'ordre et dans l'esprit même de cette loi, un partage au sein de la croyance, une certaine hésitation dans la créance, ou même la révolte dans le plaisir.

Ce penchant très spécial, nous le retrouverons tout à l'heure mis au premier plan avec les perversions sexuelles.

A moins de vouloir oublier l'importance de la Loi culturelle par excellence — c'est-à-dire la prohibition de l'inceste — que l'on peut dire universelle, on ne saurait s'empêcher de confronter celle-ci à toute autre loi de notre culture pour apercevoir qu'elles se tissent également de transgression. Le Père est ou a été l'exemple d'un dépassement : celui de son désir premier à l'égard de sa mère, soutenu pour une autre femme ; ainsi s'écartait-il de la lignée *métonymique* maternelle, pour en témoigner métaphoriquement, en dehors de toute détermination qui ne serait pas celle de la Loi, par son Nom et les modes de transmission qui ont cours dans chaque culture. Tout autre usage (pensons aux Trobriandais) doit pourtant tenir compte du Père, même d'une manière négative, s'il n'est pas posé comme géniteur, même grâce à une autorité à laquelle se réfère la paternité (si les esprits sont invoqués), puisque l'exigence phallique fait porter le désir de l'homme sur une femme qui obligatoirement n'est pas sa mère.

Cette fonction du Père lié à la Loi doit cependant comporter un autre élément majeur : celui de la Mort. Du Père Mort la Loi tire une force qui n'est autre que l'irréductibilité de l'Ananké.

C'est en tant que passé, que témoignage accompli, que poursuite d'un désir jusqu'à sa fin, que le Père Mort, pour avoir subi lui-même la Loi, devient un symbole.

De ceci, sa mort, et notre mort aussi bien, dans la mesure où l'une implique l'autre dans une commune nécessité, notre *inconscient* n'en tient pas compte, car, nous dit Freud, à ce niveau, nous sommes persuadés de notre immortalité.

Le psychotique peut présenter sans détour une telle conviction. Pour le névrosé au contraire la traversée de l'Œdipe entretient des fantasmes inconscients de meurtre du père dans une tentative d'assurer l'image du Père Mort, mais aussi avec la charge de culpabilité qui en découle.

L'art, avant tout, parmi nos réalisations culturelles, exige une mobilité exemplaire quant à la loi : disons plutôt que ses règles doivent à chaque fois être *inventées,* ou nous apparaître dans leur inépuisable nouveauté : en cela une création porte toujours en elle sa révolution.

C'est une grande banalité de constater le cumul que l'artiste réalise quant à son œuvre ; il peut prendre par rapport à elle la position fantasmatique de chacun des éléments du triangle œdipien. Mais il n'est pas inutile de remarquer que ceci suppose un mouvement de remplacement de ces figures, les unes par les autres, et selon un profil qui serait propre au style du créateur. Mais c'est encore grâce au Nom que ces substitutions peuvent être le plus précisément pointées. L'auteur apparaît comme le fils de l'œuvre quand il lui doit son nom qui, par la notoriété acquise, devient originel, hors de la lignée familiale : le pseudonyme précède et accomplit ce décalage, se pliant déjà aux aspirations d'un public. Mais par là se trouve instauré le Nom qui permet en retour d'estampiller l'œuvre. Enfin, la tonalité maternelle est attestée par des expressions courantes, que la gésine ait eu comme point de départ fécondant une tradition ou le groupe social qui exalte l'œuvre, et qui la nomme.

Il importe donc de rappeler les liens entre la création et le Nom qui s'y attache, et l'articulation qui apparaît entre la Loi et la Transgression.

Pour ce faire nous prendrons le détour de la psychopathologie. Et, parmi les perversions sexuelles nous retiendrons le fétichisme qui a donné lieu depuis Freud [1] aux plus précises délimitations cliniques.

Retenons cependant que si ces pratiques s'accomplissent dans le privé, le secret et l'anonymat, certaines portent des noms dont la célébrité — Sade, Masoch — s'est affirmée justement grâce à une œuvre littéraire.

Que l'on **nous comprenne bien : dans cette confrontation** entre le fétichisme et la création artistique, *plus que les similitudes compteront les différences.*

Prenons l'exemple le plus courant : celui de la chaussure dont la vue, la manipulation, la participation à un rituel fantasmatique entraînent la jouissance sexuelle du sujet.

Or Freud a montré que le facteur sexuel se trouvait engagé dans un curieux parallélisme de deux croyances contradictoires, dérivées de l'enfance et concernant la différenciation des sexes : l'une, que la femme, la mère, possède un pénis, et l'autre qu'elle n'en possède pas, qu'elle a donc été castrée.

Cette dualité, cette scission, a été ramenée, par Freud, au *désaveu* (Verleugnung) d'une perception initiale du corps féminin.

Elle concerne, on le voit, des fantasmes sexuels précis et contradictoires. Mais le scénario fantasmatique qui, dans l'abord du fétiche, doit conduire au plaisir sexuel, comporte, quel qu'il puisse être, au niveau de l'objet-fétiche ce que l'on peut appeler une *oscillation métaphoro-métonymique* [2] : en effet les versions de sens que supporte le fétiche vont s'établir entre les deux versants structuraux du langage. Du côté de la métonymie se trouve l'aspect prosaïque de la chaussure : ce presque rien, scandale d'être une incitation sexuelle exclusive ; c'est surtout cette continuité par rapport au corps humain, cette possibilité de le prolonger et de s'en séparer, mais surtout, caractère remarquable de tout fétiche, de pouvoir voiler, dissimuler une partie de ce corps. Dans ce sens la contemplation métonymique du fétiche a quelque chose d'insignifiant, d'infime, et en même temps d'interminable dans sa propagation minutieuse.

L'autre versant, l'aspect métaphorique, supplante ce peu de sens par un non-sens où surgit, en dehors de toute continuité logique, ce qui pouvait être caché, l'organe visible du plaisir, organe dont l'intérêt prime tout pour le fétichiste : le pénis (et n'oublions pas qu'il s'agit presque toujours d'hommes).

---

[1] S. Freud, *Fétichisme*, 1927, Collected Papers, vol. V, pp. 198-204.
[2] G. Rosolato, *Etude des perversions sexuelles à partir du fétichisme*. Conférence faite le 14 décembre 1965. *Le désir et la perversion*, Seuil, 1967, pp. 8-40.

L'oscillation métaphoro-métonymique qui s'établit a une importance capitale : elle équivaut à une annulation de sens, à un manque : et cet équilibre donne issue à la poussée du désir, celle du phallus et de l'orgasme. Nous voyons donc ici le jeu des significations étroitement intriqué avec la montée et la chute du plaisir sexuel.

C'est ici qu'il faut rajouter, parallèlement, l'incidence de la loi et du Père : car, pour le pervers, la loi qu'il désavoue, celle de la différence des sexes précisément, lui apparaît comme une règle arbitraire, relative, et qui ne dépend que d'une autorité infaillible, féroce dans ses dictats, invulnérable, aveugle, mais aussi protectrice et correspondant, en fait, à la toute-puissance des pensées de l'enfant. Cette autorité nous pouvons l'appeler le *Père Idéalisé*. Voyons en cette image ce père redoutable et *mythique* que Freud désignait comme surhomme et père de la horde primitive. Notons encore que ce qui le caractérise est d'être d'avant la mort possible : inaccessible dans sa puissance tant à la mort qu'à une quelconque castration. Si pour le pervers le Père Mort n'a pas acquis une permanence mythique dans sa structure inconsciente, nous pouvons concevoir que la transgression, le désaveu de la loi, considérée comme contingente et liée au Père Idéalisé, entraînera une altération fantasmatique de celui-ci : c'est-à-dire que le désaveu qui est, *à la fois*, aveu et désaveu, ensemble noués, posant la loi désavouée, assure du même coup une instauration du Père Idéalisé et son abolition, c'est-à-dire sa mort. Ce qui caractérise donc le mouvement fantasmatique du fétichiste c'est, parallèlement à l'irruption du plaisir sexuel, une érection, selon la loi de son désir, de l'image du Père Idéalisé et sa mort consécutive. Il s'agit donc d'une tentative avortée, extemporanée, prise dans l'instant de l'accès au plaisir, d'atteindre à la figure stable du Père Mort selon la Loi. Le sort du pervers est donc d'y échouer et de reprendre cette tentative inlassablement *dans* son scénario érotique.

Il n'est pas inutile de rapprocher cette structure perverse d'une idéologie qui présente des points communs : il s'agit de la pensée gnostique : là aussi nous voyons l'absence de médiation, et l'affrontement, la scission, entre un Dieu lointain, ineffable, Père Idéalisé, Dieu supérieur du bien, et un Dieu inférieur, du monde créé et du mal. Là aussi la femme est présentée dans l'ambiguïté d'une surimpression masculine, soit qu'elle participe, comme Sophia, et Paraclet, à la Trinité, soit que d'elle émane le monde créé. Et la solution à cette confrontation impossible, visant la purification pneumatique, dans la poursuite d'une connaissance illuminatrice, peut devenir d'une manière conséquente, pour certaines sectes hérétiques, tel l'antinomisme chrétien, une recherche active de la chute, de la chair, et des abus sexuels, pour en épuiser les attraits, suivre une voie inéluctable et atteindre par ce biais la libération.

Ce rapprochement entre fétichisme et gnose ne sera pas vain maintenant si, dans les distinctions à faire saillir par rapport au phénomène esthétique, nous retenons la leçon d'une expérience poussée jusqu'à sa limite la plus démonstrative avec le surréalisme.

L'oscillation métaphoro-métonymique dont nous avons parlé tout à l'heure garde tout son intérêt avec l'œuvre d'art [3] : les significations que celle-ci entretient ne sauraient en aucun cas être tenues pour inexistantes : tout au contraire elles doivent participer à un métabolisme pour être dépassées. L'oscillation amène à la jubilation esthétique. A cet égard, le surréalisme a désigné ce mouvement d'une manière particulièrement sensible — et épurée — avec les *ready-made*. Du côté de la métonymie s'inscrit le peu de sens, par exemple, d'un porte-bouteilles : toutes les coordonnées logiques, utilitaires, ramèneront cet objet à une continuité sans faille ; tous les arts offrent cette cohérence interne, venue de la tradition, d'une identification usuelle, d'un savoir sans surprise, ou d'un système d'organisation formelle. La lecture de l'œuvre, qu'elle soit cursive ou méticuleusement proliférante, procède de proche en proche et soutient la métonymie. Elle aboutit à cette collection de détails, de riens assemblés, aussi bien de contenus identifiés que de formes typées. A l'opposé la métaphore provient d'une substitution de signifiants ; elle surgit donc à partir d'un non-sens, d'un insolite perçu, d'une ouverture entrevue : le porte-bouteilles se métamorphose : l'oscillation métaphoro-métonymique pourvoit à cette tension de l'œuvre et des fantasmes qu'elle soutient. Qu'il puisse être dès lors signé indique, avec ironie, la marque, ici réduite à l'essentiel, du Nom apposé avec la Loi. L'objet *distingué* sort désormais de l'anonymat du fétiche ; il entre dans l'ordre d'un regard commun toujours impliqué par la loi ; même ce que « donne à voir » le « hasard objectif », même instantané, participe au consensus surréaliste. Ici le désaveu entraîné par l'oscillation métaphoro-métonymique ne s'applique pas à la loi de la différence des sexes comme pour le fétiche, ou du moins pas directement, mais à une loi de tradition selon laquelle justement peut se constituer la reconnaissance métonymique : le porte-bouteilles appartient à un monde familier, sans cela il ne pourrait servir à cette opération. La loi nouvelle qui apparaît dans l'ouverture métaphorique introduit à cette spéciale transgression du désaveu. Cependant il faut noter par cet effet de similitude entre la structure perverse et celle de la création que l'art, à un premier niveau, le plus couramment exploré, constitue une représentation : en l'occurrence

---

[3] G. ROSOLATO, C. WIART et R. VOLMAT, « Technique d'analyse picturale. Méthode, catégorisation et première étude statistique ». *Annales médico-psychologiques*, pp. 27-56, 118ᵉ année, tome II, juin 1960.

celle de ce qui pourrait intéresser le sujet lui-même en situation perverse, et que l'art justement exclut.

Et ce désaveu prend une allure particulièrement subtile, par une sorte de redoublement quand, par exemple, le mécanisme est lui-même pris comme objet esthétique : ainsi en est-il lorsque les surréalistes prônent un acte gratuit, ou déclarent leur goût pour les perversions, ou encore quand Breton souhaitait tirer au hasard sur la foule. (Ainsi voyez dans un livre récent [4] tout ce qui concerne le fétichisme de la chaussure (plutôt que, comme il est dit, du pied), et tels propos véhéments de Dali).

Si les lois esthétiques existantes peuvent se rattacher à la toute-puissante autorité d'un Père Idéalisé, la destitution de ce dernier reproduit ce que nous avons dit de sa Mort, cette fois-ci impliquée par l'acte de création : mais la transgression ainsi atteinte ne s'impose que dans la mesure où elle éveille chez autrui un processus identique. C'est en définitive l'accueil de l'œuvre sur le plan social qui aide à accuser la différence entre le fétiche et l'œuvre d'art : si pour le fétichiste, le témoin oculaire peut être un partenaire, ou son propre Surmoi neutralisé, pour l'œuvre d'art c'est le groupe social, même restreint, ou virtuel qui entre plus spécialement en jeu. Une tradition commence à s'ébaucher avec chaque œuvre et sa permanence contribue à maintenir l'image du Père Mort toujours *en deçà* de l'œuvre ; que cette image tende à s'effacer, ou à adhérer à l'œuvre elle-même, qui devient alors lettre morte, et une nouvelle mutation s'imposera pour situer à nouveau le Père Mort à sa place de *retrait*.

On peut se demander maintenant si la vocation de l'artiste doit quelque chose aux rapports dans l'enfance, avec le père. Freud, au moins pour le cas de Léonard de Vinci, indique l'absence de celui-ci, surtout dans les cinq premières années, ce qui, par un défaut « d'intimidation », expliquerait le rejet « des chaînes de l'autorité » (p. 177) et le moyen de se soustraire à tout dogmatisme [5]. Ceci devait à la fois aider et desservir l'entreprise de Léonard : soit en écartant à son avantage tout préjugé dans ses explorations scientifiques et esthétiques, ou, au contraire, par identification aux défauts du père, en abandonnant ses œuvres en cours, tout en en rendant responsable tel ou tel de ses protecteurs, eux-mêmes taxés de la même négligence.

Mais pour en revenir à notre comparaison, on peut avancer que l'œuvre poursuit au grand jour et par d'autres moyens ce qui, pour le fétichisme, se retrouve dans un même principe sur le plan érotique.

---

[4] R. BENAYOUN, *Erotique du Surréalisme*, Pauvert, 1965.
[5] S. FREUD, *Un souvenir d'enfance de Léonard de Vinci*, N.R.F., 1927. Cfr aussi G. ROSOLATO, « Léonard et la Psychanalyse. A partir des travaux de K. Eissler et de M. Schapiro », dans *Critique*, n° 201 / 139-163, février 1964.

Ainsi, sans doute, atteignons-nous le point central de cette question, si difficile, de la sublimation. Car la différence majeure, et connue, mais qu'il faut bien rappeler surtout à propos des « ready made » où elle prend toute sa valeur, différence entre le processus fétichiste et la création, tient à l'absence dans celle-ci de tout aboutissement sexuel. Freud a parlé de « désexualisation », de changement de but pulsionnel.

C'est en tant que *manque* surmonté qu'il faudrait surtout cerner le phénomène esthétique. Ainsi l'art recueille le souvenir de cette inéluctable répression que la société impose à la sexualité : il permet de retrouver dans la jubilation devant l'œuvre un rappel, heureux cette fois, de ce que la réalité a fait admettre de sacrifices anciens dans l'ordre du plaisir. La tonalité nostalgique de la contemplation, de la recherche d'un temps perdu, en dérive probablement.

Mais un point fort important doit être souligné en ce qui concerne la sublimation : Freud tenait à la distinguer de l'*idéalisation*. « Tel qui a échangé son narcissisme, écrit-il, contre la vénération d'un idéal du moi élevé, n'a pas forcément réussi pour autant à sublimer ses pulsions libidinales [6]. » Parfois ces deux attitudes deviennent violemment antinomiques : pour certaines structures mentales pathologiques une forte idéalisation bloque de telle manière la libido que ne peuvent que se répéter des conduites qui mettent en jeu automatiquement les pulsions de mort.

Ainsi pourrions-nous envisager le rôle du leader qui favorise une fixation libidinale alors que toute sublimation culturelle reste inaccessible : ainsi pour telle guerre récente, le nazisme ; ainsi, peut-être, dans le groupe surréaliste, à la mesure d'un idéal extrême, défendu par un homme aussi vivement adulé que vilipendé, les tendances léthales ; ainsi, sans doute, avec l'amour courtois, les croisades ; ou bien encore, à l'envers du Dieu inaccessible des cathares, ou des manichéens, la féroce répression suscitée par une foi qui affrontait et souhaitait farouchement la mort. Nous retrouvons donc cette correspondance entre la chute, l'abandon jusqu'à la mort et l'idéalisation divine maximale, sans médiation, signalée tout à l'heure à propos de la gnose.

Si l'art est l'*invention même*, dans une contestation des lois, et *la représentation en ses œuvres de cette invention,* la science pourra apparaître fort éloignée d'une telle visée.

En effet, elle s'accommode parfaitement dans ses applications d'un oubli total des particularités de la découverte initiale : l'usage de ses lois dans un sens utilitaire n'exige nullement de retrouver la voie et

---

[6] S. FREUD, *Pour introduire le narcissisme*, 1914, Trad. de J. Laplanche, Monographies de la Société Française de Psychanalyse, 1957, p. 25.

les détours du créateur. La science *risque* ainsi de servir, d'entretenir, une certaine opacité : elle porte en elle cette déperdition.

Alors qu'on ne saurait imaginer l'attitude mentale de la contemplation esthétique sans un minimum de recréation de l'œuvre, sans de multiples et rapides interrogations sur sa spécificité, sans une mise en cause totalitaire, la science ne peut nous fournir que des moyens de consommation.

Mais ce serait oublier la création propre à la science, à rapprocher, en définitive, de celle de l'art.

Là aussi nous trouverons une nécessaire subversion quant à une loi reçue : et de même que pour une tradition esthétique, les grands noms de la science aident à fixer l'image du Père Idéal tant en fonction d'un Père Réel dévalorisé (souvent même par la mère) qu'ayant à subir lui-même une disqualification en faveur du Père Mort, selon la Loi.

La relation récente d'une psychanalyse concernant un savant réputé s'applique à démontrer que les concepts théoriques qui rendent compte de la créativité artistique restent valables pour la créativité scientifique [7].

Ainsi peut-on reprendre le schéma de M. Klein sur la restauration de l'objet [8] : les attaques fantasmatiques à l'égard d'un des parents entraînent une réparation au niveau d'une image idéale : ainsi la créativité trouve son élan à partir d'un Idéal du Moi après avoir désinvesti une première image dévaluée : la création permet une adéquation entre le Moi et l'Idéal du Moi, qui s'accompagne de cet indice de jubilation présent dans la découverte.

P. Heimann avait aussi noté, à propos de la sublimation, la nécessité d'envisager une substitution d'objets fantasmés permettant d'en adopter de moins dangereux, ce qui donne au Moi la faculté d'assimiler les qualités parentales [9]. Ce jeu de remplacement ferait l'effet chez le sujet d'une re-création (Giovacchini).

Enfin Ph. Greenacre a souligné le rôle majeur du Père Idéalisé, tant dans ses aspects personnalisés qu'à partir de conceptions cosmiques, dans le développement d'enfants spécialement doués sur le plan artistique [10].

---

[7] F.L. GIOVACCHINI, « Some aspects of the Development of the Ego Ideal of a Creative Scientist », *The Psychoanalytic Quarterly*, 1965, n° 1, pp. 79-101.

[8] M. KLEIN, « Infantile anxiety situations reflected in a work of art and in the creative impulse », 1929, dans *Contributions to Psychoanalysis*, Hogarth Press, pp. 227-235. Trad. *Essais de psychanalyse*, Payot, pp. 254-262.

[9] P. HEIMANN, « A contribution to the Problem of Sublimation and its Relation to Processes of Internalization », *Int. Journal of Psychan.* XXIII, 1942, pp. 8-17.

[10] P. GREENACRE, « The Family Romance of the Artist », dans *The Psychoanalytic Study of the Child*, vol. XIII, 1958, New York, Int. Univ. Press.

Dans le cas cité plus haut, la désaffection avait eu lieu brutalement à l'âge de sept ans, l'image du père autoritaire et envahissant s'étant révélée insoutenable. Pour éviter de se rabattre sur un conflit en relation avec la mère, l'image du Père Idéal permit une progressive succession d'idéaux allant jusqu'aux plus abstraits pour venir composer les objectifs scientifiques. Ces vicissitudes concernant le Père Idéal se retrouvèrent dans le déroulement de la cure par rapport au psychanalyste.

Notre thèse, nous l'avons vu, met en relief deux points supplémentaires : la transgression exigée dans le mouvement même d'invention de nouvelles lois ; et la relation stable, qui seule peut lester l'inconscient, entre la Loi et, non pas le Père Idéal, mais le Père selon la Loi, ou Père Mort.

Si la transgression des Lois scientifiques est justement bridée par les conséquences pratiques qui peuvent en découler, par un désordre irréversible qui atteindrait tout usager maladroit, il n'est pas certain que le contrôle permanent, de type obsessionnel, qu'exige la vérification instrumentale, celle des protocoles et des lois, soit, dans les sciences, plus restrictif que les impératifs sociaux qui déterminent à un moment donné la réalisation et le succès d'une œuvre d'art.

Ce qu'il importe de faire saillir c'est que, entre les lois scientifiques, les règles et lois esthétiques, et la Loi majeure de la société, la prohibition de l'inceste, une communication persiste, et que, de plus, même méconnue, elle s'établit par des processus inconscients qui ne sauraient être négligés au cours de la création. Et si apparemment le domaine scientifique semble être à l'abri d'une telle confrontation, nous ne le devons qu'à une convention délibérée qui, en précisant les frontières hors desquelles ne se poursuivront pas les investigations, tient justement compte du territoire exclu.

Une *double ouverture* se laisse donc atteindre : d'abord avec une nécessaire transgression de la loi, — et qui n'est possible que dans l'autre ouverture, dans une autre dimension, que réalise cette communication entre les trois registres, scientifique, esthétique et moral, des lois. La création y atteint, dans une libre disposition d'une totalité toujours en fuite, dissimulée par le dévoilement de l'œuvre réalisée, — l'ouverture qui est sa vérité.

En regard des transgressions envisagées, il faut également examiner ce qui, sur le plan mythique et culturel, se pose comme modèle, tradition stable, et immutabilité de la Loi.

Assurément la religion est cette réserve et cet index. Elle offre par le repère et la fixité du récit sacré la figure d'une médiation avec le Père Idéalisé dans le Sacrifice qui devient la voie même du salut.

De sorte que la religion *représente* ce fondement de la Loi qu'est l'accès au Père Mort.

Considérons-en trois figures majeures.

* Avec l'Ancien Testament l'image culminante qui est développée au moment de l'Alliance parcourt deux temps. Dans le premier l'Alliance est conclue entre Dieu et Abraham avant la naissance d'Isaac : au cours du dialogue s'établissent (*Gen.* 17) trois marques : d'abord le changement de nom d'Abram en Abraham, où s'instaure une origine ; puis la circoncision est instituée et Abraham comme tous les hommes de sa maison se soumet lui-même à ce signe, mais à un âge qui nécessairement ne pouvait être celui que l'Eternel ordonnait ; enfin, troisième point, a lieu la promesse d'un enfant mâle, malgré le grand âge d'Abraham et de Sara.

Or c'est à partir de la naissance d'Isaac que, rétroactivement, ces marques prendront leur sens, c'est-à-dire quand *trois personnes masculines* participeront à l'Alliance. L'enfant né eut le nom que l'Eternel avait voulu. Isaac subit la première circoncision rituelle, au 8ᵉ jour, selon les indications du Seigneur (*Gen.* 21). Mais c'est à propos du sacrifice que se scelle définitivement l'Alliance (*Gen.* 22) : la volonté de Dieu de faire périr Isaac introduit la mort pour que l'acquiescement d'Abraham conduise à l'ordre du Père Idéal castrateur qui dans l'arbitraire peut faire lever la main paternelle sur le fils : ce premier temps assumé, la suspension du sacrifice élève à l'ordre du Père selon la Loi, du Père Mort : car, à travers Dieu, Abraham accepte et décide de ne plus mettre en cause la vie de son enfant : *il accepte surtout les souhaits de mort* qu'Isaac pourra nourrir contre lui et le danger permanent qu'il représente : du coup la mort prend sa valeur symbolique et *passe du côté des Pères* et de Dieu : l'Alliance ne lie plus seulement l'Eternel à Abraham mais aussi à Isaac et à la postérité ; c'est dans la mesure où Abraham atteint d'abord, puis surmonte sa force destructive, en accord avec l'Eternel, que rétroactivement il justifie son Nom, sa circoncision et celle de son fils, dans la bascule de la Mort du côté de l'ancien, de l'antécédent, du Père. Ainsi prend son poids ce génie du judaïsme centré sur cet espoir illimité dans l'enfant, la descendance, et qui se spécifie avec le messianisme. Et le Dieu jaloux et sévère se transforme en Dieu de l'Alliance entre les générations, prenant sur lui la Mort. Ainsi, dans cette optique, s'éclairerait l'interprétation donnée par Freud au *Moïse* de Michel-Ange [11] : le prophète suspend son courroux, et sur le tombeau de Jules II pèse du sceau de la Mort.

[11] S. FREUD, « Le *Moïse* de Michel-Ange », 1914, dans *Essais de Psychanalyse Appliquée*, N.R.F., 1933, pp. 9-42.

Ceci nous montrerait comment est figurée dans l'Ancien Testament l'articulation entre le Père Idéal et le Père Mort pour fonder l'Alliance.

** Avec le Nouveau Testament ce passage est repris dans la médiation entre le divin et l'humain et toujours comme il se doit en fonction de la Mort et d'une Trinité. Que Jésus, à la fois Homme et Dieu, meure au terme de la Passion, permet une très précise représentation de cette Mort dans le Fils : mais aussi elle fournit les moyens de lutter contre toute culpabilité qui, comme Freud l'a indiqué dans *Malaise dans la Civilisation*, découle de la répression culturelle des souhaits œdipiens : cette culpabilité, contre laquelle le judaïsme oppose la force de sa foi messianique, se trouve contrebalancée dans le christianisme par l'importance même de la victime, le Fils de Dieu, et par sa Résurrection finale.

*** Mais avec l'islamisme il ne semble pas que nous puissions retrouver cette médiation d'une mort incluse dans le dogme. On sait qu'en dehors du chiisme et du soufisme, où elle peut être nettement décelée avec les prophètes martyrs, Ali ou El Halladj, il y a, au contraire dans le Coran (IV, 156) un net *rejet* de cette médiation. Selon une tradition musulmane relevée par R. Blachère, et dans l'esprit même du Coran, non seulement Jésus aurait échappé au supplice, mais un de ses disciples, nommé Serge, se serait substitué à lui. Faut-il donc y voir un simple retour gnostique à la prévalence du Père Idéalisé ? On ne peut pourtant s'empêcher de constater que l'islamisme, venu après le judaïsme et le christianisme, et comme un prolongement de la croyance des « gens du livre », se situe en négatif, dans le rejet de cette mort par rapport au divin, donc en tant que dénégation, et, par conséquent, en faveur de la Révélation comme seule solution transcendante de la culpabilité. Il ne faut pas oublier cependant que la circoncision musulmane commémore aussi l'Alliance de l'Ancien Testament.

Si la religion est cette figuration des rapports successifs de l'individu avec les images paternelles de son Œdipe, mais aussi une présentation du Père Mort, de la médiation et du fondement de la Loi, c'est pour offrir une solution universelle, mythique, comme réconciliation et salut, pour tout homme, quelle qu'ait été sa propre évolution œdipienne. Et parce que le secret qui nous intéresse se trouve à chaque fois situé au plus près du Père Mort, le sacré s'instaure.

Non loin, en revenant à l'art qui joint la loi à la transgression, la *tragédie,* sous l'œil du plus tragique des poètes, a pu se révéler comme la représentation même de cette désarticulation de l'homme et du divin, — du moment de leur séparation. Hölderlin, tel que rigoureusement J. Beaufret nous en restitue la réflexion [12], dévoile ce détournement catégorique, ce détournement du divin, après un rapprochement illimité entre eux : ce mouvement qui se clôt par la différenciation du Père du Temps d'un côté, et de l'homme de l'autre (ou d'Antigone comme Antithéos), donne à celui-ci, dans son infidélité, « cette mémoire du divin ». La tragédie serait donc cette représentation de la séparation extrême, où le Père Mort se place comme mémoire dans l'inconscient. Que ce soit Œdipe qui en accomplisse l'épreuve ne saurait nous étonner. A l'encontre de la religion la tragédie se centre sur le détournement.

Mieux que partout ailleurs nous en entendrons l'écho dans l'œuvre d'art : le souvenir d'un secret recueille ce détournement ou, encore, ce qui nous vient de cette mort, et qui fonde notre narcissisme.

Si l'art *représente,* ce ne peut être qu'au-delà, quoique à travers des images déterminées, pour se tourner vers ce *secret,* non pas confus, indistinct, mais venant de ce lieu du Père. Ainsi l'entendons-nous comme une *voix* : cette même voix dont parlait récemment B. Pingaud à propos de l'œuvre romanesque [13], « voix singulière », du narrateur, qui ne saurait être confondue avec celle de l'auteur, ou de personne, « hors de l'espace, un moment hors du temps » et qui, comme un souffle, porte toute la tension du récit. Cette voix vient de la zone de secret, où le Père Mort est recueilli comme mémoire dans l'oubli.

Cette voix résonne aussi dans la musique, l'enchaînement des accords, dans la tenue d'une note, celle du shofar aussi bien, dans le retour, comme l'a souligné Th. Reik, d'une expression paternelle primordiale [14].

Et dans ces autres arts, où l'espace et ses illusions laissent entendre une harmonie, encore, comme il a été dit, se perçoivent des « voix du silence ».

Toute invention s'appuie sur cette mise en perspective et rencontre l'arrière-plan où se conjuguent la Mort, la Loi et la médiation du Père : elle éveille dès lors en tout homme un éclat identique, un frémissement, qui signalent que l'on aborde enfin une *autre* région où la clarté livre l'Obscur, le Skoteinós.

---

[12] HÖLDERLIN, *Remarques sur Œdipe — Remarques sur Antigone,* Trad. 1965, Bibliothèque 10/18.
[13] B. PINGAUD, « L'œuvre et l'analyste », *Les Temps Modernes,* octobre 1965.
[14] T. REIK, *Ritual. Four Psychoanalytical Studies,* cfr « The Shofar », 1946. Grove Press, 1962.

LES ORIGINES D'UN MYTHE PERSONNEL CHEZ L'ECRIVAIN

par Charles MAURON

Quelles origines pouvons-nous assigner au mythe personnel d'un écrivain ? Toute réponse à cette question implique, naturellement, une définition préalable des mots « mythe personnel ». Je tenterai de la formuler avec précision. Laissez-moi pourtant écarter d'abord un malentendu possible. N'est-il pas, en effet, hors de propos d'étudier quoi que ce soit de « personnel » dans un colloque de sociologie ? J'espère vous montrer que non, et doublement. D'une part, en effet, je tiendrai volontiers mes recherches pour une faible contribution à cette « anthropologie du phantasme » dont parle Shentoub dans un article récent[1]. La fabrication de phantasmes étant une fonction universelle et constante de l'esprit humain, son exercice chez l'écrivain n'offre qu'un cas particulier, si remarquable qu'il apparaisse. Mais il y a plus : des relations interpersonnelles entrent nécessairement dans la genèse du phantasme le plus singulier. Ainsi, par deux aspects au moins, mon étude devra se référer à un cadre plus vaste, général ou collectif. En revanche, qu'il me soit permis de rester fidèle à mon expérience de psychocritique, c'est-à-dire à des matériaux littéraires et à une méthode de critique adaptée à ces matériaux. L'honnêteté expérimentale veut que je présente ici des résultats acquis dans un champ limité, avec des instruments adéquats. Les soucis de synthèse plus vaste ne doivent apparaître qu'ensuite et, sans doute, dans la discussion.

C'est donc d'un point de vue empirique étroit que je fournirai la définition du « mythe personnel ». Je nommerai ainsi le phantasme dominant que révèle la superposition des œuvres d'un écrivain. La superposition des textes, qu'il faut bien se garder de confondre avec leur explication comparée, constitue une technique rappelant celle des photographies de Galton. J'y vois, surtout, l'unique méthode remplaçant, dans une certaine mesure, en matière de critique littéraire, l'hypnose ou la libre association des cliniciens. Elle brouille, dans les

---

[1] « Psychanalyse, ethnologie et ethnologie psychanalytique », *Revue française de psychanalyse*, vol. XXVIII, mai-juin 1964.

œuvres superposées, et par suite affaiblit les élaborations secondaires, conscientes ; elle accuse au contraire les processus primaires, inconscients. Elle exige, de l'opérateur, comme en psychanalyse, l'usage de l'« attention flottante ». Un contrôle objectif, après critique des résultats, est fourni par des coïncidences verbales ou structurelles. L'expérience m'a prouvé qu'une suite de superpositions ainsi conduites révèle des réseaux d'associations propres à l'écrivain, puis des figures et des situations dramatiques, enfin un mythe qui les groupe. C'est ce dernier que je nomme « mythe personnel » de l'écrivain considéré.

Je voudrais insister un peu sur le degré d'objectivité que peut atteindre cette méthode. Sa pratique enseigne normalement à faire des superpositions sans idée préconçue consciente, en acceptant tout simplement l'image qui surgit, avant toute interprétation. La pratique psychanalytique permet le contrôle des contre-transferts. La critique historique ou philologique des mêmes textes d'une part, et d'autre part les indications biographiques apportent des confirmations, protègent en tout cas des interprétations aberrantes. Bien entendu, des risques d'erreur subsistent ; mais quelle science humaine en est exempte ? Du moins une série de précautions méthodologiques sont-elles prises pour nous assurer que le mythe enfin retenu appartenait objectivement à l'écrivain. Elles distinguent, à mes yeux, la psychocritique d'autres méthodes interprétatives, souvent plus révélatrices du critique que de l'écrivain.

Je n'insisterai pas, faute de temps, sur la fonction du mythe personnel dans la création littéraire. Disons qu'il joue le rôle d'un champ de forces psychiques, sorte de matrice imaginative, si l'on veut bien dépouiller pareille expression de ce qu'elle a de trop statique ; cette matrice attire, accueille, ordonne des matériaux, souvenirs et objets, empruntés aux contenus de la conscience et donc, largement, à son expérience du monde — dans le cas de l'écrivain, ses lectures ou ses observations. Soulignons, en revanche, parce que cela va nous être utile, que ce phantasme dominant vit à l'intérieur de l'écrivain et qu'on le voit évoluer dans le temps, d'œuvre en œuvre, selon des influences externes, ou internes. J'ai montré que le mythe de Racine évoluait de façon continue, qu'un progrès analogue permettait de discerner le mythe personnel de Molière des mythes comiques traditionnels donc collectifs ; que le mythe de Mallarmé repéré presque de mois en mois pendant les années de formation, reflétait des événements biographiques et jouait un rôle décisif dans la constitution d'un style original. Pareil à un être vivant, donc, le mythe personnel se conserve mais dure ; il est fonction du temps et participe, selon son mode propre, du mouvement général entraînant l'écrivain, sa création et son milieu. Ce processus, toutefois, reste lent et n'altère que peu la structure du mythe qui demeure reconnaissable à de longues années de distance. Ainsi, l'architecture du phantasme racinien à l'époque d'*Athalie* demeure largement ce qu'elle était à l'époque d'*Andromaque*, et l'on retrouve dans la dernière œuvre de Mallarmé, *Les Noces d'Hérodiade*, le phantasme du chanteur décapité, déjà manifeste dans *La Tête*, que le poète écrivait vers vingt et un ans. Les métamorphoses du mythe personnel paraissent dues bien moins à une modification d'ensemble qu'à l'« activation » successive de ses parties, au gré d'influences extérieures. Mais je ne puis, faute de temps, m'attarder à ces considérations. J'en ai dit assez pour montrer qu'à mes yeux le mythe personnel d'un écrivain est une réalité objective, évoluant dans la durée comme l'écrivain lui-même, ma conviction étant fondée non sur une interprétation à partir d'un code quelconque, mais sur l'usage d'une technique utilisable par tous.

J'aborderai maintenant sans plus tarder le sujet central de cet exposé : les origines probables du mythe personnel. Examinons d'abord ce problème dans l'esprit le plus empirique. Dans l'étude d'un écrivain, nous disposons rarement de textes écrits par lui avant la puberté. En revanche, quelques *juvenilia*, composés avant la vingtième année, ont souvent été recueillis. La technique des superpositions peut alors remonter jusqu'à ces premiers textes. Elle y découvre le mythe personnel sous une forme qui reflète évidemment les événements biographiques contemporains. Empiriquement, nous pouvons tenir cette forme comme originelle. L'histoire nettement connaissable du mythe commence là.

Pareille conception n'est d'ailleurs pas aussi contingente qu'on pourrait le croire. Si la vocation littéraire coïncide si souvent avec la crise de l'adolescence, c'est qu'elle constitue sans doute l'une des défenses que l'être humain, dans notre culture, peut opposer à ce raz de marée des instincts. Chez tous les individus, des mécanismes particuliers de défense contre l'angoisse sont normalement mis en œuvre à cette période de la vie. L'acquisition d'une autonomie matérielle et morale, le passage prévisible du milieu familial à des groupes plus larges, la conquête d'un statut social et la fondation d'un foyer privé : autant de perspectives qui excitent et angoissent l'adolescent. L'imagination, source de projets idéo-affectifs, en est nécessairement stimulée. Les phantasmes formés à cette époque semblent ainsi plus lourds de sens et plus durables qu'aucun autre. N'oublions pas, d'ailleurs, que la poussée pubertaire réactive l'Œdipe et, avec lui, toutes les fixations antérieures, toute la série des conflits dont il fut l'aboutissement. A ce titre aussi, la forme que prend le mythe personnel dans les écrits de jeunesse présente une sorte de valeur originelle. Aussi ne faut-il pas trop regretter sans doute que nos textes remontent rarement au-delà de l'adolescence : celle-ci représente vraiment un seuil.

La psychanalyse, bien entendu, nous invite à le franchir pour rechercher, dans la préhistoire enfantine, les conflits plus ou moins traumatisants que pourrait refléter une fantaisie dominante. Si la biographie nous fournit alors des éléments significatifs, nous serions sots de n'en point tenir compte ; encore ne faut-il pas confondre le moindre incident, rapporté dans une anecdote, avec un trauma déterminant à jamais l'imagination du futur écrivain. Rien ne cause plus de tort à la critique moderne que la fausse psychanalyse, non fondée sur l'expérience clinique. Il est si facile d'user mal à propos de concepts périmés. L'opinion aujourd'hui si répandue selon laquelle l'origine de toute fantaisie dominante se trouve nécessairement dans un événement traumatique réellement vécu dans l'enfance répète, en vérité, et répète fort mal, l'une des plus anciennes hypothèses de Freud, abandonnée dès avant 1900 : le choc causé par une « scène primitive » dont l'enfant aurait été réellement témoin. Freud admit qu'un phantasme pouvait jouer le même rôle qu'un fait vécu. Cette remarque est décisive pour notre sujet. Nous n'avons nul besoin de rechercher l'origine du mythe personnel dans un ou plusieurs événements biographiques et c'est une fausse sécurité que nous donne cette remontée d'un effet dit « imaginaire » à une cause dite « réelle ». Chaque phantasme peut naître, si j'ose ainsi parler, d'un phantasme antérieur et, à son tour, en engendrer d'autres. Au surplus, c'est bien là ce que suggère d'abord l'expérience psychocritique : si la fantaisie dominante d'un écrivain se modifie très lentement de la jeunesse à la mort, sans cesser d'être elle-même, pourquoi n'aurait-elle pas connu déjà un destin analogue de l'enfance à la jeunesse ? La fabrication de phantasmes commence avec la vie de l'individu. Le problème, dans cette préhistoire, est moins de découvrir un modèle initial à la série que de saisir, partout où cela est possible, et tout au long de la série, l'interaction probable du mythique et du vécu. Une assistante sociale, rédigeant une fiche sur Stéphane Mallarmé, y eût noté, entre autres, des points comme ceux-ci : famille aisée d'assez hauts fonctionnaires ; deux enfants ; Stéphane, l'aîné, perd sa mère à cinq ans ; son père se remarie et le confie aux grands-parents qui, à neuf ans, le placent dans un pensionnat ; à quinze ans, perd encore sa sœur Marie qu'il aimait tendrement. Voilà une succession dont on peut espérer retrouver quelque chose dans le mythe des *Juvenilia*. Du coup il est clair que la sociologie entre en jeu : dans une autre culture, et même dans un autre groupe social, les deux deuils successifs n'auraient eu ni les mêmes conséquences, ni le même sens. En revanche, nous ne saurions oublier qu'à cinq ans, la personnalité de Stéphane avait déjà été structurée par les relations vécues avec la mère surtout, puis avec la sœur et le père. Les rapports interpersonnels, ou même sociaux, entre cinq et seize ans auront été vécus en fonction de cette structure qu'ils auront modifiée à leur tour. Tout au long de ce processus, une suite continue de phantasmes a nécessairement doublé la suite des événements vécus. Leur interaction dialectique ne peut être qu'inférée, mais elle peut l'être avec une certaine probabilité fondée sur l'expérience psychanalytique. Enfin, nous saisissons dans les œuvres de jeunesse la fantaisie manifeste qui constituera notre matériel le plus archaïque, mais qui n'en est pas moins l'aboutissement d'une préhistoire — et nous nous interrogeons sur son origine. Son origine ? C'est *tout* ce qui précède, c'est le flot continu d'événements, de relations vécues et de phantasmes, jalonné il est vrai d'îlots marquants. Rassemblant alors nos faibles puissances — savoirs divers, intuition, sympathie — nous ne pouvons que nous demander : est-il normal qu'un adolescent, ayant traversé ces expériences, ait fait aussi un jour ce rêve ? Tantôt alors un sentiment de cohérence empirique, poussée jusque dans le détail, nous assure de cette normalité ; tantôt au contraire nous sommes déçus, frustrés par l'impression d'énigme persistante. Nous dirions difficilement dans le premier cas que nous avons découvert l'origine « préhistorique » du mythe personnel ; du moins l'avons-nous rattaché par quelques fils probables à un passé prodigieusement complexe. Dans le second cas, et jusqu'à plus ample informé, mieux vaut renoncer à la préhistoire.

Renonçons-nous pour autant à toute interprétation du mythe personnel ? J'appelle ici « interprétation » une hypothèse explicative, représentant le phénomène étudié comme l'une des solutions possibles d'une fonction à plusieurs variables. Je ne considère pas le mythe inconscient comme un message dont on rechercherait le sens, mais comme un fait à expliquer en fonction d'autres. Assimiler la fantaisie inconsciente à un langage, à une expression verbale consciente entraîne, à mon avis, des risques d'erreur. Déchiffrer le sens d'un rêve, ce n'est pas le décoder, c'est reconstituer, à l'envers, son processus réel de fabrication. Or une fantaisie est toujours le fruit d'une genèse actuelle. Nous pouvons toujours y voir la réaction d'une certaine personnalité inconsciente à un contexte biographique donné. Un phantasme inconscient est la forme la plus régressive de la pensée, un projet de relation orientant vers des objets encore vagues l'énergie d'un désir ou d'une peur. Mais à un stade plus élaboré, d'une part la pulsion unique doit être remplacée par un système complexe de désirs ou de craintes, d'autre part le projet d'action constitue souvent un effort pour restaurer un équilibre ou pour maîtriser des angoisses. « Structuralement » donc, comme l'écrit Lagache[2], « la fantaisie inconsciente pro-

---

[2] « Fantaisie, réalité, vérité », *Revue française de psychanalyse*, n° 4, 1964, p. 519.

cède du Ça, du Surmoi et du Moi inconscient mais aussi du Moi conscient. » J'ajoute que, littérairement, les « objets internes », tels que les a définis Melanie Klein, paraissent jouer un grand rôle. Le mythe personnel de l'écrivain semble devoir ainsi dépendre à chaque instant de deux variables : un contexte biographique agissant à travers la conscience, et la totalité de la personnalité inconsciente, avec sa structure complexe. Dans la mesure où la suite des œuvres nous donne la forme de cette fonction (car nous voyons durer le mythe personnel) et où le contexte biographique nous est connu, nous pouvons faire la part de la personnalité inconsciente avec son économie de pulsions et de contre-pulsions. Par « contexte biographique », de notre point de vue littéraire, je comprends naturellement tout ce que la critique classique nous apprend sur les sources de l'œuvre, les lectures de l'écrivain, les influences du milieu, l'évolution des genres, etc., aussi bien que les événements propres à l'existence de l'auteur. C'est de la comparaison de tels résultats avec la courbe du mythe que nous inférons notre hypothèse explicative sur la genèse de telle fantaisie dans tel ouvrage de l'écrivain.

Pareille conception, je le répète, fait sa part au milieu social et culturel. Car, à chaque instant, la personnalité subit l'influence du monde, et réagit par un projet phantasmatique de relation avec lui. Or qu'est le monde, sinon d'abord le milieu culturel, avec ses stimulations et ses interdits, sources de désirs et de peurs ? La même conception, cependant, fait aussi à la personnalité sa part inaliénable. L'individu naissant n'est pas une cire vierge ; sa maturation psychophysiologique dépend largement de facteurs qui peuvent se retrouver, ou faire défaut, dans toutes les cultures et dans tous les milieux. La structuration de la personnalité inconsciente, la formation des instances et des « objets internes » s'accomplit selon des mécanismes spécifiques — dénégation, fuite, isolement, introjection et projection, etc. — à variations individuelles plutôt que sociales. Entre les facteurs sociaux, donc, et les facteurs personnels (c'est-à-dire à la fois spécifiques et individuels), un choix mesuré est bien difficile. Avouons-le pourtant : plus le phantasme considéré est profond et constant, et plus la part des facteurs sociaux semble s'atténuer. S'il s'agissait de pensée claire (par exemple de mathématiques), je dirais que les plus profondes et les plus constantes sont aussi les plus universelles, spécifiques et non individuelles. S'il s'agissait de projets collectifs, je mettrais l'accent sur les facteurs sociaux. Mais nous parlons ici d'un phantasme inconscient, le mythe personnel de l'écrivain : je crois qu'il faut alors donner le pas à une structuration idéo-affective dont la fondation date des premières années et même des premiers mois de la vie. Je sais bien que la société peut intervenir encore à ce stade, par exemple à travers les modes institutionnels de sevrage. Mais d'une part, comme le dit Shentoub, le vécu et l'institutionnel ne coïncident pas nécessairement dans une culture donnée ; d'autre part, la psychocritique ne compare, pour l'instant, que des écrivains de cultures assez voisines pour que les variations vécues, interpersonnelles, l'emportent de beaucoup sur la diversité des institutions.

Dans cette perspective, les facteurs sociaux, et en particulier les mythes collectifs, les « visions du monde » me paraissent surtout jouer un rôle dans l'élaboration qui transforme le mythe personnel et latent d'un écrivain en œuvre proprement dite, manifeste. Cette élaboration, simple façade dans un rêve, constitue en revanche un stade majeur de la construction esthétique — celui où le phantasme inconscient doit s'ajuster, chez l'écrivain, aux contenus de la conscience. Une fonction synthétique semble opérer cet ajustement par oscillations rapides entre différents niveaux du psychisme. Dans un tel schéma, je placerais les idéologies, les mythes collectifs, les « visions du monde » significatives d'un groupe parmi les contenus conscients. L'individu les a reçus de l'extérieur et s'y est plus ou moins adapté par des identifications souvent tardives. Disons que pour le psychocritique, ces apports se situent au même niveau que les inquiétudes religieuses ou les influences littéraires qui traversent la vie de l'écrivain adolescent. Or l'étude de ces dernières, par rapport au mythe personnel, révèle un fait bien net. L'influence extérieure est une sorte de résonance. S'il y a concordance affective entre l'œuvre d'un aîné et le mythe personnel de l'écrivain adolescent, l'influence joue et modifie le style. Ainsi la formation d'un style original à travers des influences, et par le biais d'identifications successives, nous fournit un bon exemple d'intégration des apports culturels par la personnalité inconsciente. Un autre exemple précis nous est proposé par l'étude du comique : le mythe personnel de Molière doit s'intégrer ces véritables mythes collectifs que sont les situations comiques traditionnelles pour créer un style comique original. Il n'est nullement exclu que la même opération ait été répétée pour d'autres apports culturels importants, en particulier pour des idéologies plus conscientes au départ, mais capables d'infiltrer la personnalité inconsciente. Voilà ce que je puis suggérer sur ce mode très particulier d'influences sociologiques. Mais l'expérience seule, c'est-à-dire l'analyse des textes, doit confirmer ou infirmer ces suggestions.

DISCUSSION

BASTIDE

Nous avons vu, à la fin de votre exposé, quelle part est réservée à la sociologie dans l'élaboration d'un mythe, celui-ci étant pris dans son sens le plus large de récit ou d'œuvre culturelle dans son ensemble. A partir d'une de vos suggestions, je lui demanderais encore de chercher à découvrir ce que devient le mythe lorsqu'il passe d'une culture à une autre. J'entends le mythe en soi et non en tant qu'expérience personnelle, décryptage des événements qui lui ont donné naissance.

Au Brésil, j'ai été amené à étudier le seul poète qui ait suivi la voie de Mallarmé. Il s'appelle Cruz Souza et c'est un nègre. Tous les blancs sont héritiers du symbolisme de Verlaine. Seul au Brésil, un nègre, fils d'esclaves, a suivi Mallarmé et l'a fait assez fidèlement. Il est intéressant de voir ce que devient le mythe de Mallarmé lorsqu'il passe ainsi d'une culture dans une autre.

Nous pouvons nous demander en premier lieu s'il y a homologie entre la structure psychique de Cruz Souza et celle de Mallarmé. Je vous avoue que je n'ai pas fait de décryptage psychanalytique pour pouvoir répondre à cette question. Mais du point de vue sociologique, on constate que le mythe de Mallarmé a servi à un nègre pour exprimer la position sociale des noirs dans une société multi-raciale. Mallarmé, en effet, a fourni trois éléments à ce poète.

Primo, la nostalgie du blanc, ce qu'on pourrait appeler un narcissisme blanc : la femme blanche et tuberculeuse, c'est-à-dire blanche au second degré. J'ai fait une statistique de tous les termes et épithètes de couleur employés par Cruz Souza : il s'agit en presque totalité des diverses nuances du blanc.

Secundo : la nostalgie de la stérilité. C'est ce thème que notre auteur retient dans l'*Hérodiade*. Il y a un très beau poème de lui sur ses enfants, au moment de leur naissance. On y voit que le nègre ne souhaite pas avoir d'enfant dans une société qui est pourtant considérée comme une démocratie raciale, parce qu'il le sait voué à la souffrance.

Tertio : un art raffiné et subtil, presque ésotérique. On considère au Brésil que les noirs sont encore des sauvages ; il fallait donc montrer qu'un noir était capable de l'art le plus raffiné et que, sur ce point, il était même capable de dépasser les blancs.

En post-scriptum à votre magnifique conférence, je propose donc que la sociologie de la littérature se consacre aussi à l'étude des mythes comme éléments de communication. Qu'elle découvre la part qui y est faite pour autrui, la façon dont ils sont communiqués, reçus ou refusés et réinterprétés à travers des expériences étrangères.

Lefebve

Dans votre méthode, Monsieur Mauron, j'apprécie l'équilibre que vous réalisez entre deux approches possibles de l'œuvre littéraire du point de vue psychanalytique : l'une qui cherche à retracer la préhistoire du créateur et l'autre qui, centrée sur l'œuvre et par la superposition de ses parties, découvre le spectre psychique de l'écrivain. Dans un tel équilibre, les interprétations abusives de la première méthode sont corrigées et freinées par la seconde.

J'aimerais pourtant vous poser une question : y a-t-il un critère objectif présidant à la superposition des textes ou bien votre méthode implique-t-elle nécessairement des choix préalables ? Superposant, par exemple, *Les noces d'Hérodiade* et *Hérodiade,* ne vais-je pas le faire parce que ces œuvres ont le même titre et certaines images communes, c'est-à-dire à partir d'un critère qui risque d'être subjectif ?

Mauron

La question est très opportune ; je n'ai pas eu le temps, en effet, d'exposer en détail comment utiliser concrètement ma méthode.

La superposition se fait évidemment dans l'esprit du critique. Comme le psychanalyste, celui-ci doit donc pratiquer ce qu'on appelle l'attention flottante. Cela consiste en fait à connaître plusieurs textes à peu près par cœur et à écouter constamment l'un d'eux en ayant l'intérêt porté sur les autres. Il ne s'agit pas de comparaison mais d'une attention à ce qui, dans un texte, pourrait rappeler les autres. Des accrochages divers sont alors possibles, des coïncidences verbales apparaissent ou, plus floues, des coïncidences de structures. Mais tout cela ne se manifeste pas d'une façon forcément immédiate. Ainsi, je suis resté longtemps à connaître par cœur *Le Cygne* et *Toast Funèbre* sans rien voir de commun entre ces deux poèmes. Un jour, il m'est apparu qu'il y avait quinze coïncidences verbales entre les quatorze vers du premier et une vingtaine de vers du second.

De tels rapports me semblent tout aussi objectifs que les relations que l'on peut établir, par exemple, entre un texte et ses sources extérieures. Qu'il faille soumettre les résultats à une critique, éliminer les coïncidences de hasard et celles qui peuvent venir d'une idée préconçue, j'en conviens. La question de l'idée préconçue se pose d'ailleurs dans toute méthode expérimentale, en particulier, dans la psychanalyse sous la forme du contre-transfert.

C'est finalement la précision des coïncidences, leur répétition, le fait de voir qu'il n'y a pas de hasard, qui fonde les rapprochements. Ce ne sont là que probabilités, mais, en s'en tenant au texte, il est difficile d'y échapper.

Rosolato

Monsieur Mauron est un des champions d'une technique d'analyse très à la mode, qui s'attache à dégager à travers différentes œuvres les thèmes prévalents. Suivons-la dans les travaux de Weber.

Chez Victor Hugo, l'image prévalente est le fourmillement des rats. Une question se pose : objectivement, il y a des rats dans l'œuvre de Victor Hugo, pas de rats dans celle de Mallarmé. Soit. Objectivement, nous pouvons même faire une analyse statistique de la chose, dans le genre des études du professeur Guiraud : On établit la fréquence du mot : « rat » chez Victor Hugo, 728 ; chez Mallarmé : 0. Bien. Mais je vous demande : est-il certain qu'il n'y ait pas de rat dans le texte de Mallarmé ? Je vais vous dire où se trouve le rat de Mallarmé ; il est gros, énorme, il porte même un nom savant, il s'appelle le « ptyx ». Pourquoi pas ? Qui peut me dire le contraire, que le « ptyx » n'est pas ce gros rat ? C'est parfaitement objectif. Je dirais même plus : n'étant représenté qu'une seule fois dans l'œuvre, avec cette prévalence, cette mise entre parenthèses, le rat est très important chez Mallarmé : c'est l'inouï qui sourd du pli, du nul écrit qu'est le « ptyx ».

Voilà pourquoi la notion d'objectif et de subjectif est ambiguë. Lorsque nous employons des mots, il est d'ailleurs bien difficile de ne pas y lier un exposant subjectif.

Il faut donc appeler ces techniques d'analyse des techniques en grande partie statistiques. Elles sont probablement intéressantes. Nous pourrions, par exemple, nous servir d'elles pour donner un auteur à l'*Histoire d'O* : il suffirait de comparer les prévalences de ce texte à celles qui se manifestent chez quelques auteurs modernes.

GOLDMANN

Monsieur Mauron obtient deux séries de résultats en utilisant sa méthode psychocritique. Dans un premier moment, il pratique une analyse de la structure immanente de l'œuvre et découvre des réseaux d'images obsédantes. Dans ce domaine, sa thèse est absolument essentielle. Puis vient le moment où Monsieur Mauron devient psychanalyste, explicatif : il rattache ces réseaux à des mythes individuels. Une telle hypothèse doit se contrôler empiriquement. Je signale d'emblée qu'il y a moyen d'en formuler une autre.

Je vous propose de revoir la distinction traditionnelle créée par Freud, entre le conscient et l'inconscient, et de différencier un troisième secteur extrêmement important que j'appellerai « non-conscient ». L'inconscient freudien résulte du refoulement d'un désir libidinal, qu'il faut surmonter pour rendre ce désir conscient. Mais il existe des faits qui ne sont pas conscients, sans avoir pour autant fait l'objet d'un refoulement. Par exemple, je ne suis pas conscient du mécanisme musculaire de ma démarche. Je marche, mais je ne connais pas le mécanisme physiologique de la marche, c'est totalement non conscient, jusqu'au jour où on me donne un livre de physiologie, où j'apprends quel est ce mécanisme qui devient dès lors conscient.

Sur le plan mental, il existe aussi toute une série de structures intellectuelles, conceptuelles avec lesquelles on travaille et dont on n'est pas conscient (parce que, par exemple, on n'a pas fait d'épistémologie), mais qui ne sont nullement refoulées. Ces éléments peuvent être rendus conscients par la recherche. Il est évident qu'il existe des habitudes mentales, des réseaux d'images qui se sont montrés particulièrement adéquats pour exprimer certaines choses et qui réapparaissent du fait même de leur efficacité.

Il y a des réseaux d'images, c'est une analyse objective. Ces réseaux sont liés à un sens, c'est une hypothèse qui me paraît encore objective. Ceci dit, s'agit-il d'une signification provenant d'éléments personnels de type libidinal, ou s'agit-il, au contraire, d'une signification qui pourrait être morale, sociale, religieuse, qui serait de l'ordre de la vision du monde et qui, pour s'exprimer, favoriserait certains types de réseaux d'images devenant par-là même habitude, moyen privilégié auquel recourt un auteur ? Ces deux éventualités me paraissent possibles. Il faudra discuter dorénavant la place de chacune. C'est un problème de recherche empirique qui doit se faire à la lumière de l'explication de textes.

GREEN

Puisque les exposés de MM. Mauron et Rosolato ont été très nettement placés sous l'angle de la psychanalyse, je vais me permettre d'abord de rappeler brièvement la contribution de Freud au problème, en délimitant les différents plans de son investigation pour qu'on ne les confonde pas. La recherche de Freud s'oriente vers deux domaines : la création artistique et l'interprétation des faits culturels.

A propos de la création artistique, il y a des essais de Freud qui concernent :

1. le processus de la création en général (extrêmement rares) ;
2. l'élucidation d'énigmes relatives à un auteur, c'est-à-dire relation de la problématique individuelle d'un créateur avec son œuvre (Léonard et Gœthe) ;
3. l'élucidation d'énigmes relatives à quelques produits de la création à partir de l'analyse du produit lui-même et sans aucune référence à l'auteur (le *Moïse,* le thème des trois coffrets, l'analyse de *Macbeth* et de *Richard III,* celle de l'*Homme de Sable* dans les contes d'Hoffmann).

En ce qui concerne l'interprétation des faits culturels, nous trouvons chez Freud :

1. l'étude de faits historiques (le mythe de la horde primitive, les origines du peuple juif et du monothéisme) ;

2. l'appréciation sur un état du présent (la psychologie des peuples primitifs, la psychologie collective et l'analyse du moi, l'évaluation de la civilisation).

Il me paraît extrêmement nécessaire de préciser ces distinctions si nous voulons faire le départ entre la contribution freudienne et ce qui est venu après. Considérons maintenant le problème qui a été celui des développements post-freudiens, à la lumière de ce que nous en ont dit MM. Mauron et Rosolato. Il consiste à élucider le concept d'œuvre comme création culturelle. Dans cette perspective, on commencera par poser la question : qu'est l'œuvre au regard de la culture — c'est en partie l'affaire des sociologues —, qu'est-elle au regard de son créateur individuel ?

Il y a une première façon de répondre en disant qu'un artiste crée une œuvre pour un public qui la conçoit. Je pense que la psychanalyse doit considérer une telle perspective comme insuffisante parce qu'elle distingue à l'origine de la création un certain nombre de motivations qui ne sont pas sociales. C'est ici qu'on trouvera les éléments servant à réfuter l'argumentation de Goldmann. Un schéma dans lequel on fait découler l'un de l'autre, le réseau du sujet, le réseau de l'œuvre et celui du public, me semble faux. Je parle de réseaux pour éviter une figuration ponctiforme linéaire et préciser qu'il s'agit d'organisation. En fait, il faut admettre qu'il y a une division du sujet à chacun de ces niveaux.

Rosolato a établi la distinction entre le sujet et le narrateur que j'avais moi-même déjà ébauchée ici, et il s'est référé à Pingaud. Proust dit-il autre chose au moment où il vient de terminer *A la Recherche du Temps Perdu* ? L'auteur va mourir et il meurt au moment même où il sait enfin comment il pourrait écrire son œuvre. La distinction entre sujet et narrateur correspond à une division à l'intérieur du sujet lui-même.

A l'intérieur de la catégorie des objets du sujet, il faut reconnaître, en deuxième lieu, que l'œuvre constitue un objet qui se distingue de tous les autres ; objet narcissique de statut tout à fait particulier, elle appartient au type transnarcissique tertiaire (transnarcissique parce que servant à la communication narcissique ; tertiaire pour le distinguer des narcissismes primaire et secondaire reconnus par la théorie psychanalytique).

Il y a enfin une division qui intervient au niveau du public : on peut établir une distinction entre la représentation de l'objet pour l'artiste, pour le groupe restreint des créateurs auquel il s'adresse et pour la masse des récepteurs.

Ce qui me paraît absolument essentiel dans ce qu'a dit Rosolato, c'est d'avoir réussi à cerner le statut spécial de l'œuvre en la rapprochant du fétichisme. Un tel point de vue ne peut être qu'intérieur à la psychanalyse. Elle seule, en effet, jouit des conditions privilégiées indispensables pour observer certaines structures subjectives et pour faire apparaître le statut particulier de certains objets en tant qu'ils sont et qu'ils ne sont pas ce qu'ils représentent.

La psychanalyse est seule aussi à utiliser la notion de plaisir individuel que la sociologie néglige, étant attentive seulement à la manière dont une société entière organise le plaisir. Or c'est à partir de cette catégorie que Rosolato parvient précisément à différencier les œuvres d'art — destinées au plaisir et ressortissant au narcissisme — des œuvres philosophiques — destinées à la connaissance et participant à l'ordre de la libido.

Pour Monsieur Mauron, l'œuvre est en relation avec le ça, le surmoi, le moi inconscient et le moi conscient. Il soulève un des problèmes les plus difficiles de la psychanalyse en ce sens qu'il observe des phénomènes qui sont de l'ordre de l'inconscient le plus proprement dit ou d'une organisation qui dépend du conscient. La question est de savoir si Monsieur Mauron peut ou non atteindre ces stades. Je pense qu'il adopte un point de vue de critique : il s'occupe d'apporter des éclaircissements sur l'œuvre d'art plutôt qu'il n'est intéressé par la problématique du sujet.

Quand il s'agit de déterminer le domaine propre à la sociologie, je serais d'accord avec Rosolato pour ne pas y inclure celui qu'il départit à la religion. La psychanalyse reconnaît l'existence d'un niveau religieux, niveau réflexif qui s'insère dans une certaine conception du sujet parfaitement précisée par Rosolato.

Reste encore l'argument essentiel de Monsieur Goldmann : faut-il distinguer conscient - inconscient - non-conscient ? Monsieur Goldmann s'en tient à une conception de Freud récusée par lui à partir de 1920 ; jusque-là, le refoulé coïncide avec l'inconscient ; depuis 1920, tout ce qui est refoulé est inconscient, mais l'inconscient comporte des parties qui ne sont pas refoulées ; par exemple, les mécanismes de défense du moi, et surtout le sentiment de culpabilité.

Quant à savoir s'il existe un non-conscient, je lui rappelle d'abord qu'il existe un pré-conscient. Je lui dis, en outre, que le non-conscient qui serait de l'ordre du fonctionnement ne spécifie absolument pas celui des processus de signification. A un tel niveau, on est obligatoirement amené à faire intervenir les catégories de l'inconscient.

Parler d'habitudes créées par l'usage oblige à se demander comment ces habitudes sont devenues ce qu'elles sont et quels facteurs ont opéré pour les rendre telles. Est-il certain, enfin, que ce soit nécessairement le niveau sociologique qui ait opéré et non un autre ?

Mauron

Je répondrai d'abord à Monsieur Rosolato. Il a cité Weber et Guiraud ; pour moi, Guiraud reste sur le plan de l'analyse classique sans faire intervenir aucune notion psychologique et Weber introduit des notions psychanalytiques fausses. Mon problème personnel était de jeter des ponts entre une science psychanalytique vraie, fondée sur l'expérience clinique, et une critique classique qui comprenait les méthodes statistiques entre autres méthodes d'appréciation et d'estimation. Aussi Monsieur Rosolato n'a-t-il pas raison, je crois, de réduire ma méthode à la pure analyse statistique.

Rosolato

Ce n'est pas dépréciatif d'ailleurs.

Mauron

Non, évidemment. Ce qui me sépare pourtant de Guiraud qui est mon collègue à Aix et avec qui j'ai parlé, c'est d'abord qu'il considère des mots et que je serais plutôt amené à atteindre tout de suite dans le texte des constellations de mots ; par exemple, pour Mallarmé, blanc ou vierge ou vif, ont souvent une signification extrêmement voisine et il s'agit de savoir si ces termes ne peuvent pas se remplacer.

Outre cela, la psychocritique ne vise pas simplement des fréquences. La superposition révèle d'abord des réseaux d'associations qui sont à fleur de texte : ils sont quelquefois latents dans un texte, manifestes dans un autre, mais on voit rapidement que les deux ont séjourné sur le même réseau d'associations. Ensuite, les réseaux révèlent des relations dramatiques et celles-ci se groupent pour former finalement une fantaisie imaginative. Nous avons largement dépassé ici le stade du relevé des fréquences et nous arrivons en un domaine presque purement psychanalytique.

Car enfin, si je ne m'abuse, lorsqu'un psychanalyste écoute les confidences de son malade sur le divan, lorsqu'il parle d'attention flottante, il vise en définitive à reconstruire des fantaisies dominantes. Celles-ci apparaissent d'abord dans la récurrence constante des mêmes récits faits par le malade et qu'il faut restructurer par la suite.

Dans les deux méthodes, il n'est bien vite plus question de fréquence mais d'accent et d'importance. Dans toutes deux, on passe bientôt d'un niveau quantitatif très précis comme dans la conscience, à un niveau où le qualitatif l'emporte sur le quantitatif, où l'objet devient très vague et le but imprécis mais où la force, le dynamisme du système des pulsions devient très important.

La psychocritique s'est donc donné un garde-fou clinique. D'autre part, elle se différencie de la psychanalyse et constitue une activité tout à fait différente. Elle a sa méthode de superposition, ses buts propres. Nous ne cherchons pas quelle est la névrose de Mallarmé, mais une explication de son œuvre. La personnalité inconsciente de l'auteur intervient comme élément de sa création ; nous essayons de la cerner et nous nous rapprochons alors autant que possible des psychanalystes. Mais nous interrogeons aussi la critique classique en y recherchant les données qui pourraient nous contredire.

Monsieur Rosolato n'a pas vu que telle était la position psychocritique puisqu'il me reproche de ne pas me référer tout de suite à l'Œdipe, au plaisir, à la sexualité. Il est peut-être très intéressant du point de vue psychanalytique de montrer, dans *Les noces d'Hérodiade,* une castration qui se manifestait déjà dans *La Tête.* Au point de vue de la critique, il s'agit de caractériser le style original de Mallarmé, et, par conséquent, de différencier castration de castration ; pour ce faire, le mythe personnel devient un instrument particulièrement précieux.

Ainsi, je reste entre deux eaux : je n'atteins pas la profondeur psychanalytique ; je ne reste pas à la surface de la critique consciente. J'utilise une méthode qui est objective et sert de pont entre deux disciplines. Elle se fonde sur la théorie de la fonction scientifique oscillante entre plusieurs niveaux.

Dans cette perspective, je suis persuadé que l'on rencontrera à certains niveaux des données venues de l'extérieur, qui peuvent être les visions du monde, les idéologies dont parlait Monsieur Goldmann, et qu'à d'autres, on rencontrera les structures dont parlait Monsieur Rosolato. En fait, si nous nous occupons de la création littéraire ce n'est pas à l'un de ces plans qu'il faut nous intéresser, mais à l'oscillation entre l'un et l'autre. La psychocritique essaye de forger l'outil méthodologique qui permettra de l'atteindre.

Adorno (Traduction Goldmann)

Adorno va nous présenter une série de thèses sur les relations entre la psychologie et la sociologie. Il voudrait faire auparavant quelques remarques concernant l'exposé de Mauron.

Il fait une réserve fondamentale sur le fait de commencer un exposé par des définitions. Ceci ne constitue pas un problème de méthode mais de fond. En sciences humaines, les définitions peuvent être tout au plus des résultats, en tout cas pas des points de départ. Je dirais — je m'excuse d'interrompre la traduction —, Mauron dirait probablement que l'exposé a commencé par des définitions qui n'ont effectivement été atteintes qu'au terme de ses recherches. La question n'en reste pas moins valable. Car Adorno s'interroge en fait sur le contenu même de la définition.

Mauron a commencé par définir le mythe personnel comme une matrice à l'intérieur de laquelle s'insérerait toute l'œuvre de l'écrivain, une sorte d'*a priori* positif qui déterminerait un cadre dans lequel s'établissent toutes les variations possibles. Or, s'il y a quelque chose de fondamental à découvrir chez un grand écrivain, c'est une manière de réagir plutôt qu'une pareille matrice et un mythe personnel. La découverte d'un élément qui se répète souvent signalerait l'intervention d'un facteur obsessionnel contrariant la liberté de la création artistique et orienterait donc la recherche vers la pathologie plutôt que vers l'étude de la créativité.

Ce qui caractérise l'art moderne, ajoute Adorno — et, selon moi, il rejoint en ce point Eco —, c'est un besoin absolu de liberté, d'ouverture permanente et totale, c'est une sensibilité extraordinaire pour tout ce qui est répétition et faiblesse.

Adorno fait aussi une réserve fondamentale en ce qui concerne l'idée de surimpression des réseaux d'images. Il y voit une trace des méthodes des sciences universalisantes, des sciences naturelles. Or le principal mérite de la psychanalyse réside dans le fait que Freud a vu à quel point on arrive à des vérités universelles en approfondissant les cas individuels et particuliers, en refusant précisément la généralisation.

Enfin, les remarques que Mauron a faites sur l'entreprise de l'analyste et du critique mêmes indiquent qu'il vise à éliminer leur subjectivité ; l'idée y apparaît qu'on pourrait approcher une objectivité et surmonter sa propre subjectivité. D'innombrables passages de Freud infirment cette thèse ; Freud y dit que le psychanalyste ne peut comprendre l'inconscient et la problématique du malade, de celui qu'il étudie, qu'à partir de son propre inconscient. Il y a donc là deux positions fondamentalement différentes, deux méthodologies entre lesquelles il serait inutile et même dangereux de chercher à opérer une synthèse. L'essai de synthèse consiste d'ailleurs souvent à effacer une position claire pour introduire la confusion.

Adorno va formuler maintenant une série de thèses sur le thème de notre discussion, à savoir le problème des relations entre les sciences sociales et la psychologie. Il va, pour employer une expression de Taubes, formuler ses thèses d'une manière dure et dogmatique, ce qui lui paraît le moyen le plus efficace d'éviter des discussions purement verbales et scolastiques, là où il s'agit de clarifier des problèmes réels, où les positions doivent être nettement définies.

1. Etant donné l'impuissance de l'individu en général, et particulièrement l'impuissance de l'individu dans la société contemporaine, les explications qui se réfèrent à la société, au groupe, ont une priorité radicale. Chaque fois qu'il s'agit de problèmes qui concernent la destinée de l'ensemble, la ratio qui tend à les résoudre a un caractère sociologique et les lois psychologiques ne peuvent intervenir que pour des aspects secondaires.

2. La séparation entre la psychologie et la sociologie n'a cependant pas un caractère absolu, étant donné qu'il s'agit, dans les deux sciences, de l'homme, l'homme individuel et l'homme socialisé. Mais la séparation même de la sociologie et de la psychologie est le symptôme d'une société qui demande des libertés, dans laquelle l'universel apparaît séparé et opposé à l'individuel, le tout différent et opposé au particulier. C'est un symptôme de maladie que cette séparation elle-même et il en résulte qu'une perspective vraiment scientifique doit le traiter comme tel et le dépasser.

3. La division administrative du travail scientifique transpose sur le plan de la science cette séparation artificielle, pathologique, de la vie sociale, et semble la rendre, comme telle, absolue. Elle traite la réalité psychologique, la réalité sociale, comme des entités existantes et autonomes, au lieu d'envisager leur séparation comme le produit d'un processus, d'une action. Il naît, à partir de là, une sociologie et une psychologie qui ne présentent plus aucun intérêt scientifique essentiel. La sociologie traite la réalité sociale comme quelque chose d'objectif et élimine tout ce qui en est constitutif en tant que facteur humain, psychologique et individuel. La psychologie regarde l'individu en tant que tel et oublie que les fondements mêmes de l'individualité ont un caractère social, que l'individu constitue une catégorie sociologique. Freud ne méconnaît pas cette réalité ; il utilise des concepts tels que : nécessité et misère de la vie, renoncement, refoulement de la pulsion par la rareté, le manque, l'interdiction. Mais, même chez lui, ces concepts ont un caractère entièrement abstrait et sont simplement mentionnés. Freud laisse aux sociologues qui seront à leur tour abstraits, s'ils ne sont pas psychologues, le soin de spécifier et d'utiliser les concepts sociologiques qui devraient être à la base de la psychologie.

4. Tout essai de comprendre la vie sociale dans une perspective de psychologie appliquée mène à un échec total de la compréhension de la réalité. L'homme, en effet, n'est plus donné d'une manière immédiate, surtout dans la société moderne. Tel qu'il apparaît dans la réalité, il est déjà profondément médiatisé par l'existence du marché et de la marchandise ; il est transformé, Marx l'a montré, en annexe des

objets qui eux ont leur vie propre ; c'est le phénomène de la réification. De ce fait, sur le plan immédiat, l'homme apparaît comme impuissant et tend à disparaître entièrement. Et dès lors, le texte où Freud dit que la sociologie n'est rien d'autre que la psychologie appliquée à des problèmes concrets, exprime sans doute son affirmation la plus erronée.

5. Les tentatives d'introduire des éléments sociologiques dans la pensée psychologique, par un court-circuit très bref, sont irrecevables aussi. En réalité, ce qui est fondamental dans la vie sociale contemporaine, c'est précisément le caractère monadologique que présente la vie humaine et que l'on découvre jusqu'au centre même de la vie individuelle. Dans cette perspective, plus la psychologie essayera de réduire les catégories sociologiques fondamentales, plus elle ratera la réalité et négligera un facteur humain fondamental, à savoir, les rapports entre le *ça* et le *moi* freudiens. Ainsi, Roné qui essaye de rattacher beaucoup d'éléments à la concurrence, quand Marx nous a montré que la concurrence elle-même n'est pas un phénomène fondamental, n'apparaît que dans certaines structures et aura sa place dans une structure ultérieure. Plus la psychologie s'orientera vers l'étude de l'inconscient fondamental, des éléments archaïques du type de la horde, du père-premier, des origines de l'autorité, plus elle pourra éclairer certaines données sociologiques. Dans la mesure même où elle évitera de trouver des contacts immédiats avec la sociologie, elle pourra en établir qui seront réellement valables pour la recherche et la compréhension.

6. Il ne faut pas cependant accentuer la séparation des deux disciplines ; séparées l'une de l'autre, celles-ci peuvent même prendre des aspects sataniques et entièrement néfastes. Dans une conférence à Francfort, Mitscherlich, un ami d'Adorno, a parlé des méthodes qu'emploient actuellement les Chinois pour agir sur les individus qui prennent des positions critiques et dont on veut laver le cerveau. Il semble qu'on les réduit à une situation telle qu'ils sont obligés de recourir aux autres pour les moindres actions quotidiennes, se nourrir, aller aux toilettes, etc. On aboutit ainsi à une réduction de la personnalité qui est artificielle, à une socialisation menant à un niveau d'hétéronomie totale. D'autres comportements sociaux tels la torture, les camps de concentration, ont fourni l'exemple d'actions fondées sur la réduction de la personnalité. Ces résultats sont évidemment à l'opposé de ce qui constitue le but et les idéaux tant de la psychanalyse que de la théorie critique de la société.

Après la formulation de ses thèses, Adorno se propose de dire quelques mots sur la fonction qu'a la psychanalyse dans la société actuelle.

Outre son apport en tant que connaissance, en tant que science, et malgré le caractère négatif qu'elle peut avoir, qu'elle prend notamment dans la société américaine en y permettant l'adaptation de l'individu à la société existante, cette discipline peut contribuer à expliquer une série de faits fondamentaux de la vie sociale contemporaine. Elle peut notamment faire comprendre pourquoi d'innombrables hommes acceptent d'agir contre leurs intérêts authentiques et de participer à leur propre destruction. Subsidiairement — c'est une chose importante bien que moins universelle —, elle peut mettre en lumière le fondement de tout un ensemble d'idéologies extrêmement dangereuses comme la folie raciale, et contribuer ainsi, sur le plan objectif de l'existence et de la pensée des individus, à la destruction des idéologies qui restent néanmoins un produit social, une fausse conscience produite par une réalité sociale pathologique.

DIALECTIQUE ET PSYCHANALYSE
Notes pour une interprétation philosophique de la méthode psychanalytique

par Jacob TAUBES

I

Jusqu'en 1900 la psychanalyse a évolué à l'intérieur des frontières d'une psychologie orientée vers la médecine. Dans les dernières décennies du XIXe siècle, elle se consacrait surtout à la réduction des symptômes pathologiques ; mais vers 1900 Freud, avec son *Interprétation du rêve,* franchit les limites de la psychopathologie. Certes Freud interprétait le rêve selon le modèle d'un symptôme névrotique, recourant pour l'expliquer aux hypothèses mêmes qui le guidaient lorsqu'il interprétait la pathologie de la vie psychique : refoulement des élans pulsionnels, équilibres de compensation, compromis conclus entre la conscience et l'inconscient. Mais, en appliquant au rêve son interprétation de la névrose, il s'engageait déjà sur la voie d'une analyse du devenir psychique dans sa généralité, et pouvait désormais utiliser les hypothèses de la psychanalyse dans divers domaines, qu'il s'agit de l'infrastructure ou de la superstructure de l'âme et de l'esprit. Dès lors l'exclusive était levée — par Freud du moins — et la psychanalyse aurait dû susciter l'intérêt des philosophes.

Mais la philosophie n'a pas accepté ce que lui offrait la psychanalyse. Universitaire ou non, elle s'est opiniâtrée dans son refus. Karl Jaspers, venu lui-même à la philosophie à partir de la psychanalyse, s'est fait le porte-parole de tous les préjugés hostiles à la psychanalyse et a retardé de près d'un demi-siècle son intégration à la philosophie.

La philosophie, selon Jaspers, est la « compréhension du sens ». Or la psychanalyse confond la compréhension du sens et l'explication causale. Tandis que la compréhension du sens opérée par la philosophie s'accomplit dans la « réciprocité de la communication », l'explication causale du devenir psychique, que peut nous livrer la psychanalyse, reste « étrangère au sens ». Cette critique adressée par la philosophie à la psychanalyse — encore courante aujourd'hui — me semble ne pas voir ce qu'il y a d'essentiel dans la méthode psychanalytique. Car la psychanalyse *dépasse* justement l'explication causale du devenir psychique et s'achemine vers une forme de compréhension qui suppose une finalité immanente — oui, vers cette « compréhension du sens » de tout processus psychique que Jaspers réclame sans réussir à l'effectuer lui-même.

Freud héritait du XIXe siècle finissant une psychologie foncièrement mécaniste. Comprendre, dans les limites d'une telle psychologie, c'était rapporter tout processus psychique à une cause physiologique extérieure. Quoique Freud reprenne certains termes du langage mécaniste des deux dernières décennies du XIXe siècle, il rejette déjà, dans ses premiers travaux psychanalytiques, les hypothèses de base de toute psychologie mécaniste.

Dans les dernières années du XIXe siècle, alors qu'il s'essayait à formuler la méthode psychanalytique, Freud a été amené à supposer que les troubles psychiques révélaient avant tout des troubles du développement sexuel. Cette manière de voir aurait fort bien pu s'insérer dans le contexte d'une théorie et d'une pratique physio-chimiques. Or — et c'est là ce qui surprend — Freud, renonçant à tout traitement physio-chimique, repoussant toute influence biochimique sur le développement sexuel, a fondé sa thérapeutique exclusivement sur la mise au jour, chez ses malades, d'événements psychiques refoulés. Mais cette cohérence purement immanente du devenir psychique que Freud nous a fait découvrir, en quoi consiste-t-elle ? La méthode psychanalytique s'efforce de rendre clair pour le patient qui souffre de symptômes — insurmontables pour lui tant qu'il ne peut pas les comprendre — le contexte biographique et concret dans lequel le symptôme s'est formé. Elle s'efforce de faire apparaître le symptôme comme une structure signifiante, comme un compromis — inadéquat, inutilement douloureux — de désirs et d'interdits qui se combattent, conclu entre le « Je veux » de l'enfant et le « tu dois » imposé par la société mais intériorisé par le sujet. La psychanalyse saisit le symptôme comme un comportement orienté vers un but — ce qui, bien sûr, ne signifie pas que le but soit atteint, tant s'en faut. On voit donc que la thérapeutique psychanalytique révèle non pas des relations de causalité mais des relations de finalité. La nouveauté décisive de la méthode psychanalytique consiste justement en ceci que, sans nier la causalité extérieure, les pulsions biologiques par exemple, elle la met dans sa propre dépendance en expliquant les buts que celle-ci se donne, buts souvent chiffrés et refoulés.

Si nous voulons saisir la véritable intention de la théorie psychanalytique, il nous faut donc retourner la phrase de Jaspers. La psychanalyse franchit le stade de l'explication causale et développe une méthode qui, non contente d'assurer cette compréhension du sens prêchée par l'existentialisme, plonge son regard dans les profondeurs étrangères au sens de la structure pulsionnelle de l'homme et l'explicite dans le contexte d'une analyse du sens. Freud n'a pas écrit une « explication » du rêve qui reconstruirait le processus du rêve à partir d'éléments physiologiques ou biochimiques, mais une « interprétation » du rêve qui s'efforce de tout intégrer dans un ensemble signifiant — tout, jusqu'aux fragments les plus dépourvus de sens qu'on trouve dans le rêve et dans la folie. La méthode psychanalytique ne connaît pas d'autre médiateur que la parole du patient. Guérir consiste ici, pour le praticien, à rendre à la communication du patient sa signification d'ensemble qui s'était disloquée.

Nous pouvons suivre les débuts de la méthode psychanalytique dans les *Etudes sur l'hystérie*. Cet ouvrage de Freud nous apprend que les symptômes corporels, chez des malades hystériques qui souffrent de refoulements divers, peuvent disparaître lorsque le sujet, placé sous hypnose, se souvient de l'événement traumatisant et l'énonce. Soyons plus précis : Freud a pensé que la disparition temporaire des symptômes tenait non pas à l'emploi de la méthode temporaire ou cathartique, mais au fait que le malade se souvenait d'un événement traumatisant et communiquait ce souvenir au médecin. L'hypnose était le moyen de faire revivre le souvenir et de briser les résistances qui, dans l'état de veille de la conscience, s'opposaient à la remontée du souvenir. Mais Freud a vu clairement qu'en recourant à la catharsis hypnotique on n'obtenait qu'une disparition temporaire des symptômes hystériques et qu'on ne délivrait pas le patient de sa condition humaine[1] d'hystérique. L'élément décisif restait la communication du souvenir. Ces constatations ont conduit Freud à une conception rationnelle ou, pour être plus exact, à une conception historico-biographique de la maladie psychique.

Entre la catharsis et l'analyse, il y avait toute la distance qui sépare l'extase ponctuelle (bref élargissement, brève illumination de la conscience) et la révélation rationnelle, éclairant fragment par fragment un passé qui, justement parce qu'il est oublié, tient l'homme dans ses rets[2]. Freud l'a bien vu, et c'est ce qui l'a conduit à la méthode de la psychanalyse classique qui se dévoile dans cette perspective comme une méthode rationnelle et historique. Faire revivre les scènes dont les symptômes névrotiques constituent le résidu encore présent ne lui suffisait pas. Il s'agissait pour lui de tout autre chose :

---

[1] En français dans le texte.
[2] Il ne s'agissait plus, comme dans l'hypnose, d'intervenir ; il s'agissait de comprendre.

le Moi devait se substituer au Ça, le Moi devait intérioriser en tant que Moi son propre passé, empêcher celui-ci d'exister en lui comme un corps étranger et d'y faire la loi. Freud voyait dans la maladie l'une des formes spécifiques du non-fonctionnement du *souvenir* (Er-innerung), du non-fonctionnement du processus d'*intériorisation* (Verinnerlichung) ou, si l'on préfère, de constitution du Moi.

Freud reprend, dans le langage de la psychanalyse, le leitmotiv de l'idéalisme allemand depuis Fichte jusqu'à Hegel : la constitution du Moi. Que représente en effet l'arsenal névrotique exploré par Freud, sinon les produits inconscients de l'activité spontanée du Moi, qui s'aliènent à lui puis, devenus des surpuissances, des fétiches, se retournent contre lui ? En reprenant, en conduisant jusqu'à terme la genèse de cette aliénation, en la rendant consciente, la méthode psychanalytique s'efforce de sauver la liberté du Moi personnel menacé par les puissances supra-personnelles du Ça. Le Moi doit se substituer au Ça.

La méthode de la psychanalyse veut raconter l'histoire secrète du Moi. Le récit qu'elle en fait doit remplacer la pratique magique et la méditation ; et c'est *ce récit même* qui doit opérer la guérison du malade. Les catégories de la théorie freudienne sont essentiellement historiques ; ce qui lui permet de passer, sans modifier son appareil catégoriel, de la psychologie individuelle de l'*Interprétation du rêve* (1900) à la psychologie sociale de *Totem et Tabou* (1913). Chez Freud l'histoire biographique de l'individu et l'histoire générale de la société se raccordent.

II

On trouve dans les divers écrits métapsychologiques de Freud les fragments d'une théorie de l'histoire ; mais on y trouve beaucoup plus : la psychanalyse — ce sera là ma première thèse — est, en tant que méthode, foncièrement historique. Elle se distingue de toutes les variantes de la psychologie par son historicisme radical. Son projet fondamental est historique. Les récits de maladie, la biographie individuelle constituent son matériau — c'est là-dessus que repose sa thérapeutique. Les concepts de la théorie psychanalytique sont historiques, car la psychanalyse s'efforce de découvrir un passé qui règne encore — ou qui fait régner le désordre — dans la vie du patient. Seule l'existence du souvenir — et par conséquent celle du refoulement du souvenir — permet cette démarche. L'homme est essentiellement historique parce qu'il se souvient. Le souvenir, c'est l'élément historique qui pénètre dans la vie humaine, dépassant le processus biologique de la croissance, de la maturité et de la mort. Une réflexion sur le processus de la thérapeutique psychanalytique ne peut manquer de rencontrer les problèmes de la méthode historique en général et plus particulièrement, selon moi, ceux de la méthode dialectique historique. Et voici la seconde thèse que je proposerai dans ces réflexions : les écrits psychologiques de Freud en général et ses écrits métapsychologiques en particulier répondent à des questions soulevées par la méthode dialectique et la philosophie de l'histoire de Hegel. C'est-à-dire que, vus à travers Freud, les problèmes fondamentaux de Hegel apparaissent dans un nouveau jour, et qu'inversement les problèmes fondamentaux de Freud apparaissent dans un nouveau jour quand on les considère à travers Hegel.

La méthode dialectique de Hegel établit un rapport entre le processus — relatif à la théorie de la connaissance — qui conduit la conscience de soi de la certitude sensible à la raison, et le processus historique qui conduit l'humanité de l'esclavage à la liberté. Les degrés de la conscience apparaissent en même temps chez Hegel comme des états successifs du monde. En passant continuellement de l'analyse philosophique à l'analyse historique, Hegel entend prouver le caractère historique des concepts fondamentaux de la philosophie. C'est ce qu'on peut observer de la manière la plus évidente dans sa première grande œuvre. Je choisirai, dans la *Phénoménologie de l'Esprit* deux thèses fondamentales et, en les examinant à travers Freud, je m'efforcerai de les comprendre d'une manière nouvelle — rétrospectivement, si je puis dire. Mon fil conducteur sera la notion hégélienne de la vérité comme dévoilement progressif qui s'accomplit dans la communication d'une conscience avec une autre conscience. La communication s'accomplit par la « reconnaissance » réciproque — par le langage justement.

Sur ce point en effet la position de Hegel se distingue déjà radicalement du point de départ de la philosophie moderne de Descartes à Kant, selon laquelle la conscience, dans sa solitude, doit se tourner vers Dieu, le garant de la connaissance humaine, et ne peut revenir aux phénomènes qu'une fois armée de cette garantie divine. Pour Hegel cette garantie de vérité se manifeste dans la communication de deux consciences, plus précisément dans le langage, car c'est là que la conscience de soi universelle se développe ou fraie son chemin, là que la vérité, pas à pas, se dévoile. Ce problème se pose à tous les stades de la constitution du Soi.

On trouve au commencement ce que Hegel appelle la « conscience naturelle ». La conscience naturelle du sens commun est celle que nous possédons tous, grands ou petits, savants ou ignorants. Comment se caractérise cette conscience ? Disons, dans le langage de Freud, que la conscience naturelle n'est pas consciente d'elle-même, ou qu'elle est encore « inconsciente » d'elle-même. Il ne s'agit pas seulement d'une fausse conscience. Il s'agit d'une conscience qui voit mais qui ne se voit pas. Ce que Hegel décrit dans l'itinéraire de la *Phénoménologie de l'Esprit*, c'est justement la structure et l'histoire de cette conscience qui n'est pas consciente d'elle-même et qui le devient au cours de cette Odyssée — ou de cette Œdipée de l'Esprit, pourrait-on dire, en pensant à Freud.

Mais une interprétation « psychanalytique » de la « conscience naturelle » nous permet aussi de mieux comprendre, à travers Hegel, la méthode psychanalytique, mieux peut-être que Freud ne pouvait la comprendre à l'époque, alors qu'il venait de la découvrir et qu'il ne faisait encore que l'explorer. L'« inconscient » en tant que catégorie psychanalytique ne désigne pas un arrière-monde, quelque chose qui se cacherait « derrière » la conscience ; il s'agit fondamentalement d'un mode d'être inévitable et constitutif de la conscience naturelle. On pourrait parler d'un statut ontologique de l'inconscience de la conscience naturelle. Certes le concept psychanalytique d'inconscient n'a pas bonne réputation du fait de son caractère paradoxal, il a valu à la psychanalyse la critique la plus pénétrante qu'un philosophe ait dirigée contre elle : celle de Sartre. Car « du point de vue de la logique » la catégorie psychanalytique d'inconscient renferme une contradiction insurmontable. Ou bien l'inconscient se laisse éclairer, se laisse « manifester » par la praxis psychanalytique — et n'est pas inconscient ; ou bien l'inconscient demeure dans la conscience, résistant à toute élaboration — et ne peut jamais être révélé dans la structure de la conscience. Mais dans ce dernier cas l'inconscient n'est qu'un vain concept, qu'une catégorie superflue. Si l'on se représente l'inconscient d'une façon purement mécaniste comme un lieu où se conservent des empreintes on s'enferme, à l'égard de la logique, dans une contradiction qui compromet tout l'appareil conceptuel de la psychanalyse.

La *Phénoménologie de l'Esprit* de Hegel se conçoit elle-même comme la « science de l'expérience de la conscience ». Hegel représente l'histoire immanente de l'expérience humaine comme une « phénoménologie » de l'« esprit ». Précisons. Il ne s'agit pas de l'expérience du seul bon sens ou de la seule conscience naturelle, mais d'une expérience qui s'est engagée déjà sur la voie de la connaissance véritable. Pour participer à ce voyage qu'est l'expérience de la conscience, il faut déjà être dans la philosophie comme dans son élément. Le « nous » qui surgit si souvent dans le texte de la *Phénoménologie de l'Esprit*, interrompant d'une façon déroutante le cours de l'analyse, ne désigne pas la conscience naturelle, le bon sens, mais la conscience de soi des philosophes. Ce voyage qu'est l'expérience de la conscience, on ne l'entreprend pas seul. Il ne s'agit pas pour la conscience d'une fanfaronnade à la Münchhausen : elle ne prétend pas se tirer d'affaire toute seule en se tirant elle-même par les cheveux, elle est face à face avec le « nous ». A qui s'applique ce « nous » qui revient si souvent dans la *Phénoménologie de l'Esprit* ? A « nous » qui sommes déjà parvenus « avec Hegel » au bout du chemin et apercevons de là la limite infranchissable de la conscience naturelle. Mais, pense Hegel, si le « nous » du savoir absolu voulait communiquer son « savoir » à la conscience, il y aurait court-circuit. « Ce que nous donnerions pour son être serait en fait non pas sa vérité mais seulement le savoir que nous aurions de lui. » De même, il y aurait court-circuit si l'analyste, lisant l'histoire de son patient à partir des symptômes de celui-ci, lui communiquait sa découverte. Ce raccourci est condamné à l'échec, car le patient — c'est certain — ne serait pas en état de reconnaître cette vérité. On ne ferait rien d'autre que de la lire en lui sans que lui-même puisse la lire en lui-même ; ou, comme le dit Hegel, « L'être à l'étalon se trouverait en nous, et ce qu'il faudrait lui comparer, ce sur quoi il faudrait prendre une décision, une fois cette comparaison faite, ne serait pas dans la nécessité de reconnaître l'étalon. » Le seul chemin qui puisse mener la conscience naturelle à la vérité est donc le long voyage de l'expérience qui la conduit jusqu'au point où elle déchiffre en elle-même sa vérité.

La méthode psychanalytique est, comme la méthode dialectique de Hegel, une « science de l'expérience de la conscience » qui se constitue en parcourant le chemin de l'expérience : de la conscience inconsciente — de l'« en soi » dont parle Hegel, à la conscience de soi consciente — au « pour soi ». Et Freud décrit comme Hegel la genèse effective et actuelle du Soi. Freud est également le seul, une fois accomplie la désintégration de la philosophie hégélienne, à poser encore la question du savoir absolu. La méthode dialectique de Hegel et la méthode psychanalytique de Freud sont comparables, cela Jaspers l'a bien vu ; il est vrai qu'il les interprète à contre-sens dans le détail si bien qu'il n'a raison qu'en les comparant l'une à l'autre. On voit qu'il n'est pas totalement inutile malgré tout d'évoquer la grossière erreur d'un philosophe comme Jaspers, même s'il l'a proférée dans la fureur, dans l'aveuglement d'une polémique. A condition bien sûr d'être prêt à ne retenir que l'idée d'une congruence des méthodes hégélienne et freudienne, en négligeant la rhétorique, le pathétique de l'accusation de Jaspers pour qui savoir absolu et totalitarisme sont synonymes.

III

Si la théorie psychanalytique de Freud se révèle être une variante de la méthode dialectique, il faut se demander en quoi Freud dépasse Hegel et Marx. Hegel et Marx ont conçu la production de l'homme par lui-même en tant que processus : production qui s'accomplit au sein du travail, à travers le processus historique qui mène de la domination et de l'esclavage à la reconnaissance réciproque. Dans ses écrits de jeunesse Hegel a tenté de développer sa conception du rapport dialectique sur le modèle de l'amour, mais ensuite il a rejeté ce modèle parce qu'à ses yeux le phénomène de l'amour était étranger à la dialectique ou à l'histoire et relevait de la nature. Freud a su appliquer la méthode dialectique à des domaines considérés comme naturels ou extérieurs à la conscience, et qui de ce fait semblaient soustraits à la loi historique. La sexualité est pour Freud une préfiguration du rapport maître-esclave et de son dépassement dans la reconnaissance réciproque, rapport qui détermine le cours du développement historique. Si le plan de l'histoire est le forum des désirs humains, des désirs humains dont l'objet est la reconnaissance, si parler de l'origine de la conscience de soi implique inévitablement qu'on parle d'une lutte à mort pour la reconnaissance ; on doit aussi parler — et c'est là la découverte décisive de Freud — du désir naturel en apparence, mais en réalité humain (c'est-à-dire historique), de la sexualité. Car c'est dans le contexte naturel de la sexualité que s'ouvre, ou mieux *jaillit* la situation historique. Freud explicite dans son œuvre le développement libidinal de l'individu comme processus *historique*. Aussi n'esquisse-t-il pas une phénoménologie de *l'esprit,* la phénoménologie d'un esprit identique à lui-même ; il place le point de départ dans la *nature*. Mais ce changement de décor, Marx l'avait déjà effectué. En quoi Freud dépasse-t-il Marx dans ces conditions ? Marx, en dépouillant déjà la dialectique hégélienne de son enveloppe mystique — c'est-à-dire de la priorité donnée à l'esprit — en découvrant la priorité sensuelle de l'existence naturelle, crée — à la suite de Feuerbach — la *possibilité* d'une analyse dialectique de la sensualité. Mais Marx reste prisonnier des limites du projet hégélien. A ses yeux « la nature considérée abstraitement, pour elle-même, lorsqu'on la maintient séparée de l'homme, n'est rien ». Pour Marx « le simple matériau naturel, tant qu'aucun travail humain ne s'est objectivé en lui, tant qu'il demeure donc simplement de la matière, est sans valeur, car la valeur n'est pas autre chose que le travail objectivé ». Le progrès de la souveraineté de la raison grâce à l'organisation du travail est pour Marx un processus qui relève de l'économie politique et non de la psychologie.

Les hypothèses somato-psychiques de ce progrès, telles que Freud les a découvertes, permettent de pousser l'examen du problème du travail et de l'économie jusque dans les structures libidinales « naturelles » de l'existence humaine. Le fait que l'histoire pénètre jusqu'au plan naturel, qu'on la trouve déjà dans la sensualité, dans la sexualité de l'homme, n'attire pas encore l'attention de Marx. Ce n'est donc pas par hasard que Marx et Hegel, en analysant le processus historique, laissent de côté le problème de l'amour — ou le rejettent dans les notes.

Certes Freud lui-même fait remarquer ce qui oppose l'histoire à l'amour ou à la sexualité. En effet l'amour sexuel est un rapport bilatéral, rapport que l'irruption d'un tiers ne peut que troubler, alors que l'histoire repose sur des relations multilatérales. Dans le processus du développement de l'individu le principe de plaisir, l'assouvissement considéré comme un programme, sont l'essentiel. Il n'en est pas de même dans le processus historique. Là, l'essentiel, c'est de loin le but qu'on se donne d'établir une unité à partir des individus. L'idéal du bonheur est encore visible en transparence, mais comme un rêve refoulé à l'arrière-plan. L'histoire ne se préoccupe pas du bonheur de l'homme pris isolément. La question de l'histoire se pose pour Freud du fait de la tension entre l'éros antérieur à l'histoire — l'éros qui recommence toujours — et le travail qui progresse et impose au monde sa domination. Le prix du progrès de l'histoire, c'est la perte du bonheur. Nous le payons de l'accroissement de notre sentiment de culpabilité. C'est là l'une des intuitions les plus profondes de Freud : l'humanité, qu'il s'agisse des individus ou de l'espèce, est encore gouvernée par des puissances archaïques. Archaïque, originel : ces mots, dans l'usage qu'en fait Freud, ont une signification à la fois structurelle et historique. La structure pulsionnelle archaïque était, dans la préhistoire de l'espèce, la structure dominante. Elle se transforme au cours de l'histoire tout en demeurant à l'arrière-plan, consciente ou non mais agissante, dans l'histoire de l'individu et de l'espèce — visible surtout dans la première enfance, semble-t-il. L'ombre de ce commencement s'étend sur tout le développement de l'histoire. Le processus initial : meurtre du père, repentir, naissance de la société à la faveur d'un pacte conclu entre les frères — existe, en tant qu'« histoire originelle », avant que l'histoire ait commencé son cours. Il n'existe pas de développement qui ne s'effectue dans son ombre. Le processus initial de l'histoire originelle — celle de l'individu comme celle de l'espèce — demeure à l'écart : il est à l'affût, tandis que l'histoire poursuit son cours. Bien sûr cette histoire originelle est historique elle aussi et n'a rien d'une idée platonicienne située au-delà du temps. C'est pourquoi le commencement de l'histoire prend chez Freud une valeur thématique qu'il ne possède ni chez Hegel ni chez

Marx. Le commencement, l'origine de l'histoire qui couvre de son ombre tout le devenir et ne cesse de le rattraper, c'est le problème de l'autorité.

C'est pourquoi l'on trouve chez Freud un double schéma : d'une part le schéma évolutionniste du développement historique comme du développement libidinal, d'autre part le schéma de l'éternel retour du Même : la découverte d'une tendance fondamentalement régressive et conservatrice des pulsions dans l'ensemble de leurs activités. Le statu quo du processus naturel, qui précède toujours la marche de l'histoire, rattrape toujours le processus historique. Ces tendances qui s'affrontent dans la théorie freudienne font chanceler tout l'édifice de la psychanalyse. Freud hésite. Faut-il que l'homme renonce à satisfaire ses pulsions ? D'une part le refoulement, l'aberration psychologique. D'autre part la sublimation qui fait avancer l'histoire. Aussi la méthode psychanalytique présente-t-elle, du point de vue de la philosophie de l'histoire, un double visage.

L'ambivalence du système historico-philosophique de Freud explique en partie comment on a pu voir se former, parmi ses héritiers, une aile gauche et une aile droite. Ce qui a donné lieu à ces exégèses contradictoires, c'est le problème du passage de la nature à l'histoire : Arnold Gehlen, en analysant le problème du passage de la nature à l'histoire, met l'accent sur la permanence des éléments répressifs dans la construction de la société humaine. Pour lui la théorie psychanalytique n'est guère désignée pour fournir des motifs à notre comportement social immédiat, lequel met en jeu un rapport durable — et qui doit être stabilisé — entre des hommes astreints à vivre ensemble. Il en résulte qu'elle peut être fructueuse en tant qu'analyse psychologique individuelle, quand elle se borne à décrire des individus dont l'organe social est malade ; mais qu'elle ne donne rien de bon lorsqu'il s'agit d'analyser la fonction stabilisante de la société qui doit endiguer toutes les espérances et tous les rêves de l'individu. L'aliénation sociale portant sur l'aspiration de l'individu au bonheur et à la liberté est un fait permanent. Plus la société en se développant devient complexe, plus accablants sont les sacrifices imposés aux individus afin de maintenir la structure pulsionnelle qu'exigent la construction et la continuité de la société.

Herbert Marcuse soutient une thèse diamétralement opposée. Si l'on veille avec tant d'inquiétude sur les tabous qui conditionnent aujourd'hui le progrès de la société, cela tient peut-être à ce que la tentation, qui s'exprime dans le principe de plaisir de l'individu, ne cesse de grandir et — si l'on est objectif, si l'on tient compte de l'augmentation de la productivité — ne cesse d'être plus raisonnable.

Le vocabulaire psychanalytique prend chez Marcuse une coloration marxiste. Aussi les frontières s'estompent-elles entre le travail et la libido. L'homme commence à travailler parce qu'il trouve son plaisir déjà *dans* le travail, et non pas seulement *après* le travail. Ce qui garantit cette interprétation utopique du travail, c'est l'évolution de la technique qui pourrait comme le travail être une source de plaisir. Or s'il se trouve que l'évolution technologique change notre monde en une prison d'acier, il faut voir là l'œuvre de ces puissances sociales conservatrices qui, à l'heure où le bonheur et la liberté de l'individu sont en passe de devenir une réalité sociale, condamnent les possibilités utopiques de l'homme à n'être qu'un rêve. Les sacrifices que l'appareil technologique et bureaucratique impose aux individus, ont pour but d'immobiliser la société dans le statu quo de la domination et de l'esclavage.

Mais, dans cette querelle, la position de Freud lui-même reste ambiguë et se prête aussi bien à une interprétation conservatrice qu'à une interprétation utopique de l'évolution individuelle et sociale. La critique de la société bourgeoise, qu'on trouve dans Freud, peut servir certes à faire de l'aliénation de la bourgeoisie par elle-même, de cette aliénation parvenant à sa dernière phase, un absolu qui réduirait à néant tout espoir de vie meilleure ; mais on peut y voir autre chose : la démolition pierre à pierre d'un monde déjà révolu et le pressentiment d'un monde différent. La critique freudienne a lentement sapé les fondements de la société bourgeoise sans toucher à l'édifice lui-même. Mais qui sait si l'édifice ne s'effondrera pas un jour et si Freud, le « conservateur » ne sera pas en définitive plus révolutionnaire que Karl Marx, qui réclamait la révolution ?

DISCUSSION

Luporini

L'exposé de M. Taubes était passionnant car il traitait un des problèmes essentiels du marxisme en ce moment, celui des rapports entre Marx et Freud.

Cela dit, je crois que la conception de Marx, proposée par M. Taubes, et qui le range avec Hegel dans la catégorie historico-graphique, c'est-à-dire dans le courant de l'historicisme et de l'évolutionnisme, en présente une image erronée qui nous vient du marxisme de la Deuxième Internationale et qui s'est maintenue depuis. Une telle médiation était peut-être nécessaire mais elle a entraîné une falsification de la pensée de Marx.

Pour ma part, je pense que le renversement de la dialectique, qui vient de la critique de la philosophie spéculative, amène la destruction du finalisme global dans une vision du monde. Pour Marx, on ne va pas de l'histoire à la structure, on va, au contraire, de la structure à la découverte de l'histoire, ce qui soulève la question de l'historicité différentielle et des différents domaines de la réalité. C'est le problème auquel il s'arrête dans son *Introduction à la critique de l'Economie politique* de 1857. Dans une telle lecture, le concept de la nature apparaît comme une notion décisive et tout à fait complexe. Et on aurait tort, dès lors, de prétendre que Freud a dépassé Marx sur ce point-là.

Le problème à examiner est celui de la complémentarité entre Freud et Marx et le champ de celle-ci, qui concerne la notion d'individu. Parmi les rapports sociaux, il faut distinguer ceux qui ont un caractère d'objectivité absolue, c'est-à-dire l'objectivité limite pour l'homme : tels sont les rapports de production. Tous les autres rapports sociaux — Lénine l'a vu déjà dans sa polémique avec Mikaïlov en 1914 — sont interpersonnels ou intersubjectifs. Ici surgit le problème de l'individu. C'est un mot que l'on n'a jamais suffisamment souligné chez Marx. Or, il suffit de lire celui-ci avec le cerveau libre de toute l'interprétation marxiste traditionnelle, pour découvrir qu'il dit des choses extrêmement importantes au sujet de l'individu, qui ne sont pas du tout en contradiction avec les développements de la psychanalyse. Marx se préoccupe, par exemple, de sauver l'autonomie de l'individu par rapport à la société. Même dans le lien qui unit celui-ci à son travail, il distingue un aspect qui n'est jamais conditionné par aucune formation sociale.

A ce niveau, l'hypothèse proposée en conclusion par M. Taubes — dont je ne puis évidemment juger le bien-fondé — selon laquelle le travail serait lié à la libido, fournirait un concept qui n'a absolument rien de contradictoire avec ce que dit Marx.

Au début du livre d'Engels, *Les origines de la famille et de la propriété*, œuvre que Marx aurait voulu écrire, on voit intervenir deux éléments dans l'analyse : l'un est d'ordre économique — la société de production — l'autre d'ordre individuel — l'amour. Pendant la période stalinienne, on m'a insinué au Parti qu'Engels avait toujours raison mais avait tort sur ce point-là qu'il fallait rejeter.

GOLDMANN

Dans l'ensemble, je suis d'accord avec Luporini. Une thèse me semble cependant fondamentale dans l'œuvre de Marx : c'est l'anatomie de l'homme qui est la clé de l'anatomie du singe. Elle résume sa critique de la position darwinienne.

Je voudrais voir d'un peu plus près le texte émettant l'hypothèse que le travail n'est pas aliéné par la société. Cela me semble contraire aux positions marxiennes. Pourtant, il est vrai qu'il y a chez Marx l'idée que le travail peut apporter le plaisir et que la société capitaliste de classes l'a transformé. Il reste bien entendu que Marx n'a jamais cru que les transformations sociales ne transforment pas essentiellement la nature du travail.

Revenons à l'exposé de Taubes qui, pour la première fois ici, a posé le problème non de la psychanalyse mais de la pensée freudienne.

Je pense qu'il faut aller au-delà de la simple affirmation qu'il y a chez Freud des éléments mécanistes et des éléments dynamiques car ce double aspect est la manifestation d'une réalité plus fondamentale. Freud a évidemment fait des découvertes nouvelles et révolutionnaires qui fondent le structuralisme génétique au niveau de la psychologie individuelle. Mais il y a une position qui me semble plus fondamentale chez lui, celle de l'Aufklärung : le sujet y est toujours celui des Lumières et tous les sujets restent individuels. Que la réalité sociale et la réalité naturelle se trouvent mises sur le même plan, comme l'a dit Taubes, vient précisément de ce que c'est l'individu qui se trouve toujours devant une réalité extérieure. De là viennent parfois des formulations qui nous paraissent aujourd'hui paradoxales.

Je vous donne un exemple qui a une valeur presque épistémologique. A un moment, Freud parle de besoins érotiques (éléments libidinaux, pulsions érotiques) et de besoins « égoïstes » (Ichtriebe) (pulsions nées de la vie collective, besoin de culture, de communication). C'est un fait caractéristique qu'il continue à définir les pulsions comme « égoïstes » alors même qu'il est obligé de reconnaître leur genèse à partir du sujet collectif. Autre exemple, Freud nous dit que c'est le besoin de créer une société plus vaste qui est à l'origine du refoulement des pulsions libidinales, mais prétend qu'aucune science n'a donné la moindre hypothèse permettant d'expliquer pourquoi un tel besoin peut amener ce refoulement. Or une analyse scientifique peut donner la réponse : la création de la société s'explique par la nécessité de maîtriser la nature, ce qui exige des collectivités relativement vastes et entraîne l'interdiction de l'inceste.

Freud manque ainsi l'explication d'un phénomène fondamental analysé par Adorno et Marcuse, à savoir que la répression peut être le fait non du travail — dans la mesure où il crée le plaisir — mais d'une raison créée par un nous collectif. Pour l'Ecole de Francfort, je crois, l'évolution historique des sociétés occidentales aboutit à une répression extrêmement forte qui risque de mettre en question l'avenir de la culture. Il y a, à l'heure actuelle, deux manières de juger cette raison qui comporte des éléments répressifs. Marcuse la condamne catégoriquement. Serge Mallet, dont l'œuvre théorique n'est pas encore très vaste il est vrai, a été le premier en France à formuler l'idée qu'on doit pouvoir surmonter la répression au niveau de la raison dans l'action sociale ; il a retrouvé ainsi la perspective de l'ancienne gauche, de la pensée marxiste.

L'absence du concept de sujet collectif a empêché Freud d'envisager cette problématique fondamentale de la société contemporaine.

GREEN

Il me semble que le dialogue commence vraiment à s'amorcer entre sociologues et psychanalystes. Mais je crois que le point de rencontre ne peut être trouvé à partir de la lecture de Freud qui nous a été proposée.

Je ne pense pas du tout, en effet, comme le croit M. Adorno, que la notion de contrainte, de refoulement se soit modifiée chez Freud, ni qu'on puisse trouver une référence au refoulement comme émanant des structures sociales dans les œuvres techniques ; cela d'autant plus si nous considérons le seul refoulement qui ait une importance, le refoulement originaire et primordial. Freud assigne au contraire à celui-ci une fonction de barrière protectrice contre un excès de stimuli. Il s'agit là apparemment d'un concept de type physique et non social. Cependant il faut comprendre, bien que Freud ne l'explicite pas directement, que ce mécanisme ne fonctionne pas comme un simple dispositif physique mais comme élément de contrainte sans lequel il n'y a pas de possibilité de distinguer entre ce qui vient du sujet et ce qui vient de l'extérieur. Le principe de réalité — non pas la notion de réalité — n'a pas une expression sociale chez Freud, pas plus d'ailleurs qu'il ne dérive du physique. Il se définit par rapport au principe de plaisir et à celui qu'il a appelé, à la fin de sa vie, le principe du nirvana et qu'il vaut mieux nommer pour empêcher toute espèce d'ambiguïté, principe de réduction des tensions. Le principe de réalité fonctionne de façon à permettre à l'individu d'obtenir le plaisir qui ne le mette pas en danger.

Quant au passage de la nature à l'histoire, le même élément de contrainte qui joue à titre de refoulement se retrouve au niveau social au titre de la prohibition de l'inceste. Par conséquent, il existe, à mon sens, une solidarité entre le monde de la nature et celui de la société. Car la barrière protectrice contre les stimuli et contre la mère est à la fois une réalité biologique, une réalité sociale et une réalité de l'ordre du plaisir pour l'enfant.

En tout cas, je ne pense pas que la visée de Freud ait jamais été de procéder à l'analyse de manière à réaliser l'adaptation sociale du sujet.

J'en viens maintenant aux remarques formulées par M. Luporini. Je crois qu'il y a moyen de nous entendre. On peut comparer la façon dont Marx et les psychanalystes envisagent la relation de l'individu à sa production.

La notion de travail occupe une place essentielle dans la pensée de Freud. Sa définition de la pulsion n'est jamais assez rappelée : la pulsion n'est pas une réalité biologique ni une espèce de force de l'être ; c'est *la demande de travail imposée au psychique par suite de son lien avec le corporel*. Voilà qui peut nous mettre d'accord et qui doit nous inciter à poursuivre nos confrontations.

L'analyse marxiste peut nous mener à distinguer ce que, grâce à Lacan, les psychanalystes différencient maintenant de plus en plus, le besoin et le désir. Le besoin est un manque au niveau biologique qui, lorsqu'il est satisfait, efface toute trace ; le désir, quand il est satisfait, n'efface pas les traces qui ont motivé son appel, et la satisfaction ne fait pas que procéder à l'accomplissement du désir, elle laisse quelque chose, à savoir, ce champ de fiction qui est l'entrée du symbolique et qui motivera toutes les demandes ultérieures de travail lorsque vont se répéter les situations où le désir va se manifester de nouveau.

Ceci m'amène à reparler du sujet collectif de Goldmann. Je ne sais pas s'il existe un sujet collectif ; en fait, je pense qu'il relève de l'ordre du mythe. Je ne veux pas dire que le mythe a une fonction dépréciative pour moi. Je dis seulement qu'il constitue une tentative d'organisation telle que nous ne pouvons l'appréhender qu'à travers les œuvres du génie humain.

Freud a, en effet, parlé de pulsions égoïstes ; il a parlé aussi de pulsions du moi. Il définit les rapports sociaux comme constituant un équilibre entre ces pulsions de conservation et ces pulsions à caractère objectal sublimé, c'est-à-dire comportant la désexualisation, l'inhibition et le changement de but.

UNE ANALYSE D'ŒDIPE ROI

par René GIRARD

Inspiré par l'oracle, Laïos écarte Œdipe avec violence de peur que ce fils ne lui prenne sa place sur le trône de Thèbes et dans le lit de Jocaste. Inspiré par l'oracle, Œdipe écarte Laïos avec violence et il lui prend sa place sur le trône de Thèbes et dans le lit de Jocaste. Le père et le fils se rencontrent sur une même route et cette route est trop étroite pour deux hommes. Il faut que l'un cède sa place à l'autre. La ville n'aura jamais qu'un roi, Jocaste n'aura jamais qu'un époux. Se vouloir Œdipe, c'est désirer ce que désire Laïos, c'est imiter Laïos au niveau fondamental du désir, c'est désirer *être* Laïos. Poussés par le *même* désir, les deux hommes se dirigent toujours vers la *même* violence.

Le fils est la copie fidèle de son père, son image dans le miroir. Le conflit des deux hommes ne se nourrit pas de *différences* comme le voudrait le bon sens et toute pensée conforme à celui-ci, mais de *ressemblances,* toujours suscitées par l'identité des fins et la convergence des désirs. Il faut distinguer la logique du désir de la logique des idées. Deux idées contradictoires sont toujours, bien entendu, deux idées différentes. Il faut, au contraire, que deux désirs soient *identiques* pour qu'ils s'opposent et qu'ils se contredisent.

Posséder le trône et posséder Jocaste sont deux choses qui vont toujours ensemble dans le mythe. Il faut donc les associer et les rapporter au père. Désirant ce que désire celui-ci, possédant, bientôt, ce qu'il possède, toujours et partout, le fils veut conquérir l'être du père. L'idée moderne que l'individu n'est pas fait mais à faire, que l'existence n'est pas donnée mais construite, demeure abstraite tant qu'on ne brise pas, pour la penser, le cadre solipsiste de la philosophie. Choisir d'être *soi* c'est choisir d'être l'*Autre*. Et l'Autre ici c'est le père et c'est d'abord lui seul.

Le père barre au fils le chemin d'un trône et d'une épouse dont il ne veut pas se dessaisir. Pourquoi chercher plus loin ? Au lieu de lire le mythe à la lumière d'une certaine anthropologie, on peut s'interroger sur l'anthropologie implicite du mythe. Cette démarche ne peut en appeler qu'à sa propre évidence. Elle élit toujours les solutions les plus simples, celles qui n'invoquent, s'il se peut, aucune donnée étrangère au mythe, celles qui ne négligent, s'il se peut, aucun élément de celui-ci.

Imiter le père c'est entendre l'appel le plus profond, le plus sacré. C'est chercher à s'épanouir dans la tradition du père, c'est se vouloir au centre d'un même univers familial et social que le sien. La piété filiale et la révolte ont donc la même origine. Il est toujours un fils dans la Bible en qui le meilleur et le pire ne font qu'un. C'est Jacob plutôt qu'Esaü ; c'est le fils prodigue et non pas le fidèle. C'est Œdipe.

Le père et le fils sont des concurrents, *concurrentes,* ils courent ensemble sur une même route. Le père n'est pas surhumain comme le fils se l'imagine. Il n'est ni transcendant ni parfait. S'il règne, c'est dans le même monde que le fils. C'est le meilleur fils et non le pire qui fait le rival le plus dangereux. Arrêté par l'obstacle paternel, le fils se croira jugé et condamné ; il se croira indigne de répéter l'être du père.

L'objet situé derrière l'obstacle, l'objet interdit n'en est que plus désirable. L'obsession du fruit défendu n'est pas première, elle n'est pas cause mais conséquence de la rivalité. C'est du modèle et non de l'obstacle que part la dialectique. Cette hiérarchie s'inversera vite, d'ailleurs, dissimulant la vraie genèse du désir. Il suffit, en effet, que se présente l'obstacle mécanique d'une intention concurrente — cet inconnu, peut-être, qui tient à précéder Œdipe sur la route de Thèbes, qui lui fait, en somme, une querelle de priorité au sens le plus futile du terme — pour que le héros entende de nouveau la sentence qui le condamne. Flairant l'obstacle, il croit aussitôt flairer le désirable par excellence, le chemin secret de l'être paternel. Les biens de cet homme qui, par hasard, le contrecarre, son trône et son épouse, acquièrent une valeur sacramentelle.

Le sphinx d'Œdipe est le sphinx grec qui a fait l'objet d'interprétations fort diverses. Mais le sphinx égyptien est l'ancêtre commun, semble-t-il, de toutes les variantes postérieures. Ce premier sphinx est l'image du roi défunt, gravée sur un lion de pierre, statue formidable qui interdit aux violateurs de sépulture l'entrée de la tombe royale. On ne peut pas imaginer représentation plus claire et plus directe de cet obstacle paternel, de cet obstacle essentiel qui ressurgit dans tout obstacle accidentel. Œdipe écarte le sphinx, il écarte avec violence ce nouvel obstacle ; il pille les trésors entreposés dans la tombe royale. Le trône et l'épouse sont à lui. Aucun attribut de la puissance paternelle ne lui manque. Le sphinx est mâle à l'origine mais on voit sans peine ce qui tend à le féminiser.

Œdipe a longtemps vécu hors de Thèbes, à Corinthe où Polybe et Mérope l'élèvent « comme un fils ». Inspiré par l'oracle, Œdipe se résout à fuir ce second père et cette seconde mère. La dialectique du désir gouverne cette fuite. Il n'est rien dans le mythe qui ne soit gouverné par elle. Œdipe ne veut pas briser l'obstacle qui le meurtrit, il veut guérir cette meurtrissure ; il entend fonder, loin du père, un désir sans obstacle ni modèle. Cette première répudiation du modèle paternel, cette déclaration d'indépendance est sincère mais superficielle. Semblable en ceci à presque tous les lecteurs de son mythe, Œdipe confond les individus interchangeables avec les relations seules permanentes. Il prend l'empreinte pour la matrice. C'est de l'empreinte qu'il s'éloigne, il ne sait pas qu'il emporte la matrice avec lui.

Le drame évité auprès de Polybe et de Mérope se noue auprès de Laïos et de Jocaste. Est-ce le premier couple ou le second qui joue ici le rôle de famille « par adoption » ? Œdipe a fui Polybe et Mérope ; il faut donc qu'ils incarnent, sous un certain rapport, l'essence paternelle et l'essence maternelle. Inverser les données immédiates du mythe, substituer Laïos à Polybe, Polybe à Laïos, c'est repérer déjà certains aspects de la structure. Mais cette inversion ne suffit pas. Elle constitue le premier moment d'une dialectique qu'il faut mener jusqu'à son terme. Intervertir les rôles ce n'est pas encore les reconnaître pleinement interchangeables. C'est imposer une nouvelle distribution, tout aussi fixe, tout aussi rigide que la première. C'est de cette fixité qu'il faut se défaire, c'est cette rigidité qu'il faut dépasser vers l'identité du père et du fils et, au-delà, vers l'équivalence de tous les rôles.

Tout homme, en quittant son père et sa mère, va vers son père qu'il tuera et vers sa mère qu'il épousera. Il faut donc renoncer aux identités certaines, aux points de repère stables. Exiger du mythe des différences individuelles, des ruptures de symétrie qu'il ne comporte pas, c'est fuir le vertige de l'identité, c'est succomber à l'erreur d'Œdipe qui croit échapper à ses parents en fuyant les lieux de son enfance. Œdipe revit toujours en nous ; c'est bien pourquoi nous méconnaissons la structure et ses yeux de miroir. Nous nous égarons au sujet du père dans la mesure exacte où nous croyons savoir qui il est.

Le double mouvement de Thèbes à Corinthe et de Corinthe à Thèbes suggère une double réciprocité où se confondent les identités. Au sein de cette confusion qu'il faut systématiser, certaines distinctions demeurent et même se précisent mais elles sont toujours relatives et réversibles. La distance entre Corinthe et Thèbes, c'est la paix profonde de l'enfance, c'est l'éloignement du père, heureux autant que malheureux. Le père et le fils séjournent en des lieux différents. Ils pensent, agissent, désirent surtout dans deux régions d'être séparées. Leurs chemins, provisoirement, divergent.

Le conflit avec le père, pour fondamental qu'il soit, n'affleure d'abord qu'en de brefs instants, fort éloignés les uns des autres. Il y a un père de la vie quotidienne, Polybe, un père du désir et de l'interdiction, Laïos. Peu importe, ici, les noms ; peu importe, en vérité, qu'il y ait deux hommes ou qu'il n'y en ait qu'un. La structure s'inverse au moment de la fuite. La circularité du mythe repose sur de perpétuelles inversions.

Corinthe, c'est, en termes psychanalytiques, la «période de latence». Et c'est là, ou presque, ce que nous dit le héros au dénouement d'*Œdipe roi* : « *O Polybe, Corinthe, vieux palais que j'appelais paternel, quelles hontes vous avez fait grandir en moi sous la beauté qui les cachait.* »

*
**

Œdipe est maintenant roi de Thèbes ; il est l'époux de Jocaste. La dialectique du modèle et de l'obstacle n'a plus de raison d'être à nos yeux raisonnables. Si elle se perpétue, si elle se précipite même, c'est en dépit de toute raison. On la repère aisément derrière les significations politiques d'*Œdipe roi*. Inspiré par l'oracle, le tyran médite la perte d'un homme, le meurtrier de Laïos, qui songe peut-être à lui prendre sa place :

> Ce n'est pas pour des amis éloignés que j'effacerai cette souillure. Quiconque a tué ce roi pourrait bien vouloir, avec une main semblable, tirer aussi vengeance de moi-même. En venant au secours de ce roi, je sers ma propre cause.

Œdipe traite cet Autre qui a tué ou pourrait tuer le Roi comme Laïos l'avait traité lui-même et pour les mêmes raisons. Chacun voyant en l'Autre un rival potentiel ou actuel se réfugie dans une même violence. Comprendre les motifs d'Œdipe, c'est comprendre la circularité du mythe. Le père qui fait violence à son fils, le roi qui fait violence à l'Autre, croit toujours tirer la leçon d'un conflit antérieur, vaguement remémoré. L'oracle c'est la voix du père, père de Laïos, père d'Œdipe qui s'adresse au fils et lui rappelle le danger qu'en tout temps et en tous lieux les fils représentent pour les pères. Le fils devenu père croit échapper au cercle en redoublant une violence qui s'est d'abord exercée contre lui-même. C'est pour rompre avec le passé qu'on amorce chaque fois un nouveau cycle de malheur.

Œdipe lui-même affirme qu'il agit en fils de Laïos, sans saisir la profondeur ironique de ses paroles : « Aujourd'hui, puisque j'ai le pouvoir que Laïos avait avant moi, puisque j'ai son lit et sa femme comme épouse... pour toutes ces raisons, comme s'il était mon père, je combattrai pour lui. »

Le père n'est jamais qu'un premier fils maudit. Il s'est lui-même emparé par la force et par la ruse de l'héritage paternel. Personne n'est vraiment légitime. Il n'y a pas de vrai roi, il n'y a que des tyrans. *Il n'y a pas de vrai père.* C'est là sans doute le sens le plus profond, le plus caché du mythe. Et ce sens ne fait qu'un avec l'identité de tous les personnages, avec l'équivalence de tous les rôles. Le désir du père est indépassable car rien ne peut l'assouvir. Il n'y a pas de vrai père mais, par un paradoxe aussi stupéfiant que fondamental, le fils réussit toujours, au-delà des malentendus qui, toujours réciproques, finissent toujours par s'annuler, à répéter cet être que, toujours à tort, il prend pour l'être du vrai père. L'échec perpétuel et les réactions paniques qu'il engendre assurent, à l'insu du disciple, la reproduction très exacte de l'être recherché, c'est-à-dire d'un modèle que le disciple croit depuis longtemps répudié et qu'il répudierait vraiment s'il connaissait sa vraie nature. Ce qui se perpétue de père en fils, c'est la blessure et c'est l'éloignement, c'est la violence et c'est l'usurpation, c'est cette blessure au pied qu'on retrouve de père en fils dans la famille de Labdacos.

Meurtri par l'obstacle et gouverné par cette meurtrissure, le fils rejoint ce père qu'il croit avoir quitté. C'est là, une fois de plus, cette fuite loin du père qui est retour ironique vers le père. Se tromper sur l'identité véritable du modèle, c'est l'unique moyen de s'égaler à lui. Une erreur analogue fonde, en effet, l'être de ce modèle.

C'est Créon, cette fois, qui transmet à Œdipe l'oracle d'Apollon. Créon, frère de Jocaste, passe pour le plus proche parent mâle du roi défunt, pour son héritier présomptif. D'abord un peu abstraite, la colère d'Œdipe, rapidement, se fixe sur ce beau-frère qui en « réalité » est un oncle, c'est-à-dire un presque père, mais qui n'est pas reconnu comme tel, de même qu'un peu plus tôt, Laïos n'était pas reconnu comme père.

Œdipe traite Créon en inférieur et en coupable car il redoute en lui le supérieur et l'innocent. Il craint de reconnaître cet héritier légitime qu'il est lui-même, à son insu. Il a brisé l'obstacle, il a pris la place du père ; il est donc infiniment proche de lui mais aussi infiniment éloigné. Il est plus indigne que jamais. Il est à la fois au-dessus et au-dessous des autres hommes. Au-dessus en tant qu'il occupe la place du père, au-dessous en tant qu'il devrait ne pas l'occuper. Détenteur officiel du royaume, Œdipe en reste l'éternel exclu. L'usurpation politique exprime parfaitement la relation au père.

Juste avant la conclusion d'*Œdipe roi*, le chœur se demande quelle est l'origine du héros. C'est un dieu, pense-t-on, qui l'a enfanté. Œdipe s'attend, au contraire, à apprendre qu'il est de naissance servile. Comme Laïos avant lui, il est à la fois le père et le fils maudit, le roi et l'esclave, la victime et le bourreau sacré. Il se dit lui-même « tantôt abaissé, tantôt exalté ». Il est dédoublé, *divided against himself*. Sophocle insiste sur le caractère duel de l'univers thébain. Toute créature vivante, tout ce qui aspire à l'unité, succombe, ici, à la dualité. Le berger de Laïos a deux troupeaux, celui de Corinthe n'en a qu'un. Jocaste enfante une *double génération, un époux de son époux, et des enfants de son enfant*. La dualité de Thèbes et de Corinthe n'est qu'une expression particulière de ce dédoublement. Tout ce qui vient de Laïos est double. La division intérieure se conjugue avec les doubles extérieurs. Les partenaires d'Œdipe se conduisent toujours plus, en effet, comme Œdipe lui-même ; la ressemblance est toujours plus parfaite, rendue telle par l'illusion d'une différence toujours plus grande.

Jamais Œdipe ne reconnaît auprès de lui le Même, l'Alter Ego. Il ne voit pas, en d'autres termes, la vérité du mythe, l'équivalence de tous les rôles, la structure double, à tous les niveaux, de sa propre histoire. Œdipe boite et c'est de la meurtrissure paternelle que lui vient cette claudication. Sa démarche asymétrique le conduit, lui et son mythe, vers une symétrie toujours plus parfaite.

Œdipe accuse Créon d'avoir tué le roi. Il l'accuse de son propre crime, il dénonce en lui son propre désir. Œdipe, dira-t-on, *projette* sur l'Autre son désir. Sans doute mais le désir de l'Autre, pour être projeté, n'en est pas moins réel. Personne ne niera que Créon convoite le trône. Il l'occupait naguère et il l'occupera bientôt. Pas plus que celui d'Œdipe et de Laïos, le conflit d'Œdipe et de Créon ne naît de différences concrètes. Il s'enracine dans un même désir qui se porte toujours vers les mêmes objets.

La dialectique du modèle et de l'obstacle est double, réciproque. Chacun joue, pour l'Autre, le double rôle d'obstacle et de modèle. Chacun contemple dans l'Autre la vérité de son désir. La colère d'Œdipe, la colère de ses partenaires c'est l'évidence écrasante et toujours démentie du désir concurrent. Cette vérité est aussi le pire des mensonges puisque chacun en fait la vérité de l'Autre et de lui seul. Œdipe ne veut pas voir sa propre insertion dans la structure qui se révèle peu à peu. Il se croit né hors de Thèbes. Rédempteur à titre bénévole, « dégagé » de droit divin, il condescend, croit-il, à « s'engager ».

Le conflit des contemporains succède au conflit des générations. Il faut bien, dira-t-on, qu'Œdipe passe, comme chacun de nous, de l'enfance à l'âge adulte. C'est vrai mais avant de relever de l'ordre naturel, ce passage relève de l'ordre mythique ; il ne se lit vraiment que dans la langue du désir. Créon le montre bien, et aussi Jocaste, qui ne vieillissent pas quand ils le devraient. Jocaste reste à tout jamais l'épouse du Roi. Créon devient un quasi-frère d'Œdipe. Entre les partenaires mythiques, la différence d'âge est abolie. Leur identité en devient plus parfaite. Cette identité, dans l'épisode de Laïos, est moins immédiate, moins manifeste que par la suite. Le premier conflit se déroule par personnes, ou monstres, interposés et dans l'erreur complète sur les identités. Le conflit se compose de moments isolés dans l'espace et dans le temps. Il faut franchir cette double distance pour saisir la réciprocité. Il faut passer de Thèbes à Corinthe et de Corinthe à Thèbes, il faut rapprocher la première enfance du héros de sa jeune maturité. Nous ne percevons pas sans peine des équivalences qui, à tous les stades du mythe d'ailleurs, sont seules essentielles car ce sont elles qui structurent même les premiers épisodes.

Seul importe l'identique et c'est lui que nous percevons de mieux en mieux car il ne cesse de se parfaire et de se préciser. Le mythe produit toujours de l'identique à partir de différences évanouissantes. La notion même de frère signifie l'identité. L'histoire des fils d'Œdipe, Etéocle et Polynice, les « frères ennemis », fait suite à l'histoire d'Œdipe, c'est-à-dire, essentiellement, à l'histoire du rapport fils/père. Ceci, dans le cycle œdipien considéré comme un tout. Si nous limitons, maintenant, notre perspective à la seule histoire d'Œdipe, nous voyons que là aussi, le rapport des deux « frères », Œdipe et Créon, fait suite au rapport père/fils. Caïn et Abel, dans la *Genèse,* succèdent à la Chute. Dans certains récits mythiques, la qualité de frère est redoublée, portée à la deuxième puissance. Romulus et Rémus sont des jumeaux ; leur identité est signifiée deux fois.

Eliminer les différences qui subsistent, c'est rapprocher l'ego de l'alter ego, c'est extérioriser le conflit, c'est éliminer la distance qui sépare encore les adversaires, c'est superposer les deux violences symétriques. Œdipe et Créon, Œdipe et Tirésias sont face à face. Le mythe va vers sa propre révélation. La répétition mythique n'est pas répétition pure et simple, elle déroule l'histoire du désir. La vérité toujours plus dévoilée est aussi toujours plus voilée car elle est toujours plus violemment niée.

Et dans le temps et dans l'espace, la structure se resserre et se concentre. Les lignes de force *s'accusent* de même que *s'accusent* les traits d'un visage qui vieillit, de même qu'une caricature *accuse* les traits d'un original. La vérité qui se fait jour est la vérité de tous, la vérité du mythe lui-même, vérité terrifiante que chacun veut rejeter sur l'Autre. Le Moi et l'Autre *s'accusent,* par conséquent, d'avoir tué le père. Dans tous les sens du terme, la structure se fait *accusatrice.*

Et cette vérité qui émerge est celle du lecteur lui-même, vérité toujours niée et rejetée sur l'Autre, vérité comprise, c'est-à-dire, comme la vérité du seul héros, personnage « fatal » et marqué par le « destin » dont le sort ne nous concerne aucunement.

Les partenaires écoutent encore l'oracle impersonnel du dieu mais ils s'écoutent, de plus en plus, les uns les autres. Ils agitent ensemble la question primordiale, la question du père. Cette question fait désormais l'objet même du conflit ainsi que l'arme principale, sinon unique, aux mains des combattants. La structure élimine l'inessentiel et se referme sur la nudité essentielle du rapport à l'Autre.

Les premières rivalités aboutissaient, en apparence tout au moins, à la destruction physique du rival par une violence physique. Œdipe, Laïos, le sphinx, sont tour à tour éliminés pour reparaître d'ailleurs un peu plus tard sous une même identité ou sous une identité différente. Dans les épisodes de Créon et de Tirésias, les seuls que traite Sophocle sans que nous sachions dans quelle mesure ils lui appartiennent en propre, la rivalité s'exprime et s'incarne dans le langage. Ces épisodes sont donc éminemment propres à la transcription tragique. Il y a d'ailleurs continuité entre la geste mythique et le discours tragique. L'épisode du sphinx fait figure de charnière entre les deux modalités du récit mythique, telles que le mythe lui-même les réclame. C'est physiquement encore que le sphinx est éliminé mais il l'est déjà par une parole qui révèle clairement en ce point qu'elle est violence.

Essayer de convaincre l'Autre qu'il a tué le père, c'est répéter, dans toute sa plénitude, le geste meurtrier. Hölderlin nous dit que l'essence du tragique grec c'est la parole, le Verbe meurtrier de l'Autre, *der wirkliche Wort aus Worten.* Dans *Œdipe roi,* cependant, la parole est « plus effectivement meurtrissante que brutalement meurtrière ». Telle est bien, déjà, la violence physique exercée par Laïos contre son fils, *mehr tödtenfactisches als tödtlichfaktisches*[1]. Elle ne détruit pas sa victime, elle la rend infirme, elle fait d'Œdipe un boiteux.

La parole tardive est parfaitement homologue aux violences antérieures. Si les rivaux ne parviennent plus à s'éliminer, même en apparence, ce n'est pas parce que la malédiction est plus anodine que le geste, c'est parce que les mêmes paroles prononcées au même instant de part et d'autre s'équilibrent. La parade est aussi puissante que l'attaque. L'identité et la symétrie triomphent, *fearful symmetry* d'une haine toujours plus vide et toujours plus vaine, identité jamais perçue des rapports ennemis au sein du redoutable vortex mythique.

*
* *

Tirésias est le voyant, créature inspirée qui déchiffre les oracles. Aux yeux de Thèbes que sa parole a délivrée du sphinx, délivrera peut-être de la peste, Œdipe, lui aussi, est un voyant. La fraternité spirituelle des deux mages n'est pas moins étroite que la fraternité par

---

[1] HÖLDERLIN, *Remarques sur Œdipe / Remarques sur Antigone,* Plon, 1965. Traduction par François Fédier.

alliance d'Œdipe et de Créon. Comprendre ceci c'est reconnaître, une fois de plus, l'identité des partenaires. Tirésias réplique à l'accusation d'Œdipe par une accusation semblable. La malédiction revient toujours à son point de départ. Les deux hommes se renvoient comme une balle la vérité que personne ne veut accueillir. Insultes et menaces, toujours symétriques, se succèdent avec rapidité. Les deux personnages répondent parfaitement à la métaphore du miroir et du reflet, évoquée plus haut dans un contexte moins évocateur. Où est l'original, où est le reflet ? Ici encore peu importe ou plutôt il importe d'écarter la question pour ne pas susciter l'espoir d'une réponse.

Rien de plus clair, donc, que l'identité des deux prophètes et pourtant rien de plus obscur. Lecteurs attentifs ou distraits de Sophocle, nous voyons tous en Tirésias la *lucidité* et en Œdipe *l'aveuglement*. Nous réclamons un vrai et un faux solidement ancrés dans un univers sans surprises. Le bien et le mal doivent s'incarner, une fois pour toutes, en d'infaillibles champions.

Ce partage nous dissimule le sens profond du mythe. Contrairement toutefois à tant d'œuvres modernes, illisibles en dehors des différences « manichéennes » qu'elles visent à suggérer, la tragédie reste proche du mythe et, derrière l'asymétrie structurale qu'on veut lui imposer, le symétrique transparaît. Les significations de bien et de mal qu'on surimpose aux rapports tragiques sont toujours instables, toujours prêtes à s'inverser. Œdipe boite et le mythe, qui le sait, n'est pas lui-même boiteux. Dans *Œdipe roi*, un Créon modeste et mesuré nous semble incarner la décence et l'innocence à côté d'un Œdipe écumant ; il n'en va plus de même déjà, dans *Œdipe à Colone* où les griefs du héros contre son oncle paraissent mieux fondés. Un Œdipe arrogant nous irrite, un Œdipe audacieux excite notre sympathie. L'Occidental se reconnaît en cet enfant de la *Fortune,* en ce héros passionné de connaissance et d'expérience, en ce sceptique qui rejette les oracles. L'exégèse rationaliste est un long plaidoyer *pro Œdipo* que déconcerte à peine la simplicité lumineuse de ses propres arguments. Cet Œdipe qui n'a rien à apprendre sur lui-même, cet Œdipe en qui ses défenseurs croient retrouver leur propre innocence et leur propre clairvoyance, est assurément victime de quelque dieu méchant. Les dieux méchants, les dieux absurdes surtout dans leur méchanceté ne sont pas longtemps des dieux vraisemblables. On verra bientôt en eux l'invention pure et simple des prêtres, toujours « fourbes et avides ». Œdipe a raison, sans doute, de dire son fait au vieux Tirésias. De l'Œdipe traditionnel à l'Œdipe des lumières — pourquoi donc, grand dieu, s'arracher ces yeux de lumière — les significations s'inversent. Le vrai prophète et le faux ont échangé leurs rôles. Le mythe, ici encore, est le miroir de sa propre exégèse. Les points de vue opposés, sur Œdipe et sur Tirésias, reproduisent curieusement la querelle des deux sages. L'histoire du signifiant œdipien rappelle les volte-face du héros dans *Le Diable et le bon dieu*. L'interprétation n'est jamais fermement plantée sur les deux versants du mythe. Elle se tient tantôt sur un pied tantôt sur l'autre. Comme Œdipe lui-même, elle boite et c'est en boitant qu'elle marche, elle aussi, vers la vérité du mythe.

Toute lecture idéologique, « manichéenne », implique une différence essentielle entre Œdipe et Tirésias et, plus généralement, entre Œdipe et les autres personnages. Œdipe est tantôt « supérieur », tantôt « inférieur » à ceux-ci. C'est ainsi, nous l'avons vu, qu'il se conçoit lui-même. Il se croit toujours *à part* alors qu'il partage l'essentiel avec nous, comme nous le partageons, sans le savoir non plus, avec lui. L'erreur des lectures idéologiques est donc l'erreur d'Œdipe lui-même, ou de Tirésias, c'est l'illusion de la différence, moteur secret d'une identité toujours plus parfaite.

N'y a-t-il pas entre Œdipe et Tirésias de différences réelles ? Les deux personnages proviennent de lieux différents, mais ils se dirigent par des chemins convergents vers la *concurrence* et vers l'identité. Leurs différences vont peu à peu s'annuler. Œdipe doit sa gloire à la solution d'une énigme objective, extérieure en principe à ce qu'il est. Dans la réponse qu'il fait au sphinx, il n'est question que de l'homme en général. Le héros se croit détaché, scientifique, positif. Mais le réel lui apporte un constant démenti ; d'où sa colère et sa peur des complots qui l'entraînent à s'ériger lui-même en oracle. Face à Tirésias, incarnation présomptive de l'oracle, Œdipe se pose en incarnation rivale. Il s'identifie au refus de l'autorité, à l'esprit d'entreprise et de libre investigation. Cet *esprit* est un nouvel absolu, une sagesse plus vraie qui prétend supplanter la sagesse caduque de Tirésias :

> Voyons, dis-le-moi, quand as-tu été un devin clairvoyant ? Comment, lorsque la Chienne vous débitait ses vers, n'as-tu pas dit pour ces Thébains un mot de délivrance ? Pourtant ce n'était pas au premier venu d'expliquer l'énigme, il fallait de la divination. Tu as montré clairement que tu n'en possédais point ni des oiseaux, ni des dieux. Et moi, je suis venu, l'homme qui ne savait rien, Œdipe, et je fis taire la Sphinx : mon esprit me fit trouver, et les oiseaux ne m'avaient pas instruit.

Tirésias, lui, ne parle pas d'abord en son nom propre, il parle au nom du dieu. Mais il se drape bien vite dans les oracles, il fait d'eux sa chose. Il les durcit, il les « réifie ». Entre ses mains, le religieux devient ce que sont déjà la raison et l'expérience pour Œdipe : une massue qu'on assène sur la tête de l'adversaire. Les deux attitudes se valent ; elles détruisent toutes deux le rapport vivant à l'idée. Les oppositions de désir dissimulent leur propre nullité derrière des différences idéologiques qui s'amenuisent, en vérité, à mesure qu'elles s'exaspèrent.

Chaque épisode, disions-nous, est une « prise de conscience ». Cette conscience s'élargit et s'approfondit sans cesse. Œdipe ne savait pas, au moment de le frapper, qui était Laïos. Il sait mal, au moment de le maudire, qui est Créon ; Œdipe et Tirésias savent très bien, en revanche, à qui ils ont affaire quand ils se détruisent l'un l'autre à coups de paroles. La vérité, fruit du mythe lui-même, surgit *entre* les deux hommes ; elle n'est pas la propriété du seul Tirésias. Et le mensonge qui surgit également n'est pas la propriété du seul Œdipe, c'est le mensonge du mythe, l'effort de tous les hommes pour rejeter leur vérité sur l'Autre.

Moi, Tirésias, je le vois bien : l'Autre est coupable de ce crime dont il m'accuse ; je vois le caractère « projectif » de son accusation. Je vois donc, cette fois, la vérité entière du désir mais cette vérité est plus que jamais mensongère si je n'en fais pas *ma* vérité. Chacun, à ce niveau, sonde « l'inconscient » de l'autre, chacun se félicite de son extraordinaire perspicacité. Plus cette perspicacité est réelle, et elle l'est, plus elle nous fixe sur l'Autre. Elle nous dissimule les aspects essentiels de la structure, le rôle que, personnellement, nous y jouons.

Moi, Tirésias, je n'hésite pas s'il le faut à reconnaître comme mien ce désir dont je me fais l'historien et l'exégète, ce désir que désormais je ressasse interminablement mais cet aveu n'est pas un véritable retour sur soi. Il n'accomplit pas en moi la vérité du mythe. Le désir confessé est toujours, à mes yeux, un désir « dépassé ». Le prophète aveugle a déjà parcouru le trajet que l'Autre, Œdipe, est en train de parcourir, ce trajet qui, par la perte des yeux de chair, mène à la voyance authentique. Il est donc proche de ce psychanalyste qui ne se targue que d'une seule supériorité : il est lui-même psychanalysé. Cette supériorité est très différente en principe des supériorités antérieures, des supériorités déjà récusées et détrônées par le mouvement niveleur et identificateur du mythe. Ce n'est plus ici d'une essence toujours possédée qu'on se réclame mais d'une conquête, d'une expérience. C'est dans l'histoire, dans le temps humain que s'incarne la sagesse.

Tout cela est bel et bon mais interpréter ainsi la sagesse de Tirésias, et c'est bien ainsi qu'il faut l'interpréter, c'est la rapprocher, plus que jamais, de celle dont Œdipe se targue. C'est d'Œdipe, en effet, que nous vient l'idée d'un savoir fondé sur l'expérience et non sur la naissance. Toujours précédés d'une même histoire, toujours mus par un même désir, les deux partenaires débouchent ensemble sur les mêmes pseudo-solutions. Ils font preuve, dans l'attaque et dans la riposte, d'une subtilité toujours plus aiguisée et toujours aussi vaine.

Deux répliques mystérieuses d'*Œdipe roi* ne sont telles, assurément, qu'en dehors de la présente lecture. Œdipe interroge Tirésias : « *Qui t'a appris la vérité, c'est ton métier sans doute ?* » Et Tirésias répond : « *C'est toi qui me l'as apprise car tu m'as forcé à parler contre ma volonté.* »

Comment définir la sagesse de Tirésias, quel est le fondement de sa vérité ? Voilà le problème que pose Œdipe et qu'il résout, non sans ironie, en évoquant le « métier » du prophète. C'est bien là le type de sagesse qu'on attribue toujours à Tirésias, sagesse d'expérience peut-être mais sagesse toujours déjà faite, sinon toute faite, sagesse préexistante et extérieure au dialogue hostile qu'elle infléchit du dehors, qu'elle écrase de sa toute-puissance. Conférer à Tirésias ce type de sagesse c'est admettre que le mythe n'est pas totalité, qu'il n'est pas toujours gouverné par sa propre dialectique. Mais c'est Tirésias lui-même qui réfute cette interprétation. Il ne se prétend pas détenteur d'un quelconque secret, d'une vérité depuis longtemps possédée et capitalisée. C'est du conflit lui-même qu'émerge la vérité et c'est le conflit qui la rend mensongère en se nourrissant d'elle. Le prophète est attiré dans ce tourbillon *contre sa volonté*.

Sophocle, semble-t-il, insiste sur les « défauts » d'Œdipe. Il le montre agressif et coléreux. La tragédie tend vers le drame psychologique mais c'est le lecteur moderne, peut-être, qui l'y fait tendre. Il brûle toujours de *prendre parti* et il ne tient pas compte des paroles essentielles : « *C'est la colère, à mon avis, qui inspire les paroles de Tirésias, comme les tiennes, Œdipe.* » Le chœur n'exprime pas ici que son naïf désir de compromis. Rien n'est insignifiant ou même peu signifiant dans *Œdipe roi*. Nombreuses sont les formules qui énoncent la réciprocité et l'identité des partenaires tragiques. Au début de la querelle, Tirésias dit à Œdipe : « *Vous êtes tous des insensés. Pour moi, jamais je ne révélerai mes malheurs, ou plutôt les tiens.* »

Rien n'est plus significatif, dans ce dialogue, que l'imbrication des images de lumière et d'obscurité, de vision et d'aveuglement. Chacun s'affirme voyant et accuse l'Autre de ne pas voir. C'est généralement au niveau d'une *inversion* pure et simple des métaphores traditionnelles qu'on interprète le symbolisme du prophète aveugle. Le vrai prophète n'est pas Œdipe dont les yeux sont ouverts mais Tirésias, l'homme aux yeux fermés. La lumière est mensonge, l'obscurité lumière. Cette inversion est possible, elle est même nécessaire mais elle n'est qu'une première étape vers la dialectique des symboles. En soi, elle n'est que l'échec de cette dialectique car elle maintient, avec la distribution constante des rôles et des fonctions mythiques, la fixité des symboles. L'inversion est plus menteuse, en un sens, que l'ordre initial. Elle *est* la sagacité et l'aveuglement de Tirésias. Au stade de Tirésias elle est presque incorporée à la trame du récit ; elle paraît aller de soi car le mythe est toujours le miroir de sa propre exégèse et des pièges qu'il nous tend. La lecture que fournit l'inversion des symboles est si immédiate, si banale que nous ne voyons plus le choix qui la fonde, nous ne voyons pas l'alternative. Le déroulement du mythe ne fait qu'un avec la révélation progressive et, paradoxalement, toujours plus trompeuse de son sens. Aux stades les plus avancés du mythe, l'inversion des symboles est un fait accompli ; elle nous paraît aussi naturelle qu'elle peut l'être dans la poésie moderne. Tout entière fondée sur l'inversion, puis la dispersion des métaphores, cette poésie revendique une sagesse analogue à celle de Tirésias. Du mage hugolien à la poésie contemporaine :

L'aveugle voit dans l'ombre un monde de clartés,
Quand l'œil du corps s'éteint, l'œil de l'esprit s'allume.

Mais la cécité, qui le niera, est un symbole fort ambigu de la lumière. Toute ambiguïté suggère un sens non explicite, une dialectique encore repliée sur elle-même et qu'il faut déplier. Le vrai symbolisme du prophète aveugle, qui est aussi le plus riche, se situe au-delà de l'inversion dont il rend compte.

Tout homme est Œdipe, le coupable, *pour l'Autre* et Tirésias, le prophète méconnu, *pour lui-même*. Tout homme est prophète aveugle, prophète dans son aveuglement même, aveugle à la vérité de sa propre prophétie. Nous disons tous le vrai mais en aveugles, aucun de nous ne reconnaissant dans ce qu'il dit sa propre vérité. Chacun accuse l'Autre d'avoir tué le père. L'accusation est menteuse tant qu'elle nous détourne de nous-mêmes, véridique quand elle revient vers nous, telle un boomerang, avec une force accrue. C'est à ce boomerang qu'aboutit le mythe, c'est pour lui qu'il est construit. Mais les partenaires ne le voient pas, ils sont le jouet de ce désir qui s'efforce encore de prévaloir sur le désir de l'Autre. La *lucidité* est un suprême effort pour éliminer le désir concurrent qu'en fait elle suscite. Elle est toujours *identique* à ce désir qui l'obsède. La chose est évidente, quel que soit l'angle sous lequel on l'aborde. Où la lucidité puiserait-elle sa science du désir si elle ne la puisait en elle-même. La lucidité est donc mesure exacte de l'aveuglement.

La vérité réside dans la structure totale et non pas dans une de ses « moitiés ». Œdipe et Tirésias se croient extérieurs à l'Autre, et uniques en ce qui concerne l'essentiel alors qu'ils partagent cet essentiel, qui est ici la clairvoyance, avec leur adversaire. La structure totale qui assure la dialectique plénière des symboles est, en un sens, restauration de l'ordre originel. La lumière est à nouveau lumière, l'obscurité n'est plus qu'obscurité. Mais lumière et obscurité ne font plus l'objet d'un partage exclusif et définitif. Toute lumière en ce monde « suppose d'ombre une morne moitié ».Plus cette lumière est intense, plus les ténèbres qui l'accompagnent s'épaississent.

*
* *

Le conflit des protagonistes dans *Œdipe roi* se situe dans un contexte qu'il faut préciser pour bien définir les stades suprêmes du mythe. Le tableau d'abord paraît confus. La peste fait, dans Thèbes, d'interminables ravages. A ce malheur déjà ancien viennent s'ajouter, semble-t-il, les conséquences fâcheuses de l'enquête menée par Œdipe. L'idée de réunir ces deux séries d'événements, d'en faire une totalité, ne nous vient pas à l'esprit. Nous ne saurions mettre sur le même plan le médecin, même mauvais, et ses malades. C'est pourtant là ce qu'il faut faire. Si le juge et l'accusé sont identiques l'un à l'autre, le médecin et ses malades ne le sont pas moins. A mesure que la maladie progresse elle ne fait qu'un avec la volonté de guérir autrui. A mesure que la rivalité s'étend, à mesure que les rivaux se succèdent, ils se rapprochent du Moi ; le meurtrier du père, l'usurpateur par excellence, cherche à les éliminer en dénonçant leur propre désir d'usurpation ; il cherche, croit-il, à purger la ville de son « crime ». Le conflit mythique doit nous apparaître comme l'élément essentiel, la cause unique même de l'infortune nationale. La peste n'est pas une toile de fond sur laquelle se découpent les querelles des princes et des sages. Les deux plans sont inséparables l'un de l'autre.

Que font Œdipe et Créon, Œdipe et Tirésias, dans leur lutte fratricide ? Ils se détruisent mutuellement leur prestige de sage et de héros. Chacun arrache à l'Autre ses insignes, ses titres et ses décorations. Chacun s'acharne sur le prestige de l'Autre, ce prestige *paternel* ouvertement nié, secrètement envié et imité. Le conflit mythique affaiblit et même détruit les valeurs paternelles sur lesquelles repose la cité. Pour comprendre quelle menace pèse sur Thèbes, il faut s'affranchir du respect trop absolu que nous inspire la sagesse de Tirésias, la sagesse antique. Le chœur, après l'oracle, attribue tous les malheurs de Thèbes à l'impiété. Ceci en dépit des cérémonies religieuses qui se déroulent en marge de la pièce et qui suggèrent une vie religieuse parfaitement normale. Si les valeurs religieuses et paternelles incarnées aux yeux de tous par Tirésias sortaient intactes du débat terrible avec Œdipe, rien ne justifierait les lamentations du chœur, rien ne justifierait la description d'un état anarchique si profond qu'on doit parler à son propos de nihilisme. La ville, nous dit le héros lui-même, *périt dans la stérilité et l'abandon divin.*

Le conflit tragique, dans *Œdipe roi*, se présente d'abord comme une conséquence de la peste ; approfondir la question c'est invertir, comme toujours, l'ordre des causes et des conséquences mais, plus profondément encore, il faut saisir l'unité de la peste et du conflit tragique ; révéler cette unité, c'est révéler l'unité de la tragédie qui repose elle-même sur l'unité du mythe. Tirésias s'engage *contre sa volonté* dans la dialectique œdipienne du modèle et de l'obstacle. Il « attrape » la haine d'Œdipe comme on attrape une maladie contagieuse. La peste mythique, c'est la contagion passive du désir et de la haine qui, s'étendant de proche en proche, ébranle les fondements mêmes de la société. La peste, c'est l'extension indéfinie du conflit mythique, extension dont le principe est déjà posé : le mythe est processus d'identification universelle ; il transforme chacun de nous en un nouvel Œdipe et c'est au terme, ou presque, de ce processus qu'un Freud peut identifier tous les hommes à Œdipe. Si Freud a raison et si le mythe est le miroir de notre condition, qui est historique, chacun, au sein du mythe lui-même, n'est pas Œdipe mais le devient sans cesse, dans une imitation frénétique toujours analogue à celle du fils devant le père mais toujours plus négative, toujours plus acharnée à se nier elle-même. En nous et hors de nous, dans la réalité extérieure et dans le mythe lui-même, le mythe s'universalise.

Ce sont des métaphores empruntées à la nature qui signifient la dialectique intersubjective. A côté de la peste il y a les récoltes qui sont mauvaises et les femmes qui meurent en accouchant. Tout ici est métaphore de stérilité. Et toute métaphore épouse les exigences de la vérité intersubjective. Chercher à guérir ces maux collectifs c'est les nourrir et c'est les aggraver.

> Hélas !... Je supporte des maux innombrables : tout le peuple est atteint de contagion, et l'esprit ne peut inventer aucune arme qui porte secours à personne ; les fruits nés de la terre glorieuse ne croissent plus ; les femmes ne se relèvent pas, en enfantant, de leurs gémissantes douleurs ; l'une sur l'autre on voit, comme l'oiseau rapide, avec plus de force que le feu invincible, les victimes s'élancer sur le rivage du dieu occidental.

Mais ce ne sont pas là, encore, les seules conséquences du conflit mythique, ni surtout les plus frappantes. Œdipe lui-même souligne, au dénouement, le mélange scandaleux des parentés, la confusion totale qui règne dans sa double famille :

> O hymen, hymen, tu m'as donné la vie, et après me l'avoir donnée, tu as fait germer une seconde fois la même semence ; tu as montré au jour des pères frères de leurs enfants, des enfants frères de leur père, des épouses à la fois femmes et mères de leurs maris, et toutes les plus grandes horreurs qui peuvent exister parmi les hommes.

Si la peste et l'anarchie des valeurs se rattachent aisément aux conflits mis en scène dans *Œdipe roi*, le mélange des parentés remonte, lui, à des épisodes plus lointains, au meurtre de Laïos et au mariage de Jocaste avec son fils. Ces distinctions ne sont pas essentielles, d'ailleurs. Tous les épisodes sont la répétition du meurtre de Laïos autant que son élucidation ambiguë. Rattacher la peste et la subversion des valeurs au conflit d'Œdipe et de Tirésias c'est les rattacher plus originairement au meurtre du père. L'effondrement des hiérarchies sociales et l'effondrement du système de parenté ne font qu'un seul et même phénomène. La cohérence qui définit le mythe se retrouve dans ses conséquences les plus lointaines. La distinction entre le conflit des protagonistes et ses conséquences répond à des besoins d'exposition dramatique plutôt qu'à un impératif structurel. L'oracle le confirme. L'oracle dit-il qu'il faut punir le meurtrier de Laïos pour sauver la ville ? C'est ainsi qu'on l'interprète mais il ne suggérerait pas cette interprétation s'il ne disait, plus essentiellement et plus originairement, le rapport étroit, direct, entre la querelle familiale et les malheurs collectifs.

*
* *

Le système de parenté détermine la position relative de chaque individu par rapport à tous les autres. Le monde occidental se distingue de maintes cultures primitives en ce que cette position n'est pas déterminée une fois pour toutes. Chaque individu doit assumer, dans l'angoisse, plusieurs rôles, successivement et même simultanément. Le fils est appelé à devenir père. Le système n'est pas un tableau rigide, un arbre généalogique projeté sur l'avenir mais une dialectique. Un petit nombre d'interdits rigoureux se substituent à l'immense variété des prescriptions positives pour assurer dans les échanges une mobilité jamais atteinte [2]. L'apparition d'un Moi transcendant à tous les rôles et à toutes les fonctions que l'individu peut assumer dans la culture est évidemment liée à ce système. Mais il faut prendre garde que la relativité familiale n'est jamais complète. Le fils ne sait jamais qu'il est, pour son fils, exactement ce que son père fut pour lui. Le système n'est plus mécanique mais il n'est pas pleinement dialectique.

Le système mécanique est en deçà de l'opposition du père et du fils. Le système dialectique serait au-delà. Le domaine de cette opposition est le passage du mécanique au dialectique. Instaurer l'ordre dialectique, voir dans cet ordre sinon une réalité, du moins une exigence fondamentale dans l'ordre culturel, poser le principe d'une réciprocité sans limites, c'est vouer les hommes aux conflits les plus terribles.

[2] Ces vues sont celles d'Eugenio Donato qui doit les développer dans une publication prochaine.

Aimer le fils en tant que fils, c'est voir en lui un rival possible. Vénérer le père en tant que père, c'est déjà méditer sa perte. Le système n'est pas concevable, à ses débuts surtout, sans quelque palliatif. Il faut des institutions religieuses et sociales capables de dissimuler et de modérer la convergence des désirs, la contradiction fondamentale du père et du fils.

Cette institution est peut-être le sacrifice animal. On peut voir dans le sacrifice d'Abraham le moment essentiel dans la fondation d'une culture patriarcale. Abraham est un autre Laïos. C'est Dieu, c'est l'oracle sacré qui lui suggère de faire périr son fils. Mais Dieu, au moment suprême, à l'enfant qui vivra, substitue un animal. Sacrifier l'animal c'est recourir à un mode de purification qui n'est peut-être pas simplement rituel à l'origine puisqu'il substitue aux pères et aux fils dressés les uns contre les autres, à ces *coupables* dont la recherche interminable conduirait à la terrible vendetta familiale, une créature vivante, une victime encore mais une victime « neutre », intermédiaire entre l'homme et l'objet inerte, une victime dont la mise à mort ne risque pas d'aggraver les divisions de la cité. Sacrifier l'animal c'est faire sa part, encore, à un désir de violence incapable de se sublimer entièrement. La haine des pères et des fils se résorbe et s'épuise dans cette destruction sans conséquence.

L'idée du bouc émissaire nous donne peut-être le sens premier du sacrifice animal. Le bouc prend sur lui les péchés des pères, des fils, des frères et, de proche en proche, de tous les citoyens. Il emporte, dans la mort ou dans le désert qui se referme sur lui, les germes de ces conflits que la convergence des désirs, c'est-à-dire l'unité même de la culture, sa cohésion interne, ne peuvent pas ne pas susciter.

La tragédie, en grec, c'est l'ode du bouc. Y a-t-il un rapport entre le sacrifice animal et la représentation tragique ? L'Œdipe antérieur à Sophocle est poursuivi par les Erinnyes. Si les Erinnyes s'attachent au seul héros, elles abandonnent la ville. La peste s'éloigne. Tel le bouc émissaire, le héros tragique est sacrifié. Il meurt ou il se fait chasser de la ville, emportant avec lui le mal que sa présence y retenait.

Le mythe est la tragédie religieuse, loin de rapprocher les spectateurs du héros, il les en éloigne. L'Œdipe grec est hors de la norme, sacré, transcendant, unique. Quand ils découvrent le parricide sur leur territoire, les citoyens de Colone reculent épouvantés. Il faut tenir l'émissaire à distance, il faut l'exclure de la communauté, tel un lépreux, pour ne pas subir la contagion de son mal. Le spectateur grec est donc loin de percevoir l'équivalence de tous les rôles, la structure toujours symétrique du mythe. L'Œdipe antique n'est pas le nôtre. Loin de minimiser ces différences, il nous faut les souligner car notre lecture repose sur elles. Si le mythe est symétrique, si tous les rôles y sont toujours équivalents, s'il illustre de façon parfaite la réciprocité que nous exigeons tous, ce n'est pas parce que ceux dont il émane et auxquels il s'adresse soupçonnent le moins du monde ces propriétés, c'est au contraire parce que, ne les soupçonnant à aucun degré, ils n'ont rien fait pour les dissimuler. Œdipe est l'Autre absolu. Personne ne se croit rien de commun avec lui, parmi les spectateurs. Le mythe nie la réciprocité avec une telle candeur que celle-ci s'inscrit en lui, sous une forme inverse, et toujours figée, comme une image dans un miroir. La réciprocité est merveilleusement réfléchie dans le récit destiné à empêcher les hommes d'arriver jusqu'à elle.

L'émissaire est responsable de tous les désirs coupables. Il est seul à commettre les crimes que suggèrent ces désirs. Si le mythe est un miroir parfait, s'il est projection pure et simple sur un seul être mythique d'une réalité commune à tous les hommes, le choix de cet être, le choix de l'émissaire est complètement arbitraire. Rien de concret ne distingue Œdipe des autres hommes. Le choix ne sera pas arbitraire si, en un point quelconque du trajet mythique, Œdipe agit différemment des autres hommes. Cette différence minuscule, peut-être, mais réelle, structurelle, doit être peu visible, elle sera recouverte à nos yeux par la différence formidable en apparence mais en réalité nulle constituée par le meurtre du père et le mariage avec la mère.

Œdipe déclenche-t-il lui-même le mécanisme fatal ? Hölderlin médite, aux portes de la folie, sur l'œuvre de Sophocle et il met le doigt sur l'essentiel. Œdipe, nous dit-il, interprète *trop infiniment* (zu unendlich deutet) la parole de l'oracle :

> Clairement il nous a commandé, Phoïbos, le Roi,
> De purifier le pays de la souillure nourrie sur ce sol
> Et de ne pas donner vigueur à l'inguérissable [3].

Et voici le commentaire de Hölderlin : « Cela pourrait vouloir dire : Attachez-vous, en général, à ériger une justice sévère et nette ; maintenez un bon ordre civil. » Œdipe éviterait, peut-être, le pire, s'il se conduisait avec prudence.

Ce n'est pas l'énigme du sphinx qui fait d'Œdipe un héros de la connaissance, nous le voyons ici, c'est la curiosité coléreuse au sujet de Laïos, c'est l'enquête soupçonneuse et la folle malédiction. Au moment critique, Œdipe ne se contente pas de demi-mesures et de paroles rassurantes ; il ne recourt pas au *rituel*. Il réclame une

---

[3] Traduction de François Fédier : Hölderlin, *Remarques sur Œdipe / Remarques sur Antigone*, Plon, 1965.

justice absolue. Il lui faut un coupable bien déterminé. Il veut tenir le fin mot d'une certaine affaire et rien ne l'arrêtera. Hölderlin exprime ici le point de vue secret des Grecs. Il faut se détourner de l'énigme épouvantable. Œdipe est un impie. Il n'ordonne pas de purification. Ce faisant, il attire sur lui, semble-t-il, la colère de la divinité... On songe à tous ceux, individus et sociétés, qui se détournent de leurs monstres. La France devant Dreyfus, l'Amérique devant la mort de Kennedy. A une nouvelle Affaire, à pire, peut-être, que l'Affaire, ne faut-il pas préférer quelque lénifiant *Rapport Warren* ?

La ville est le théâtre de phénomènes inquiétants. Ou bien on se lance dans une enquête vigoureuse et advienne que pourra ou bien on ordonne une belle cérémonie expiatoire. Une telle cérémonie, dans le monde antique, comportera toujours un sacrifice animal. Œdipe, à l'instant décisif, s'abstient de sacrifier. Et il remplace, en fin de compte, ce bouc qu'il ne sacrifie pas.

De même que l'animal s'est d'abord substitué à l'homme, le héros se substitue à l'animal. L'ubris ne consiste pas à supplanter son père et à désirer sa mère mais à découvrir ces deux choses, à révéler la contradiction primordiale et, du même coup, la déchaîner sur toute la ville. *Œdipe roi* nous montre ce qui menacerait la ville si les hommes ne sacrifiaient plus, s'ils n'étaient plus à même de dissimuler et d'endiguer le conflit des pères et des fils.

*
* *

Si le récit mythique ne se réduit pas à une poussière d'événements, si son instance suprême n'est pas un Destin absurde, la conclusion est plus signifiante encore que ce qui la précède. Le Mythe, c'est l'Autre qui se rapproche toujours du Moi et qui finalement se superpose à lui dans l'épisode de Tirésias. Le Moi et l'Autre se présentent alors comme deux figures symétriques et inversées. C'est ici que la différence est nulle et l'opposition la plus radicale. L'identité parfaite passe pour la divergence maximale en ce lieu toujours livré à la discorde la plus bruyante et la plus vaine. La conclusion est au-delà de ce paroxysme mais c'est de lui, visiblement, qu'elle jaillit. Œdipe se reconnaît en cet Autre, ce coupable qu'il cherchait partout loin de lui-même. Œdipe découvre la vérité du mythe en tant qu'elle est la sienne. La conclusion est donc une résolution. Elle se rapporte à la structure tout entière, elle dit le sens de la totalité, c'est-à-dire le sens de chacun des épisodes. Le lien anecdotique ne rend pas justice, assurément, à cette énorme vérité... C'était vers cette conclusion que nous entraînait le dynamisme structuré. En elle le mécanisme d'auto-révélation s'achève et s'accomplit. En ce point terminal, la cohérence du mythe, déjà manifeste, s'affirme de nouveau sous sa forme la plus pure, la plus éclatante. Il n'est plus question, en effet, que de l'identité du Moi et de l'Autre.

La révélation est éclatante mais ambiguë. Hölderlin en suggère une première lecture, aussi nécessaire qu'effrayante. Œdipe est tout entier envahi par la vocifération oraculaire. Il ne résiste plus à la transcendance de l'Autre qui l'enveloppe et le tue, lentement. Cette absorption totale dans l'Autre rend l'individu étranger à lui-même, l'aliène irrémédiablement. C'est au prix de son intégrité que le Moi élimine l'obstacle œdipien ; il ne résiste plus à la fascination. Cet effacement du Moi devant l'Autre est bien dans le prolongement du mythe. Et c'est à la lumière de la folie qui monte qu'Hölderlin accède à cette lecture. La correspondance du poète contient des formules qui lui correspondent. Hölderlin prévoit le jour où « tout ce qui est Autre sera devenu nôtre ».

Hölderlin fait abstraction du meurtre du père. Il se détourne de cet essentiel. Aveugle à l'essentiel, plus aveugle qu'aucun de nous ne saurait l'être, il est aussi le plus lucide. Il va droit à ce qui seul compte, au fond, pour de moins aveugles que lui et il nous le désigne : comment parfaire notre aveuglement, comment assurer sa permanence et le rendre plus total encore. Il ne voit pas que l'inguérissable a déjà pris vigueur partout. Il veut retrouver l'origine et son innocence dans un monde qui ne la comporte plus. Il est *moderne* puisqu'il s'identifie à Œdipe. Mais c'est du point de vue de la cité, du point de vue des Grecs qu'il s'identifie à l'émissaire. Son aliénation radicale intériorise les Erinnyes de l'Œdipe pré-sophoclien.

Sophocle ne peut pas conclure le mythe sans exprimer, dans cette conclusion, son expérience de ce mythe, la vérité qu'il lit en lui, sa vérité. Interpréter la conclusion c'est donc se prononcer sur l'expérience de Sophocle. L'absence des Erinnyes, dans *Œdipe roi,* signifie-t-elle pour Sophocle ce qu'elle signifie pour Hölderlin ? Le fait même de la tragédie, sa cohérence structurelle, contredit cette interprétation. Le poète ne se détourne pas de l'essentiel ; il ne passe pas le meurtre du père sous silence. Ce n'est pas une dépossession, c'est la conquête d'une maîtrise qu'exprime le dénouement. Le Moi qui se reconnaît coupable, le Moi qui n'est plus opposé à l'Autre, c'est Sophocle lui-même découvrant la vérité du mythe et s'identifiant à Œdipe, mais en un sens tout autre que celui de Hölderlin.

La conclusion de Hölderlin s'ouvre à un Autre transcendant, c'est-à-dire à un Autre mensonger. La conclusion de Sophocle s'ouvre à la vérité du Moi et de l'Autre, c'est-à-dire à leur identité dans une commune non-transcendance.

Faut-il donc situer le dénouement de Sophocle du côté des savoirs modernes résolus à penser le meurtre du père et la lutte intersubjective ? En un sens, il le faut. Rien pourtant n'est plus éloigné de Sophocle que ces pensées *démystifiantes,* ennemies de tout sacré. Freud l'a compris lui qui, dans *Œdipe roi,* ne retenait rien du dénouement bien qu'il eût reconnu l'analogie structurelle avec la psychanalyse. Faut-il, pour préciser cette analogie, rejeter au second plan l'élément « religieux », le regarder comme une simple survivance ? N'y a-t-il là que les derniers harmoniques, émotifs et sentimentaux, d'une pensée qui, pour l'essentiel, est déjà dépassée ?

S'interroger sur le sacré, dans *Œdipe roi,* c'est méditer sur les oracles, sur leur signification réelle, sur leur valeur structurelle. Si la thèse proposée est la bonne, l'oracle ne fait qu'un avec la voix de l'Autre. Il n'a pas la réalité indépendante que lui attribuent les premiers épisodes du mythe. Dans ces premiers épisodes, l'Autre est seulement le messager de l'oracle, l'intermédiaire avec le sacré. A mesure que le Moi et l'Autre se rapprochent, l'oracle, lui aussi, se rapproche ; il finit par s'unir et se confondre avec le messager en la personne de Tirésias. C'est cet oracle de Tirésias qui est identique à l'Autre. Comme tous les autres aspects du mythe, l'incarnation de l'oracle est le fruit du processus mythique. Mais le sens de cette histoire de l'oracle est indéterminé. Si l'oracle et l'Autre sont réellement un, comme nous l'avons supposé, la vérité du mythe est celle de leur union ; la dissociation primitive relève d'un dédoublement analogue à ceux que nous avons déjà signalés et que le processus mythique ramène à l'unité.

Cette thèse, parallèle en apparence à toutes les analyses précédentes et qui semble découler d'elles, est au contraire inacceptable. Le geste meurtrier des premiers épisodes, analogue à la parole meurtrière des derniers, ne prolonge jamais directement l'oracle qui le précède. Ce n'est pas dans un esprit d'obéissance à l'oracle, c'est au contraire pour le déjouer que Laïos blesse son fils et qu'Œdipe tue son père. La fuite devant l'oracle subsiste, mais cachée, dans les derniers épisodes. La parole meurtrière de Tirésias n'est pas, elle non plus, fidèle à l'oracle. C'est bien pourquoi le prophète regrette de l'avoir proférée.

Tirésias n'est pas l'incarnation authentique de l'oracle. Derrière l'unité apparente du Verbe et de l'Autre un rapport négatif se dissimule. Et à cette division intérieure correspond, comme toujours, une division extérieure. Tirésias n'est pas seul à incarner l'oracle. Œdipe incarne, lui aussi, son oracle qu'il croit seul vrai et qui, niant avec violence l'oracle adverse, est en retour nié par lui. Tirésias et Œdipe incarnent chacun une « moitié » d'oracle dressée contre une autre

« moitié ». Ils sont à l'oracle originel ce qu'est à la chaste Suzanne le mensonge à la fois unique et double des deux vieillards libidineux. Le Verbe de mort hölderlinien n'est autre que cet oracle dédoublé. L'oracle originel est un, il est Verbe de vie. Laïos, Œdipe, Créon, Tirésias, mutilent cet oracle dans leurs luttes, ils le divisent, ils le corrompent, ils en font une chose morte et porteuse de mort, tel, dans le jugement de Salomon, cet enfant que la femme haineuse couperait en deux si la sagesse du vrai Roi le lui permettait.

L'oracle originel est vérité, même pour nous. Il est l'expression de la totalité, le dit authentique des relations humaines. Et c'est bien là ce qui explique son histoire. La vérité paraît toujours si redoutable que chacun veut lui échapper ; chacun s'emploie, qu'il le sache ou non, à défigurer l'oracle. L'insuffisance du messager brouille le message originel, en fait la voix de l'Autre, toujours plus négative, toujours plus menteuse. L'erreur initiale se répercute et s'aggrave avec chaque émission, entraînant la métamorphose de l'oracle en puissance destructrice. Nous autres après tant d'autres, nous déformons l'oracle œdipien, nous le déracinons quand nous voyons en lui l'intrusion d'une imagination superstitieuse, d'un « religieux » vide de sens profond.

Vrai au niveau des opérations qui se déroulent dans le mythe, vrai de notre propre rapport au mythe, le schéma précédent n'est pas moins vrai des données mythiques elles-mêmes, de l'état dans lequel celles-ci parviennent à Sophocle d'abord et ensuite à nous-mêmes. Qui sait si l'oracle œdipien n'est pas un document blessé, mutilé, défiguré ? L'oracle de Créon nous paraît d'abord exclusivement négateur et punitif quand il lie la peste à la présence dans la ville du meurtrier de Laïos mais s'il nous paraît tel c'est peut-être parce qu'il provoque une réponse négatrice chez Œdipe et c'est aussi parce que cette réponse négatrice est la plus « naturelle » devant toute expression de la totalité. Nous nous associons instinctivement à elle et nous n'exerçons plus nos facultés critiques. Chacun tend à lire une menace personnelle dans l'oracle qui lie le meurtre du père à l'apocalypse thébaine. L'oracle, pourtant, ne vise personne en particulier. La preuve en est qu'il dit exactement la même chose à tous les hommes. L'oracle originel est l'expression sommaire mais souveraine de la totalité.

Dans certaines versions de l'Œdipe, le lien entre les actions du héros et le sort de la ville n'est pas mentionné, le rapport de l'individuel et du collectif est omis. La structure est mutilée. Les dernières traces de la totalité ont disparu. Il est impossible de deviner la vérité derrière la version négatrice de l'oracle. L'oracle lui-même est donc l'objet d'une dégradation et cette dégradation est le fruit d'une histoire analogue à celle que structure le mythe.

Plus haut, nous avons fait du mythe le fruit d'une pensée qui déplace toujours sa vérité vers l'Autre. Toute pensée qui se ferme ainsi à l'Autre finit dans un délire d'exclusion et d'expulsion. Toute pensée qui n'accueille pas le *messager* originel finit dans la quête aussi terrible que vaine de l'*émissaire*. C'est la pensée qui nie et qui bannit, qui maudit, exécute et proscrit. Cette pensée, miroir figé d'une réciprocité perdue, est atroce mais naïve car au moment où elle se croit la plus forte, la plus « radicale », un souffle la fait basculer. Si nous comprenons cette pensée, nous pouvons rendre compte des déplacements, des inversions, des divisions et des fragmentations. Nous pouvons rendre compte, à la rigueur, de l'aptitude du mythe à dire la réciprocité après l'avoir niée. Mais qui rendra compte de ce qui, originairement, est déplacé, inverti, divisé, fragmenté, qui rendra compte dans le mythe dégénéré de ce qui subsiste de l'oracle et en particulier de sa merveilleuse circularité totalisante ? De même qu'en deçà de l'obstacle il faut retrouver le modèle, en deçà des instincts de mort et des oracles dédoublés il faut retrouver l'unité et la vie. La pensée de l'émissaire détourne de son sens un Logos originaire dont toutes les variantes connues du mythe sont l'échec caricatural. Le terme même d'oracle, tardif assurément, isole du profane un sacré dérisoire et témoigne d'une dégradation. En dernière instance, c'est ce Logos lui-même toujours déformé et mutilé, toujours trahi et défiguré qui nous apparaîtra comme la figure première et suprême de l'émissaire : l'agneau de Dieu. C'est de lui, en dernier ressort, qu'on veut toujours se défaire, c'est à lui qu'on veut toujours échapper.

Il ne faut pas confondre ce logos avec un religieux étroitement défini, celui qui fait l'objet du débat stérile, *pro et contra,* au stade de Tirésias. Le religieux, à ce stade, est forcément confondu avec les institutions qui dissimulent et qui modèrent la concurrence primordiale, ou plutôt qui ne parviennent plus à exercer cette fonction. Mais ces institutions, notamment le sacrifice animal, sont inséparables de ce qui les rend nécessaires, c'est-à-dire de l'ouverture du système de parenté sur la dialectique familiale, sur la relativité de tous les rôles. Ce qui limite cette ouverture est inséparable de ce qui la fonde. Penser cette totalité dialectique c'est penser le Logos, saisie insaisissable de la totalité, qui appréhende ce qu'il fonde sous tous ses aspects. La dialectique qui assure l'élargissement du système est mise en place dès le principe. Elle est présente dans le sacrifice animal ; elle ne fait qu'un avec la fermeture relative, avec ce qui voue, semble-t-il, le système à la stagnation. Le mythe et la tragédie mythique perpétuent, disions-nous, l'effet cathartique du sacrifice animal. Le passage de l'animal au héros mythique ou tragique trahit une certaine dégénérescence du « religieux ». Le sacrifice a perdu son efficacité ; les hommes ont besoin de moyens plus démesurés pour parvenir à la même fin, c'est-à-dire à la dissimulation du conflit primordial. Mais ces moyens ne font qu'un avec le déchaînement de ce conflit. La culture est en crise. Elle est appelée à s'ouvrir davantage ou à périr dans un vain effort pour se refermer.

Œdipe est l'homme de cette crise. Il ne voit plus dans le rite la panacée, la solution de tous les conflits qui ébranlent la cité. C'est lui qui substitue l'homme à l'animal dans un vain effort pour radicaliser la catharsis et arrêter le processus. Œdipe est donc bien le miroir du spectateur grec qui cherche, lui aussi, une catharsis radicalisée et qui la cherche dans la tragédie elle-même. L'art tragique remplace l'animal par le héros et le geste rituel par la parole, il est donc « humanisation » et interprétation de la fonction rituelle. C'est lui qui nous révèle, comme en un sens il la révèle aux Grecs, la signification du sacrifice animal. Il tend à répéter celui-ci au niveau d'une compréhension supérieure, donc d'une dissimulation aggravée dans la mesure où l'Autre, l'émissaire, le héros lui-même, est décrété seul responsable du conflit soudainement révélé. Si la tragédie joue effectivement le rôle qui lui est dévolu, si la parole révélatrice réussit à perpétuer le rite, il y a fermeture, cette fois, de ce qui n'était pas ouvert, certes, au stade du sacrifice animal mais n'était pas non plus expressément fermé. La vérité que les hommes ne niaient pas formellement puisqu'ils l'ignoraient encore est désormais niée dans sa révélation même ; elle est rejetée sur l'Autre. La dialectique qui conduit du sacrifice animal au mythe et à la tragédie n'est pas nouvelle pour nous : c'est, une fois de plus, le mythe qui se déroule sous nos yeux.

La fermeture cherchée n'est jamais effective. Le prêtre cherche, désormais, sa victime parmi les hommes. Mais, du fait même que cette victime est humaine, elle n'est plus neutre, elle doit être *coupable* ; le rite devient procès et plus personne ne s'entend sur le choix de l'émissaire. Le remède désespérément cherché, le remède qu'on voudrait toujours plus efficace ne fait qu'un avec le mal qui ronge la cité. Ce sont les efforts toujours contradictoires pour la surmonter qui définissent l'anarchie. Chacun, en fin de compte, veut faire de l'Autre l'émissaire dont la mort ou le bannissement sauvera la collectivité.

Antigone illustre cette dialectique. L'héroïne n'admet pas qu'on fasse jouer à l'un de ses deux frères morts le rôle d'émissaire. Créon, qui se croit « pragmatique » en choisissant cet émissaire sans passion aucune et en maintenant son choix envers et contre tous, est lui-même le jouet du cercle qu'il croit rompre. L'inguérissable a pris vigueur dans la cité. Le choix « politique » du monarque n'en relève pas moins que l'intransigeance d'Antigone. Les deux attitudes sont solidaires ; chacune révèle l'ubris de l'autre. Les efforts pour rétablir l'unité perpétuent et aggravent les dédoublements. Mais Sophocle ne descend au fond des choses que dans *Œdipe roi* où il traite de la lutte avec le père, c'est-à-dire de l'ubris originelle, premier moteur de la lutte intersubjective, désir primordial d'être soi qui se perd dans l'imitation éperdue de l'Autre, volonté première d'être l'Un d'où jaillit le premier dédoublement.

Les conséquences de la lutte primordiale constituent la matière tragique de Sophocle. Choisir les derniers épisodes du mythe comme sujet tragique, c'est traiter à nouveau cette même matière seule familière mais c'est la juxtaposer, et bientôt la rattacher, aux débris d'un discours à la fois révélateur et négateur du sens originel, restes d'une tradition corrompue par cela même dont elle a d'abord rendu compte. *Œdipe roi* n'est pas un sujet tragique comme les autres, ni pour les Grecs ni pour nous. Les données mythiques et la matière de Sophocle sont superficiellement hétérogènes mais le poète pressent leur unité profonde. Les fragments mutilés s'unifient et s'organisent au contact les uns des autres.

La tragédie est une exégèse du mythe, la plus profonde que nous possédions. L'expérience créatrice dont elle est le fruit a la forme du parcours mythique. La tragédie s'enracine dans sa propre conclusion. Elle n'est pas saisie immédiate, intuitive de son objet, saisie d'autant plus nécessairement mystifiée que les données mêmes du mythe sont brouillées, mais ressaisie, recomposition du mythe à la lumière d'une expérience analogue à celle d'Œdipe, c'est-à-dire identification à un Autre longtemps rejeté, cet Autre étant ici, de toute évidence, Œdipe lui-même, le héros tragique. C'est donc le poète, avant tout autre, qui vérifie dans sa conclusion les oracles de Laïos ou plutôt qui les revivifie. Mais cette vérification prodigieuse révèle la signification originelle de l'oracle. L'oracle vérifié n'est pas ce qu'il paraissait être ; ce n'est pas la malédiction qu'il apporte mais la bénédiction ; il n'est plus l'écho sinistre d'un destin implacable mais le signe ambigu d'une conquête salvatrice. C'est bien pourquoi tous les symboles ont changé de sens. Sophocle ne restaure pas le sens premier de l'oracle, comment le pourrait-il, mais il s'en rapproche, il le pressent, il nous en communique le parfum. Il sent bien que la parole de mort est en réalité parole de vie ; la totalité est dépassement des conflits qu'elle rend, en apparence, irrémédiables. Mais le dénouement ne se distinguera pas, pour nous, de celui qu'appelle le mythe dégénéré si nous ne percevons pas la dégénérescence de l'oracle, si nous ne connaissons que cet oracle dégénéré, l'oracle de mauvais augure. Si nous devinons, au contraire, l'oracle originaire, nous devinons aussi qu'il est lui-même deviné dans la conclusion d'*Œdipe roi* et dans *Œdipe à Colone*. Si les Erinnyes se sont enfuies c'est parce qu'elles n'ont plus de raison d'être. Une nouvelle relation à l'Autre est apparue : après s'être détournés d'Œdipe avec horreur, les gens de Colone accueillent le paria ; le sacré lui-même l'accueille. Elu et non plus maudit, élu dans sa malédiction même, Œdipe rejoint la divinité qui l'appelle.

Comprendre l'inversion des signes, l'inversion de l'oracle comme un retour au sens originel, c'est éclairer les allusions du chœur à une véritable *religion* de l'oracle et à sa décadence, jugée seule responsable des malheurs de la cité. Si l'oracle est toujours la voix de la « fatalité » comme le veulent les rationalistes, s'il est toujours identique à l'Autre négateur comme nous pouvions d'abord le supposer, comment expliquerons-nous les paroles suivantes : « *Ils ne sont plus rien, les oracles rendus à Laïos, on les méprise, Apollon n'est plus nulle part honoré avec éclat ; le culte des dieux s'en va.* »

Sophocle retrouve quelque chose de la destination première du mythe. Le mot « initiatique » définit mal celle-ci. Toute initiation implique un itinéraire déjà tracé, une voie bien marquée. Or c'est là précisément ce qui manque au poète, ce qui manque à tout lecteur du mythe. Les signes sont tous déplacés. L'itinéraire n'est pas effacé mais il a changé de sens. L'*épreuve*, dira-t-on, n'en est que plus réelle. On peut voir dans le désordre même du mythe, dans les dommages qu'il a subis, autant d'obstacles supplémentaires sur la route du nouvel « initié ».

L'idée d'initiation est à rejeter pour des raisons plus fondamentales. Ce qu'implique, en effet, l'appréhension de la totalité échappe aux catégories de la pensée religieuse antique. Il n'y a totalité que pour l'individu qui récupère cette moitié de lui-même que la pensée de l'émissaire s'efforce de lui faire perdre. Il n'y a totalité que dans *l'identification à l'émissaire*. Si la découverte du vrai, dans *Œdipe roi*, si la confession par le héros d'une culpabilité longtemps réservée à l'Autre a un tel accent c'est parce qu'elle informe cette identification. Il faut distinguer, disions-nous, cette identification de celle de Hölderlin. Elle n'est pas absorption dans l'Autre. Loin de maintenir et de radicaliser les déterminations antérieures, elle les inverse, elle réorganise la structure de fond en comble. La psychanalyse nous fournit-elle une analogie satisfaisante ? Non, car la psychanalyse, loin de vérifier les oracles, s'acharne à prouver que toutes les prétentions oraculaires sont menteuses.

Faut-il en revenir ici à Aristote ? Moins que jamais car la catharsis relève de la pensée fermée, de la pensée de l'émissaire, même si elle en adoucit les contours. Elle renforce les liens structurels des spectateurs aux dépens du seul héros. Si les sentiments tragiques sont la «terreur» et la «pitié», le héros n'est plus qu'un objet et les Erinnyes ne sont jamais très loin. L'esthétisme moderne se situe dans le prolongement de la catharsis et il ne voit jamais, lui non plus, l'inversion des signes au dénouement tragique.

L'expérience du créateur est aussi éloignée que possible de la catharsis. Elle ne respecte pas ces valeurs que la catharsis renforce, elle dévoile ce dissimulé que la catharsis protège ; elle est « du côté » de l'émissaire, extérieure à la pensée fermée, radicalement subversive. C'est à juste titre que Platon chasse le poète de sa République. Il parle en poète, en homme menacé lui-même de poésie, tandis qu'Aristote parle en spectateur et en homme de prose. Le bannissement du poète est une conséquence logique de son identification à l'émissaire. C'est le poète lui-même qui choisit de jouer ce rôle ; il est l'émissaire tout désigné de la cité « parfaite », c'est-à-dire de la cité où le religieux antérieur, devenu le civique, se nuance de reflets nettement « totalitaires », où l'absence, en d'autres termes, de la totalité devient refus toujours plus obstiné.

Sophocle est en un lieu où la sagesse antique, la sagesse de Tirésias, est appelée à périr ou à se surmonter. Même s'il les frôle, il ne tombe pas dans les abîmes de la déraison et il débouche, obscurément, sur un domaine fermé à la pensée grecque. Seuls les prophètes d'Israël pénètrent alors dans ce domaine et la dialectique de cette pénétration se déplace dans leurs œuvres, celle du second Isaïe en particulier. Les Chants du Serviteur de Yahvé rendent pleinement explicite une identification à l'émissaire que nous croyons implicite chez Sophocle. Celle-ci ne définit pas un religieux supérieur, ou un au-delà du religieux mais un rapport approfondi au religieux. Avant que son sens religieux ne se révèle, l'identification à l'émissaire passe pour le comble de l'irréligieux. Cette méprise, terrible mais nécessaire, au sujet de la victime s'ajoute aux épreuves subies ; elle finit même par devenir l'épreuve essentielle, par définir, du même coup, l'essence de la condition prophétique.

> C'étaient nos maladies qu'il supportait
> Et nos douleurs dont il était chargé.
> Et nous, nous l'estimions châtié,
> Frappé par Dieu et humilié.
> On le traitait en impie à cause de nos forfaits...
> Le châtiment qui nous rend la paix est tombé sur lui...
> Maltraité il s'humilie, il n'ouvre pas la bouche.
> Comme un agneau traîné à la boucherie,
> Comme devant les tondeurs une brebis muette.

Ce n'est pas une « réconciliation » anodine, un aimable « dépassement » et autres jeux d'esprit que nous annonce le prophète. L'identification à l'émissaire surgit dans un monde historique analogue à celui que le texte et le contexte d'*Œdipe roi* nous laissent supposer. Les contours, toutefois, sont mieux dessinés, la structure est pleinement dégagée. Dieu n'agrée plus les sacrifices. Les traditions tombent en ruine. Les hiérarchies s'effondrent, aucune autorité légitime ne subsiste. Mais tout est douleur de l'enfantement. L'idolâtrie, la défaite et l'exil, la destruction même de la cité sainte, annoncent une nouvelle relation à Dieu conçu désormais comme le père, unique et seul vrai. Rien ne distingue cette nouvelle relation à Dieu d'une nouvelle relation à l'Autre, éprouvé non plus comme immanent ou transcendant, esclave ou maître, émissaire ou sacrificateur mais comme le prochain *proximus*.

L'au-delà du nihilisme, à peine suggéré chez Sophocle, nous est constamment désigné comme le but même de l'histoire. Synchronie et diachronie sont toujours perçues en fonction l'une de l'autre, saisies dialectiquement. Au sein d'une totalité toujours en mouvement, le processus niveleur que nous avons dégagé du mythe est de nouveau présent. Et lui non plus n'est pas implicite cette fois mais explicite. Sa présence et sa valeur structurelle, fonctionnelle, sont formellement reconnues en des termes exclusivement métaphoriques sans doute mais d'une extraordinaire puissance évocatrice. Pour que Dieu puisse se révéler, il faut que s'accomplisse le règne de la discorde, de l'injustice et de la vanité. C'est un appel inentendu qui engendre l'universelle platitude, la fascinante identité, la désertique géométrie des doubles et, parce qu'il est inentendu, cet appel se fait toujours plus pressant, toujours plus épuisant, appel à la seule *identification* qui importe, l'identification à l'émissaire.

« *Une voix crie : Préparez dans le désert une route pour Yahvé ; tracez pour notre Dieu un chemin rectiligne. Que toute vallée soit comblée, toute montagne et colline abaissée, que tout précipice soit rempli et tout escarpement rasé. Que toute aspérité s'efface. Alors, la gloire de Yahvé se révélera et toute chair pourra la voir.* »

Deux types de pensée dans le monde moderne concluent ou paraissent conclure le mythe, pensée oraculaire dont Hölderlin est l'expression suprême, pensées anti-oraculaires telles que la psychanalyse. Le premier type embrasse, le second rejette l'oracle *tel que son histoire nous le livre*. C'est dire que dans les deux cas cette histoire est méconnue. Si la vérité entière de la structure était présente, le rapport à l'oracle originel serait perçu, ou tout au moins pressenti. Si le mythe, d'autre part, est un microcosme et un miroir de notre propre situation, cette perte de l'oracle est significative, elle est promesse d'une redécouverte. La pensée anti-oraculaire, toujours plus lucide, toujours plus aveugle, se rapproche sans cesse de la totalité mais celle-ci lui échappe encore. Elle ne peut pas ne pas s'ériger elle-même en oracle ; elle est l'autre « moitié » de la pensée oraculaire qu'elle combat. Elle revêt l'évidence d'Œdipe face à Tirésias ou l'évidence de

Tirésias face à Œdipe. Et c'est bien dans un nouveau nihilisme, dans une nouvelle inversion et une extrême dispersion des valeurs que toute pensée moderne s'enracine. Il faut replacer le nihilisme contemporain au sein d'une histoire de « l'oracle ». Heidegger l'a vu et c'est là, sans nul doute, ce qui distingue sa pensée de toute pensée contemporaine. Exclure, toutefois, de cette méditation l'apport judéo-chrétien c'est éliminer peut-être, le plus fondateur, « l'oracle » spécifique du monde occidental, extérieur en un sens au processus qu'il amorce, greffé littéralement sur le corps gréco-occidental mais, en première et dernière instance, toujours déterminant. Si révélatrice qu'elle soit, la pensée grecque n'est pas ici la plus explicite, elle n'est assurément pas seule essentielle. Ceux qui croient, de nos jours, penser l'oracle ne seraient-ils plus, comme toujours, pensés par lui ? Nous qui hantons les rivages du « dieu occidental », ne ressemblons-nous pas à ce *criminel inconnu,* à cet Œdipe une dernière fois, dont le chœur croit imaginer la fuite alors que tout se passe en vérité sous ses yeux.

« *Malheureux, sa course malheureuse l'isole des hommes. Il cherche à échapper aux oracles partis du centre du monde mais eux, éternellement vivants, voltigent autour de lui.* »

DISCUSSION

Goldmann

En écoutant Girard, je me suis rendu compte que j'avais eu raison de voir en lui un essayiste. J'entends ceci dans le sens très rigoureux qu'a défini Lukàcs : est essayiste celui qui pose une série de problèmes philosophiques importants et urgents et qui les développe sur le plan conceptuel mais sans utiliser le langage dogmatique d'un traité de philosophie, à l'occasion de tel ou tel événement concret, d'un fait de civilisation et le plus souvent d'un ouvrage littéraire.

En développant ses positions sur le nihilisme contemporain, le désir métaphysique et la transcendance, Girard a analysé la forme romanesque et a dégagé toute une série d'éléments qui nous ont permis, par la suite, de mettre en relation son analyse avec celle des structures sociales de la société moderne. J'ai fait une réserve assez importante sur un point : Girard, qui a une orientation chrétienne, prétend que le romancier quitte le monde de la dégradation au moment où il écrit, et retrouve la « transcendance verticale », ce qui explique, selon lui, la conversion finale des héros à cette transcendance dans les grands romans. En fait, si ceci était vrai, l'auteur n'aurait plus à raconter la recherche, le dépassement de la dégradation rendant vaine et anecdotique l'histoire de celle-ci.

Aujourd'hui Girard aborde le texte d'Œdipe en adoptant la perspective selon laquelle il avait étudié le roman. Cela pose un problème. Il me semble rentable, en effet, d'interpréter le roman quand on fait une réflexion sur la société moderne : le roman est une œuvre moderne dans laquelle les problèmes étudiés par Girard sont réellement posés et cela a donné lieu à des analyses vraiment remarquables. Mais lorsque cette même problématique est posée à propos d'Œdipe, je me demande, moi qui ne suis pas essayiste mais simplement historien de la littérature, si le résultat est tout aussi riche. Girard a souligné plusieurs fois que sa perspective n'est pas dans Œdipe, que les Grecs ne pouvaient l'y reconnaître, mais qu'il y avait un sens, une évolution à l'intérieur du texte qui pourrait déboucher un jour sur le christianisme qui n'y est pas. Mes souvenirs d'Œdipe ne sont pas tout à fait actuels, mais je me demande pourtant si on ne pourrait pas mieux rendre compte de la signification de la tragédie grecque avec une perspective opposée et se rapprocher davantage du monde de l'œuvre.

Il y a un autre problème que je voudrais simplement signaler et qui se situe dans le contexte de la communication d'Eco. Girard s'est servi de l'Œdipe qu'il reprend à la psychanalyse. A partir de cette notion, celle-ci offrait une interprétation très différente de celle qu'il propose. Je voudrais que Girard précise dans quelle mesure il utilise l'Œdipe psychanalytique, dans quelle mesure il l'a transformé. Dans le mythe d'Œdipe, il y a tout de même une problématique de la création du surmoi et de la hiérarchie ; le père interdit la satisfaction libidinale et transmet des valeurs. Chez Girard, la notion de concurrence, de conquête du pouvoir, me paraissent avoir une origine beaucoup moins libidinale. Œdipe se rencontre lui-même dans Laïos, dans Créon et même dans Tirésias. J'ai peur qu'il y ait là sous le vocable d'Œdipe, une notion fondamentalement différente de celle de la hiérarchie et de la répression au niveau du désir libidinal.

GIRARD

Dans ma conclusion, je ne propose pas la découverte de la transcendance mais celle de la non-transcendance de l'Autre. Le christianisme intervient-il ici ? Qu'est le christianisme et peut-on considérer qu'il propose une transcendance au sens où les anciennes religions le faisaient ? Le problème de la relation du christianisme avec les religions païennes se pose.

On a dit que ma lecture était heideggerienne ; il me semble qu'elle est aussi anti-heideggerienne que possible, puisque je vais de la transcendance de l'oracle à la conclusion de Hölderlin. Or le sacré heideggerien, c'est le sacré de l'oracle, qui va vers la folie. Il s'agit d'un malentendu radical, si on comprend mon interprétation comme heideggerienne. La découverte du prochain est celle de la non-transcendance de l'Autre ; je n'ai parlé que du passage de la fausse transcendance à la non-transcendance. Par conséquent, vous pourriez interpréter tout ce que j'ai dit en termes de raison dialectique.

Ma lecture est-elle différente de celle de Freud ? J'attache au mot concurrence, à la rencontre d'Œdipe et de Laïos, une importance considérable. La question de la relation entre désir et besoin se pose là. Je ne sais pas dans quelle mesure cette notion, telle qu'elle est dans le mythe, implique et le désir et le besoin. Il y a de grands rapports, me semble-t-il, entre le mythe œdipien et la *Critique de la Raison dialectique*. A partir de la notion de rareté, Sartre élabore une dialectique qui est celle du mythe mais qui n'est pas reconnue comme telle parce qu'elle se déroule tout entière au niveau du besoin.

Pour la question du nihilisme, il me semble que je m'appuie sur des phrases de la tragédie d'*Œdipe roi* qui sont absolument essentielles. Œdipe parlant au chœur dit : « Ce pays périt dans la stérilité et l'abandon divin » et le chœur dit : « Ils ne sont plus rien, les oracles rendus à Laïos. » Il y a d'autre part cette phrase extraordinaire qui décrit le mélange de toutes les parentés, la subversion totale des valeurs. L'interprétation par le nihilisme rassemble des éléments structurels qui restent épars dans les lectures positivistes.

GOLDMANN

Il est évident que vous n'avez pas formulé explicitement le problème de la transcendance chrétienne. Lorsque vous dites que la pièce se termine dans le nihilisme, n'introduisez-vous pas une perspective moderne ?

GIRARD

Je dis que la pièce se termine dans la découverte de la non-transcendance, mais que Sophocle est avant le partage. Certains éléments vont dans le sens de l'interprétation de Hölderlin, c'est-à-dire dans le sens de la folie ; d'autres vont vers l'intersubjectivité radicale. Sophocle pénètre dans un terrain qui n'est plus celui du monde antique. Mais nous seuls aujourd'hui sommes capables de départager ces deux interprétations et c'est précisément parce que Hölderlin interprète la conclusion d'*Œdipe roi* dans le sens de la folie, que nous pouvons l'interpréter dans celui de l'intersubjectivité radicale. Sophocle lui-même ne le pouvait pas ; et c'est alors le délire dyonisiaque du poète, qui contient à la fois le pire et le meilleur, qui n'est pas vraiment interprétable au niveau sophocléen lui-même.

Goldmann

Etes-vous bien sûr qu'on ne pourrait pas étudier Œdipe en Grèce et l'interpréter au niveau des valeurs de la société grecque ?

Girard

Je crois qu'il s'agit précisément de retrouver l'idée de représentation tragique qui est distanciation à l'égard du spectateur.

Leenhardt

Vous nous avez présenté les rapports d'Œdipe et de Tirésias comme des rapports de réciprocité que vous avez opposés à une vision manichéenne. Je voudrais reprendre cette vision en suggérant que, s'il y a réciprocité, on peut aussi lire dans les deux déchiffreurs que sont Œdipe et Tirésias, deux personnages extrêmement différents en ceci qu'ils déchiffrent chacun un message essentiellement différent. L'un est un déchiffreur d'énigmes, l'autre un déchiffreur d'oracles. Si je prends la définition que Lévi-Strauss donne de l'énigme, à savoir une parole dont on suppose qu'elle n'a pas de réponse, et si je définis l'oracle comme une parole à laquelle on sait déjà qu'il y a une réponse, je crois qu'on doit pouvoir opposer Tirésias et Œdipe. Je cite d'autres éléments à l'appui de cette thèse : la résolution de l'énigme qui a conduit Œdipe à la royauté de Thèbes, lui a ouvert les portes de cette ville mais lui a en même temps ouvert son avenir qui est la non-lecture de l'oracle, et qui constitue donc pour lui l'aveuglement. Il faut se rappeler aussi que Tirésias est le serviteur d'Apollon ce qui n'est pas du tout le cas d'Œdipe.

Girard

Vous avez parfaitement raison car la réciprocité d'Œdipe et de Tirésias est le terme d'une dialectique que je n'ai pas pu développer. J'ai dit qu'Œdipe est le réaliste, le positiviste ; il ne croit pas aux oracles, il se targue du fait que sa réussite est tout entière due au déchiffrement d'une énigme, celle de l'homme en général, et lorsqu'il est acculé à la problématique de l'altérité, comme les positivistes, il voit toujours dans l'autre une mauvaise volonté, un refus de voir le fait, l'objet lui-même. Tirésias, au contraire, est l'idéaliste ; il croit à la transcendance absolue des oracles et, mieux même, il croit l'incarner à lui tout seul, il la durcit, il en fait une chose, il l'assène comme une massue, sur la tête des autres. C'est la différence absolue et l'identité parfaite de l'idéalisme et du réalisme, d'un certain matérialisme qui devient idéalisme absolu dans la pensée scientifique, de l'identité secrète du naturalisme et du symbolisme, à un certain niveau en littérature. Je suis prêt à vous dire que cette réciprocité doit être longuement déchiffrée. Mais je dirai aussi que dans aucun des deux cas il n'y a de rapport véritable avec l'autre et le réel : Tirésias se drape dans la transcendance et Œdipe se fige dans une attitude d'objectivité absolue.

Leenhardt

Le problème que vous soulevez est d'établir la nature des connaissances.

Girard

D'accord. Mais là, je reconnais très bien que je ne parle plus seulement d'*Œdipe roi,* dans la mesure où j'essaie d'interpréter le mythe à travers Sophocle qui ne parvient pas à incarner totalement la réciprocité et qui défend le point de vue de l'idéalisme, de même que Voltaire récrivant *Œdipe roi* défendra le point de vue du réalisme. L'interprétation étant la somme des interprétations qui s'annulent faute de pouvoir s'additionner, nous arrivons forcément à la réciprocité Tirésias-Œdipe.

Goldmann

Vous dites bien que l'idée de réciprocité n'est pas dans Sophocle mais dans le mythe.

Girard

Je dirais qu'elle est dans Sophocle jusqu'à un certain point. Il me semble que la phrase que j'ai citée : « C'est toi qui m'as appris la vérité car tu m'as forcé à parler contre ma volonté », va complètement dans le sens de mon interprétation. Nous n'avons pas qu'un épisode, nous en avons d'autres et la symétrie est irrésistiblement appelée par le fait qu'on va toujours vers plus de symétrie. C'est une question d'évidence structurelle. Au niveau du mythe, elle est telle qu'elle nous permet de dépasser l'écrivain pour atteindre l'idée du mythe comme réciprocité absolue. C'est une position qui est peut-être heideggerienne dans certains aspects.

Rosolato

Ce qui m'a particulièrement séduit dans les thèses de M. Girard, c'est qu'il a démontré la réciprocité que représente l'attitude-duelle, c'est-à-dire l'affrontement d'un individu avec un autre de telle manière qu'il lui prête ses propres pensées, ce que l'on peut appeler également la projection. Cette attitude est propre à la première partie d'*Œdipe roi,* celle qu'Hölderlin distingue de la deuxième : elle va jusqu'à l'extrême limite de l'oracle de Tirésias et aboutit au revirement qui intervient lorsque Œdipe se crève les yeux ; elle correspond à une sorte d'ignorance du complexe d'Œdipe par Œdipe. Nous avons là une situation-

duelle comparable à une situation psychotique. Dans le récit du psychotique, nous constatons qu'il veut réellement coucher avec sa mère et tuer son père. Dans la deuxième partie, au contraire, quand intervient le revirement, Œdipe sait exactement ce qui se passe, l'inconscient se situe par rapport au père mort, Laïos, qui est parfaitement reconnu. Cette différence est extrêmement importante.

Vous avez parlé aussi de la passion que met Œdipe à résoudre les énigmes, de cette passion qui est une foi selon le jugement de Kierkegaard sur Abraham et Isaac, et qui va pousser le héros jusqu'à résoudre son problème, jusqu'à dépasser dans l'aveuglement volontaire, cette période-duelle pour passer dans une période à trois termes, où nous verrons d'un côté le père mort, et de l'autre la lignée. L'autre à ce moment-là, est situé dans la dimension inconsciente qui s'exprime dans le langage, dans la parole même du sujet.

Girard

Je n'ai pas grand-chose à répondre car la réflexion sur la conclusion étant très techniquement psychanalytique, elle dépasse pour moi la lecture des textes. A mon avis cette conclusion est une exaltation qui ne se connaît pas, et qui est incapable de se déchiffrer elle-même. Dans *Œdipe roi,* je reconnais qu'il y a des éléments parfaitement incohérents qui permettent toutes les interprétations modernes ; ainsi, vous l'avez dit, Œdipe déclare qu'il n'est pas responsable, ensuite qu'il est impur, puis qu'il est coupable, puis sauvé, etc. Le fait qu'il y ait inversion des signes est évident à mon avis en cela même que Sophocle a voulu écrire *Œdipe roi,* tragédie unique dans la mesure où elle n'offre pas de tragique mais seulement l'assomption infernale d'Œdipe.

Ce qui est radicalement anti-freudien dans ma lecture est le fait que j'inverse l'instinct de mort dans la dialectique du modèle et de l'obstacle. L'instinct d'être vient en premier ; il y a d'abord modèle et ensuite obstacle. Mais à partir du moment où le sujet rencontre l'obstacle, il croit derrière l'obstacle retrouver l'être et l'obstacle le plus terrible deviendra peu à peu, à mon avis, ce que Freud appelle l'instinct de mort. Au départ je refuse le dualisme freudien d'instinct de mort et de principe de plaisir. Je ne dirai même pas que je le refuse puisque je ne prends pas position par rapport à Freud. Mais il me semble que le mythe ne pose rien de tel et n'exige pas ce dualisme pour être interprété.

Byelin

Je ne ferai pas une critique de la critique, je ferai plutôt une critique de la méthode. Car je ne crois pas qu'il soit sage d'identifier une critique artistique avec une méthode ; une méthode est nécessaire comme point de départ et point d'arrivée, mais entre ces deux moments, il y a toute une série de contacts que le critique d'art doit prendre avec l'œuvre et qui ne peuvent se réduire à l'usage d'une seule méthode. Ceci dit, je passe aux questions que je voudrais poser.

Freud explique que l'armoire vue en rêve est le symbole du pénis. Si quelqu'un rêve d'un pénis, serait-il possible qu'il s'agisse d'une armoire refoulée dans le subconscient ? Nous avons aujourd'hui une culture où la sexualité s'exprime assez ouvertement. Peut-on dans ce cas employer les mêmes méthodes quand on critique Sophocle ou Molière et la culture contemporaine. Il me semble que nous vivons dans une situation où il existe une conscience de la psychanalyse ; nous avons la conscience de l'inconscient. La psychanalyse de la culture doit par conséquent envisager le fait qu'il y a aujourd'hui une culture de la psychanalyse.

Comment saisir l'unique dans une œuvre d'art, si on emploie d'une façon rigoureuse la méthode psychanalytique ? Il faut selon celle-ci réduire l'œuvre aux trois thèmes principaux dont a parlé M. Green. Si l'Œdipe, le père et la libido ne sont pas envisagés, la psychanalyse n'est pas psychanalyse.

Faut-il identifier l'œuvre d'art avec l'auteur ? Dans la perspective psychanalytique, cette identification est à la base de toute la méthode. Or je doute fort que, dans toute l'histoire de l'art, on puisse toujours identifier l'œuvre avec l'auteur, voir dans l'une un reflet sublimé de la biographie de l'autre. L'histoire des œuvres n'est pas celle des artistes ; entre elles il y a toute l'histoire de la culture.

Enfin il y a deux manières de comprendre la sociologie de l'art. L'une, la plus courante, consiste à considérer la sociologie comme l'étude du conditionnement de l'œuvre et de sa fonction sociale dans une société donnée. Il en est une autre qui n'érige pas l'œuvre d'art et la société en deux êtres ontologiques, en deux hypostases opposées mais qui les intègre dans une structure. Il me semble ainsi que même le problème des plaisirs pourrait être interprété sociologiquement : le plaisir, si l'on fait abstraction de son côté purement physiologique, est surtout fonction du rôle qu'il joue dans une société délimitée.

Je termine en évoquant une idée de M. Adorno qui m'a paru importante et féconde : si les sociologues doivent bien connaître la psychanalyse, il serait bien aussi que la réciproque existe.

Moraze

On pénètre une œuvre d'art par le sentiment esthétique essentiellement, et il est certain que toute connaissance qu'on apporte, d'où qu'elle vienne, est un moyen d'accroître le plaisir qu'on éprouve en face de l'art. Je voudrais pourtant adopter un point de vue entièrement positif qui ne fasse appel à aucune notion si elle n'est susceptible de vérification expérimentale.

L'avantage de la psychanalyse est qu'elle place dans le domaine de ce qui peut s'expérimenter un certain nombre de données historiques ; elle fournit donc aux historiens un moyen de rattacher leur propre matériau, qui échappe essentiellement au renouvellement de l'expérience, à quelque chose qui relève d'une science. Mais il n'en reste pas moins que cette alliance entre les faits de l'histoire et ceux de la psychanalyse, par conséquent entre ceux de l'histoire et ceux de la sociologie, est ambiguë.

En effet, nous parlons du complexe d'Œdipe. Or la question se pose de savoir comment il agit aujourd'hui, mais quand nous nous référons, pour expliquer une œuvre d'art, à Œdipe, nous référons une œuvre d'art à une autre œuvre d'art, si bien qu'en se plaçant dans cette chaîne de causalité historique, la question doit se poser de savoir comment cet Œdipe est né. Le problème que posent les psychanalystes est celui du conflit entre les données sociales et des données expérimentées par l'individu quand celui-ci vivait au sein de sociétés qui ne sont pas du tout aussi structurées que les nôtres. Or ce moment où l'on peut parler avec certitude d'un Œdipe qui a pris forme, moment qui nous apparaît dans la perspective d'une très lointaine histoire, se place en réalité à l'achèvement d'une histoire extrêmement ancienne. Œdipe, c'est hier, c'est nous-même. Pour qu'il apparaisse, il faut qu'il y ait un conflit et rien ne nous dit que l'homme néanderthalien ou mésopotamien l'ait connu ; nous avons toutes sortes de raisons de penser que c'est le contraire qui est vrai, que le problème des relations parentales ne se posait pas du tout comme de nos jours. Les tribus sauvages que nous connaissons, où les relations de parenté s'imposent de manière tellement impérative qu'on a pu dire que l'inceste constituait la société, ont déjà derrière elles une épaisseur d'histoire égale à la nôtre et ne peuvent nous donner par conséquent l'image de la société qui a créé le complexe d'Œdipe. Au moment où intervient le complexe d'Œdipe, il a dû se passer quelque grand retournement auquel auraient échappé un certain nombre de populations, à savoir celles qui ont gardé dans leur religion une place énorme au mythe sexuel non refoulé, où le complexe d'Œdipe ne doit pas jouer ou du moins pas de manière identique.

Il existe donc un ordre de la parenté qui s'oppose à un ordre de la libre nature ; puis un ordre supérieur à celui de la parenté se dessine quand le père devient patron et roi, c'est-à-dire au moment où les familles ne vivent plus seulement à l'intérieur du respect de la famille mais doivent vivre à l'intérieur d'un système beaucoup plus complexe, dans une structure de cité ou d'empire. Aujourd'hui nous ne sommes plus sensibles à des interdits qui frappent encore des sociétés liées à l'interdit de la parenté. Ceux-ci répondent à des structures profondément logiques ; il y a là un système stable de corrélations telles que lorsqu'on change un élément un autre se trouve automatiquement changé. Il ne faut donc pas trouver l'origine de l'inceste dans je ne sais quelle source biologique quand il s'agit de l'expression la plus directe, la plus manifeste d'une nécessité logique. Dans nos sociétés nous ne faisons plus jouer les interdits qui permettraient de repérer dans l'espace les rapports oncle/neveu, père/fils et sœur/frère, avec la même rigueur, parce qu'il y a d'autres obligations qui, en s'exprimant, ont donné naissance au système scientifique.

A chaque époque du développement, nous voyons donc à quel point d'une part le système social traduit directement un besoin d'expression logique, et d'autre part, l'expression logique, lorsqu'elle a fini par trouver sa forme expressive, n'est possible que parce qu'un système social a préalablement existé. Avant qu'un système passe de l'état entièrement latent à l'état entièrement explicité, il s'exprime sous cette forme ambiguë qu'est l'expression tragique, épique ou poétique. Là se place l'œuvre d'art, dans un grand enchaînement où la société est une étape indispensable. Rien n'intervient, en effet, dans l'individu qui ne se soit d'abord manifesté dans la société à l'état latent, rien ne s'exprime en langage opératoire qui ne se soit exprimé de façon systématique dans les systèmes corrélatifs sociaux. Mais, d'autre part, rien ne se manifeste non plus dans la société hors de l'expression d'ordre sentimental, d'ordre opératoire ou significatif ; rien n'y existe non plus qui n'ait pu être conçu par le système intellectuel, en définitive par le cerveau lui-même. Vous me permettrez de vous dire que la méthode des sociologues et celle des psychanalystes nous sont extrêmement utiles et nécessaires ; dans une perspective historique, nous ne pouvons nous passer ni de l'étude des corrélations entre ce qui se passe dans une émotivité et dans un cerveau, ni de l'étude de ce qui s'est accompli dans une société pour qu'une forme sociale significative, un langage opératoire finissent par demeurer dans le patrimoine culturel de l'humanité.

POUR UNE COOPERATION ENTRE LA PSYCHANALYSE ET LA SOCIOLOGIE DANS L'ELABORATION D'UNE THEORIE DES « VISIONS DU MONDE »

par Roger BASTIDE

Le passage du marxisme de la critique des idéologies à l'étude des œuvres culturelles et de leur création par les classes sociales — le passage du freudisme de la descente dans les abîmes du *ça* à l'analyse du *Moi* et de ses mécanismes de défense — sont deux mouvements parallèles qui se sont produits au cours de ces deux dernières décennies ; et bien qu'ils aient été indépendants, qu'ils n'aient jamais interféré l'un sur l'autre, à cause du vieil interdit que le marxisme sous sa forme institutionnalisée de Parti Communiste avait jeté sur la psychanalyse bourgeoise, ce parallélisme de développement pose un problème. Nous ne l'aborderons ici que partiellement en centrant notre intérêt sur le concept de « Vision du monde » que nous allons essayer de cerner d'abord à travers la double perspective du marxisme et de la psychanalyse.

L'importance de la vision du monde dans le comportement des individus ou des groupes m'apparaît comme une contribution de la sociologie allemande de la compréhension, celle qui va de Dilthey à Max Weber, en opposition au marxisme, dans la mesure où celui-ci continuait l'économie politique fondée sur l'utilitarisme. Non que la sociologie de la compréhension rejette le rôle des intérêts dans la conduite humaine, mais ce sont les « images du monde » suscitées par les idées qui déterminent les voies sur lesquelles la dynamique des intérêts a fait avancer le comportement humain. Au fond, en développant cette thèse, Max Weber était peut-être plus près du marxisme véritable qu'on ne l'a cru ; car, Engels avait bien déjà, dans son analyse du millénarisme paysan, montré que la guerre de Münzer était déterminée par les classes exploitées, mais que c'était la vision du monde du christianisme qui avait orienté la dynamique des intérêts vers une solution messianique au lieu de politique. Il restait encore au marxisme à montrer que cette vision du monde elle-même dépendait de l'infrastructure au même titre que les idéologies. Bref à réduire l'aporie de Marx ou son hésitation devant la vision esthétique du monde de la Grèce antique.

Cette hésitation était compréhensible. Marx a vécu au moment où le prolétariat commence à organiser sa lutte contre la bourgeoisie ; c'est une période de tension, de crises violentes où la dramaticité des passions permettait de se rendre compte des « distorsions » beaucoup plus que des « créations » culturelles, du pathologique (déformation des visions du monde) plus que du normal (élaboration des visions du monde par l'action solidaire des hommes à partir des structures où s'encadre cette action). Il ne nous appartient pas de suivre l'évolution qui va de l'accord donné à la distorsion à l'accent donné à la création, au fur et à mesure que la lutte des classes perd son caractère d'agressivité incontrôlée pour s'institutionnaliser (sous la forme du syndicalisme révolutionnaire d'abord, puis avec la formation d'Etats socialistes). Il nous suffira d'indiquer l'étape finale.

M. Lucien Goldmann me permettra ici de le citer : « Dans la société actuelle, depuis l'antiquité tout au moins, la nature de cet ensemble de relations entre les individus et le reste de la réalité sociale est telle qu'il se constitue continuellement une certaine structure psychique, commune, dans une très grande mesure, aux individus qui forment une seule et même classe sociale, structure psychique qui tend vers une certaine perspective cohérente, un certain maximum de connaissance de soi et de l'univers, mais qui implique aussi des limites, plus ou moins rigoureuses dans la connaissance et la compréhension de soi-même, du monde social et de l'univers. En termes généraux et statistiques, cela signifie que les classes sociales constituent l'infrastructure des visions du monde et tendent à leur expression cohérente dans les divers domaines de la vie et de l'esprit » (*Sciences Humaines et Philosophie*, P.U.F., 1952). Bien entendu il faudrait ajouter à cette affirmation de base, pour en préciser la portée, l'idée des structures s'emboîtant les unes dans les autres, que M. Goldmann a développée par la suite et qui nous conduit à penser que les visions du monde sont bien les expressions cohérentes des classes sociales, mais dans leurs réactions particulières au sein de la société globale. La vision tragique de Pascal n'est pas celle de la noblesse de robe au XVIIe siècle *en soi,* mais de la noblesse de robe dans une certaine structure historique, économique et sociale, qui l'englobe.

Nous croyons qu'on peut encore aller plus loin et puisque c'est un ethnologue qui parle, englober les résultats de l'ethnologie dans ce schéma marxiste d'explication et de compréhension. Le marxisme est une réflexion sur l'histoire, particulièrement sur l'histoire occidentale, et en partie asiatique. Engels a bien compris qu'il était nécessaire de la confronter avec l'ethnologie qui, à la même époque, prenait enfin avec Morgan une forme scientifique. Or ce qui résultait de cette confrontation, c'était bien que les formes de production s'avéraient le facteur dominant ; d'une façon plus générale, que les civilisations primitives étaient aussi le fruit de la praxis humaine ; mais à cette étape de l'évolution, il fallait substituer la lutte de l'homme contre la nature à la lutte des classes pour le pouvoir. Dans cette perspective, d'autres savants ont travaillé ; mais comme le marxisme était alors plus une théorie des idéologies qu'une théorie des visions du monde, ce qui a dominé, c'est la réduction des mythologies (seules prises en considération parmi toutes les œuvres culturelles) à des idéologies. On en trouvera une bonne illustration dans *L'Epistémologie génétique* de Piaget. Il reste donc à passer des mythologies aux visions du monde. L'ethnologie contemporaine, par exemple avec Leroi-Gourhan, aboutit à trois conclusions qui sont très proches des intuitions de Engels :

1) la vision cyclique des primitifs est liée au retour des produits alimentaires, apparition saisonnière de tel gibier, de tel banc de poissons, comme le saumon, ou de telles graines comestibles ;

2) la sédentarisation et l'agriculture rudimentaire ont transformé l'image du monde ; alors que chez les chasseurs-cueilleurs nous avons des images de trajets, trajets des astres ou des héros organisateurs, chez les premiers agriculteurs nous avons des images de cercles concentriques, à partir d'un centre du monde jusqu'à la brousse mystérieuse qui trace la frontière entre le sacré et l'humain ;

3) tant que ce type de production a dominé, et malgré les changements des structures sociales, c'est-à-dire du néolithique jusqu'à l'apparition d'une civilisation industrielle, cette seconde image du monde n'a pas changé. Nous avons donc une possibilité d'élargir la pensée de M. Goldmann, car il s'agit bien, pour un petit groupe au lieu d'une classe, — un petit groupe qui constitue à lui seul toute la société ; au lieu d'une classe, qui est partie d'une vaste société — d'un « maximum de conscience » du groupe par rapport à son mode de production, « maximum de conscience » qui prend la forme d'une image cohérente du monde, enfin image qui est l'œuvre de certains individus (comme le montre bien l'œuvre de Griaule), individus qui « expriment » cependant moins leur pensée propre que l'ensemble des relations des hommes entre eux et avec la nature.

Nous nous arrêterons là pour la sociologie (et l'ethno-sociologie) des visions du monde. Nous aurons à y revenir, pour voir si elle ne présente pas des « problèmes » et comment il faudrait procéder pour les résoudre. Et nous passons tout de suite à l'autre chemin, celui de la psychanalyse, qui débouche également sur une explication des visions du monde.

La psychanalyse est partie de l'individu. Mais très vite, elle s'est élargie pour devenir aussi une théorie des œuvres collectives, la découverte dans le domaine « privé », celui des rêves nocturnes, d'un symbolisme qui se retrouvait, identique, dans les mythologies archaïques ayant amené les premiers psychanalystes, et Freud lui-même, à aborder le domaine des créations culturelles. Cependant, cette première sociologie psychanalytique est restée (ce qui se comprend aisément, puisque c'était la conséquence de la logique même de sa méthode) analytique, recherche des racines libidineuses de telle ou telle institution, religieuse, politique ou économique. Ce n'est que plus tardivement que cette première étape a pu être dépassée, en particulier avec Gyza Roheim, pour aborder la vision du monde proprement dite. Chaque vision du monde représenterait un arrêt, à un certain stade du développement de l'humanité, qui suit la même loi que le développement de l'individu ; la vision chtonienne du monde au stade de la libido maternelle, la vision ouranienne du monde au stade de la libido paternelle, la vision orientale du monde, celle de la culture de l'Inde, au moment où l'impulsion vitale se tourne du monde extérieur vers le moi. Des comparaisons plus précises montrent que la civilisation australienne, par exemple, a un soubassement oral tandis que les civilisations de l'Inde auraient un soubassement anal.

On en reste pourtant encore à une exploration de l'inconscient collectif. Alors que la science procède par réduction de l'inconnu au connu, la psychanalyse réduisait le connu à de l'inconnu (puisque, par définition, l'inconscient ne peut jamais devenir conscient). De là l'arbitraire et les contradictions de ses diverses explications. La psychanalyse contemporaine a donc changé le domaine de ses investigations ; elle est passée du *ça* au *moi* et à ses mécanismes de défense. Kardiner tend à séparer le monde des institutions primaires, qui sont créatrices de frustration, de celui des institutions secondaires (où nous mettrions la vision du monde) qui sont des réponses destinées à faire disparaître les tensions et à se défendre contre elles. On sait que Gorer explique la vision cyclique du monde des Russes, avec son alternance de spiritualité et d'orgie, par l'emmaillotement de l'enfant, qui paralyse jusqu'à ses accès de rage. Mais comme on le voit, s'il y a un effort pour découvrir une vision collective du monde chez Kardiner, en utilisant la religion et le folklore qui sont un bien commun à tout un peuple — chez Gorer, en faisant l'analyse du contenu symbolique des livres, des tableaux, des ouvrages philosophiques, des pièces de théâtre et des films, il n'en reste pas moins que le collectif se ramène en dernière analyse à de l'individuel et qu'il faut passer, pour comprendre, obligatoirement, par l'intermédiaire des structures de la personnalité.

Les deux courants, dont nous devons dans cet exposé nous demander s'ils ne pourraient pas coopérer au lieu de s'opposer, se trouvent donc en fait radicalement différents, l'un est sociologique, l'autre psychologique. Le premier part de l'action, et de l'action historique, le second de l'affectivité, et de l'affectivité individuelle. Il n'y a d'histoire explicative que de l'individu. Le premier cherche les homologies entre les structures des visions ou expressions mentales et les structures des classes sociales. Le second entre les fonctions des systèmes du monde et les tensions des systèmes éducatifs. Le premier part des relations inter-individuelles dans leurs réalités concrètes, dont la vision du monde sera l'expression. Le second découvre le général dans une abstraction, c'est-à-dire en s'éloignant du concret, pour rechercher une personnalité basique. Le premier enfin voit dans les œuvres culturelles avant tout une création, à partir des classes sociales. Le second, à la limite, une espèce de rêve compensatoire. On ne peut imaginer plus radicale opposition. Avant d'essayer de coudre la robe déchirée de la science, il nous fallait d'abord, croyons-nous, le constater.

***

Nous arrivons, après cette trop longue, mais indispensable introduction, au sujet que nous vous avons proposé : quelle peut être la contribution de la psychanalyse à une théorie sociologique des visions du monde. Nous comptons le traiter dans la perspective qui a été la nôtre dans un livre déjà ancien, *Sociologie et Psychanalyse,* à savoir que la psychanalyse est incapable de nous donner une explication des faits sociaux, mais que cette incapacité ne l'empêche pas d'avoir sa place en sociologie, d'apporter des éléments à l'élaboration d'une recherche qui veut cerner la réalité dans toute sa globalité.

La théorie sociologique de la vision du monde que j'ai rappelée au début de cet exposé soulève en effet un certain nombre de problèmes qui restent encore à résoudre. Nous devons nous demander si la psychanalyse ne pourrait y servir, mais une psychanalyse « bien tempérée ».

M. Goldmann remarque que le nombre des visions du monde possibles est beaucoup plus réduit que les situations des classes sociales au cours de l'histoire, ce qui fait que l'on peut trouver des visions identiques dans des situations différentes, parfois même contradictoires. Il donne un certain nombre d'exemples pour illustrer sa pensée ; le platonisme qui a été en Grèce l'expression de l'aristocratie réapparaît avec Descartes comme expression du Tiers Etat dans sa lutte contre l'aristocratie ; la vision tragique du monde est chez Pascal l'expression de la noblesse de robe, au XVIIe siècle, alors qu'elle est chez Kant celle de la bourgeoisie allemande du XVIIIe siècle. Il est clair que le marxisme ne peut accepter une coupure aussi tranchée entre les super- et les infrastructures. La typologie des visions du monde que réclame

M. Goldmann de la science future ne résoudra pas le problème. Car il y a déjà eu un effort en vue de faire cette typologie, c'est celle de Sorokin, et la conclusion de ce dernier, c'est qu'il existe une explication de la succession de ces types, les uns par rapport aux autres, et qui est un ordre cyclique. Dans ce cas, les changements des visions du monde au cours des temps échappent entièrement aux formes de production, qui suivent un ordre linéaire ou accumulatif, pour n'obéir qu'à une logique interne aux superstructures. En ouvrant un écart entre le nombre limité des visions du monde et la multiplicité des situations historiques de classe, on risque donc d'introduire un trou dans le système sociologique, par où tout l'idéalisme peut passer.

Mais en y réfléchissant, on s'aperçoit que l'image qu'une classe se fait du monde dépend de la place qu'occupe cette classe dans la structure d'un plus vaste groupement. On comprend dès lors que si la situation de la noblesse de robe est, par rapport aux autres strates de la société du XVIIe siècle, similaire à celle de la bourgeoisie allemande du XVIIIe siècle, elle réagira à la situation par une vision de même type. C'est ici, pensons-nous, que les méthodes ou les conceptualisations de la psychanalyse peuvent nous être précieuses. Il nous semble que Fromm, dans son livre *The Fear of Freedom* (New York, 1941) a donné un schéma pertinent de cette complémentarité. D'un côté Fromm rejette le freudisme dans la mesure où il considère l'homme comme une entité biologiquement conditionnée ; il envisage la personnalité humaine dans ses relations avec les autres, avec la nature et avec le monde ; il part des transformations économiques qui ont amené la désagrégation de la société médiévale ; mais il a montré aussi que cette désagrégation s'est traduite par un sentiment d'insécurité dans la classe moyenne en formation ; l'individu n'était plus soutenu par la communauté qui l'appuyait jadis ; tout dépendait maintenant de son propre effort ; et le résultat n'était pas toujours sûr, car le marché étant libre, il pouvait tout gagner comme tout perdre. Le calvinisme fournit à cette classe moyenne une vision du monde adéquate à cet état d'angoisse : l'homme est impuissant à se sauver lui-même car il est mauvais par nature, mais il doit travailler lui-même car dans l'action il lève ses doutes et ses inquiétudes. Les concepts de frustration, d'angoisse, la réaction névrotique sont donc utilisés, comme un intermédiaire destiné à faire comprendre la liaison de l'infra- à la superstructure. L'exemple de l'hitlérisme montre un peu les mêmes mécanismes de rationalisation de l'angoisse de la petite classe moyenne allemande ruinée par le Traité de Versailles pour donner naissance à une autre vision du monde, désacralisée certes, mais de même type que la vision calviniste. « La nature humaine », conclut-il, « a un dynamisme propre qui constitue un facteur actif dans l'évolution des processus sociaux. »

Un autre problème posé par M. Goldmann, dans ses études sur la littérature et le roman surtout, est celui de l'apport respectif de l'individu et du groupe dans la création culturelle, « d'individus problématiques », c'est-à-dire dont la pensée et le comportement restent dominés par des valeurs qualitatives. Il peut dépendre, dit-il, soit de l'expérience personnelle de certains individus, soit de la contradiction entre l'individualisme, suscité par le capitalisme libéral, et les limitations pénibles que cette société apporte en même temps au développement des individus. En fait cependant, la vision du monde est une structure mentale élaborée par le groupe, le rôle de l'individu consistant à la pousser vers la cohérence et à transposer un mécontentement affectif non conceptualisé sur le plan de la création imaginaire ou conceptuelle. Nous sommes d'accord, mais qui ne voit que la transposition de l'inquiétude affective en vision conceptualisée par l'intermédiaire du langage correspond, exactement, sur le plan individuel, à la thérapie analytique qui, elle aussi, se fait à travers le langage ?

Seulement, si on accepte cette similitude, la psychanalyse va immanquablement nous poser de nouveaux problèmes. Certains qui n'intéressent pas le sociologue, mais qui sont seulement complémentaires : qu'est-ce qui dispose à écrire des romans ? Et des romans expressifs des contradictions internes à notre société ? Comment devient-on un « individu problématique » ? De pareils problèmes sont instructifs, mais ils échappent à nos préoccupations. D'autres problèmes en revanche méritent la réflexion du sociologue. Car l'opposition des valeurs qualitatives à une société réifiée, la psychanalyse nous l'apprend, peut se faire comme une forme de compensation, d'évasion, ou comme une première forme de lutte révolutionnaire, de réhumanisation du monde. Bref, ce que la psychanalyse peut ici apporter c'est de nous rappeler l'opposition entre le pathologique et le normal. Car une vision du monde peut être considérée, elle aussi, mais au niveau du collectif (de la structure élaborée par le groupe et que l'individu ne fait que pousser à la cohérence), comme une image compensatrice d'une réalité frustrante (mais alors n'est-elle pas une parodie de la vraie vision du monde ?) ou comme l'expression d'une crise historique, expression significative, qui ne flotte pas en l'air, mais qui est partie intégrante de la réalité, qui en est un élément dynamique.

On me permettra de prendre ici un exemple dans un domaine qui m'est plus familier, celui de l'ethnologie, en étudiant rapidement la vision du monde des mouvements appelés « messianiques ». Nous ne croyons pas être très loin en effet dans ce cas de l'exemple de M. Goldmann. Le héros problématique qui recherche les valeurs authentiques dans une société dégradée, c'est-à-dire l'héroïsme dans un monde marchand, les valeurs d'usage dans une société où les valeurs sont des valeurs d'échange, est lié, qu'on le veuille ou non, à l'archaïsme considéré comme bien supérieur, transhistorique. Ne rappelle-t-il pas en effet le héros messianique des sociétés traditionnelles qui recherche les valeurs authentiques (celles données par l'ancienne vision du monde, tribale ou ethnique) dans une société dégradée par la colonisation, ou par le contact acculturatif avec les blancs, les valeurs « humaines » et « sacrées » dans un monde touché par la mécanisation, l'argent, et « désenchanté » ? Le Messie est « l'homme problématique » des sociétés traditionnelles qui fait passer l'inquiétude affective de la masse à une cohérence conceptuelle ou imaginaire. Et qui fait ce passage non de lui-même, mais bien, pour employer les termes de M. Goldmann, dans une perpétuelle interaction avec les autres membres de son groupe, de telle sorte que cette vision du monde est déterminée par le maximum de conscience possible de ce groupe.

Evidemment, le messianisme prend des formes extrêmement diverses et utilise, suivant les cas, pour organiser sa vision du monde les contenus empruntés à son propre milieu ethnique (le mythe du retour des Ancêtres par exemple) ou à des religions d'importation (le christianisme millénariste par exemple). Mais il nous semble, pour en rester à la vision du monde, qu'il y a dans tout messianisme quelque chose de commun, du point de vue formel, du point de vue de la structure de cette vision apocalyptique du monde. C'est que, avant le contact avec les blancs ou avant la domination coloniale, des gens vivaient dans un monde qui avait un sens ; le blanc a détruit cette signification, et ce faisant, il a détruit le monde en tant que langage signifiant, il a ramené l'univers au chaos. L'inquiétude collective, l'angoisse généralisée, mais non encore conceptualisée dont part le Messie, c'est ce sentiment que la réalité est maintenant absurde et l'image du monde que le messianisme va implanter consiste à redonner un sens (qu'il soit le retour au sens ancien, ou un syncrétisme entre des sens anciens et des sens nouveaux, peu importe) à ce chaos, générateur d'anxiété. De refaire le *Kosmos* à partir de l'absurde.

Or les premiers ethnologues qui se sont intéressés à ces mouvements ont été enclins à penser que ces visions apocalyptiques constituaient des délires collectifs, des phénomènes de compensation ; bref l'image du monde relevait du pathologique. On tend à s'apercevoir aujourd'hui que les messianismes ont été au contraire des phénomènes d'adaptation — si vous préférez, de « domestication » des nouveautés en les faisant rentrer dans les cadres de la pensée traditionnelle, en insérant le désordre dans la conception cyclique du monde qui est celle des sociétés agricoles primitives (car le messianisme n'existe pas au niveau plus archaïque des chasseurs-cueilleurs). Qu'ils ont été une arme efficace dans la lutte contre l'exploitation politique ou économique des peuples de couleur. Et par conséquent, pour me résumer, qu'ils ont constitué des réponses adéquates à des situations historiques bien déterminées. Certes, ils peuvent parfois échouer, et l'exemple du « psychotisme » en est une illustration, lorsque la situation de domination est si forte que rien ne peut la briser. Il y a un seuil, au-delà duquel le pathologique réapparaît.

L'erreur ici de la psychanalyse ou de la psychiatrie serait de ne vouloir penser ces mouvements qu'à travers les concepts de frustration, d'agressivité refoulée, de compensation. Ces mouvements sont en effet des rééquilibrations de sociétés en état d'anomie et la vision du monde qui les oriente a pour fonction de rétablir les lois syntaxiques entre les objets de la nature et les hommes, comme entre les hommes entre eux, la syntaxe des signes n'étant que l'expression de la structuration sociale et cosmique. Il n'empêche que la psychanalyse nous est d'un précieux recours pour comprendre les mécanismes par lesquels s'opère le passage de la situation économique, sociale, historique, à une vision spéciale du monde ; les concepts (encore une fois, à condition de les bien tempérer) de frustration, de refoulement, de compensation ou d'agressivité s'avèrent utiles pour tisser, dans une structure globale, les réseaux entre l'infra- et la superstructure.

*
**

Reprenons le problème d'une psychanalyse de la vision du monde dans ses rapports avec les infrastructures de classes et les contextes historiques d'une façon indépendante et à partir d'autres données.

Les données dont je voudrais partir sont de deux types :

1) les premières me sont données par la psychanalyse. Elles ne sont pas en contradiction d'ailleurs avec le marxisme puisque Marx, à la fin de son *Introduction à une critique de l'Economie politique,* note la survivance à travers les siècles des œuvres d'art qui se maintiennent alors que les conditions socio-économiques qui les ont créées ont disparu depuis longtemps. Les diverses psychanalyses, celle de Jung comme celle de Freud, nous ont habitués à l'idée de la permanence des archétypes ou des symboles à travers le cours de l'histoire. Le roman bourgeois a pu prendre la place des mythes, les grands thèmes mythiques, la lutte du héros contre les Monstres, la Tentation du Mâle par la femme, la dégradation du monde à partir de l'Age d'Or, la marche initiatique vers le Paradis Perdu, etc. Et certes, il s'agit ici seulement *d'éléments* d'un ensemble, éléments qui peuvent entrer dans diverses structures, et prendre des sens différents suivant les lois « gestaltistes » de ces diverses structures. Seulement ici, c'est la psychanalyse qui est

première, et l'histoire qui est seconde (en opposition donc avec la perspective que nous avons examinée jusqu'à présent). La psychanalyse est première en ce sens que les idées, pour employer une expression de Levinas, ne résument pas simplement les conditions de surgissement de ces idées. En ce sens aussi qu'il y a des visions du monde, ou tout au moins des éléments de visions du monde, qui peuvent être anachroniques par rapport aux métamorphoses des structures sociales et économiques ;

2) la seconde donnée dont je voudrais partir, c'est une remarque bien simple. Celle de la prédilection des auteurs marxistes ou néomarxistes pour les visions du monde des classes supérieures et moyennes de la société ; et généralement d'ailleurs aux périodes de crises de ces classes, ou d'éclatement des contradictions internes de la société globale. C'est que, sans doute, s'il est vrai qu'une vision du monde ne peut être élaborée que par un groupe, c'est un individu (Corneille pour la noblesse d'épée, Pascal pour la noblesse de robe, Kant pour la bourgeoisie allemande) qui la transpose en création imaginaire ou conceptuelle. Or le peuple n'a pas de pareils interprètes. Oh ! sans doute, je le sais, il y a des intellectuels qui s'efforcent de s'insérer dans le prolétariat pour en exprimer la vision du monde, mais ces intellectuels, même s'ils sont sortis du peuple, ont eu une éducation non populaire. Et leurs visions du monde traduisent cette dualité entre l'intention et leur situation sociale équivoque ; elles marquent plus une volonté de création qu'une volonté d'expression : elles veulent « créer », dirai-je, le prolétariat en tuant le peuple, mais le peuple existe, et résiste. Je pense donc utile de tenter de dégager une vision du monde de la classe populaire, en dehors de tous ses interprètes. Et je pense que cela est possible à travers les œuvres culturelles émanées du peuple, qui sont des œuvres collectives.

La classe ouvrière s'est formée à partir de la classe paysanne et elle a maintenu, à l'intérieur des villes qui s'industrialisaient, la vision du monde de la classe paysanne. Il y a donc eu ici un phénomène de retard des idées par rapport aux nouvelles structures qui se formaient, c'est-à-dire un phénomène d'anachronisme. D'ailleurs ces nouvelles structures étaient gênées dans leur développement par le maintien des anciennes structures paysannes à la première génération, par l'adaptation de l'ancien au nouveau plus que son changement aux générations postérieures. Ce qui m'a toujours frappé, c'est la séparation sexuelle radicale, qui s'est maintenue presque jusqu'à nos jours, entre les hommes qui vivaient à l'usine et dans la rue et les femmes qui vivaient à l'usine et au foyer, les rapports entre les deux groupes ne s'établissant que sur le plan sexuel, pour les adultes ; maternel, pour les enfants. La vision du monde qui correspond à cette classe ouvrière commençante est une vision du monde cyclique, dont les moments forts sont marqués par les fêtes ; et si nous voulions préciser cette vision du monde, ce serait à une analyse de la fête que nous serions amené, la fête étant le moment où les relations interindividuelles s'organisent en une structure mentale cohérente. L'ouvrier continue le paysan, il est écrasé par le Destin ; il ne s'aperçoit pas encore que ce Destin n'est pas une réalité ontologique, mais une construction historique du capitalisme ; il le conçoit toujours sur le modèle du Déterminisme de la nature. La fête est donc le moment de la liberté et de la joie et elle reprend, en les sécularisant, les procédés des religions archaïques : perte de la conscience profane soit par l'exaltation collective des défilés, soit par la recherche des gouffres, rotation de la danse, rotation des manèges, pertes de souffle du tobogan, de la montagne russe ou de la balançoire.

La classe ouvrière va peu à peu, en se politisant, se transformer en prolétariat. Mais en même temps le capitalisme se transforme, par suite des progrès techniques, nécessitant des ouvriers qui ne soient plus des paysans urbanisés, mais des « connaisseurs » de la machine. Le nouveau capitalisme exige et exigera chaque jour davantage le développement de l'instruction. Il ne faut donc pas voir dans les programmes de démocratisation de l'enseignement une conséquence de l'idéal démocratique mais, sous un masque idéologique, une nécessité imposée par le développement même du capitalisme. J'en dirai de **même de la « société de l'abondance »** qui est une suite logique de l'augmentation de la productivité. La nouvelle vision du monde de la classe ouvrière exprimera par conséquent la contradiction de ces deux mouvements de l'histoire récente, la prolétarisation qui tend à une image révolutionnaire (disons prométhéenne) du cosmos et l'imbibation de ce prolétariat par l'image du monde bourgeoise, ou petite-bourgeoise, qui est la conséquence de son instruction plus poussée ou de la société de l'abondance. Il faut ajouter à cela que la rupture avec la classe paysanne n'est pas achevée, c'est-à-dire que dans une certaine mesure le prolétariat reste peuple. Je n'en prendrai comme témoignages que trois exemples : les ouvriers les plus révolutionnaires restent les plus attachés à leurs habitudes et ne veulent pas en changer (difficulté de modifier les types de poubelles, de faire accepter la rationalisation de l'économie, compteurs d'eau ou de gaz, plus encore une répartition horaire du travail qui les empêcherait d'aller déjeuner chez eux, ou à une heure fixe) — l'enracinement de l'ouvrier à son quartier, à sa ville ou à son faubourg, alors que l'industrialisation entraînera de plus en plus les reconversions, d'une branche à une autre, et la mobilité par conséquent, à travers toute la France, demain peut-être dans toute l'Europe — enfin, avec la disparition de la coupure sexuelle, de la vie dans la rue pour la vie dans le foyer, le report de la fête (report, mais maintien) aux vacances annuelles, qui est une grande fête de trois semaines où les anciens mythes de Paradis retrouvé, de la participation avec la nature, des amours avec les Sirènes, émergent à nouveau de l'inconscient pour s'inscrire dans les comportements ou dans les rêves.

La classe ouvrière ancienne avait une vision du monde bien structurée, enracinée dans ses origines paysannes traditionnelles. Sa transformation en prolétariat l'en a en partie coupée et c'est un fait que le prolétariat n'a pas réussi à se donner une culture prolétarienne. Il a donné obligation à la classe des intellectuels — qui n'étaient pas toujours sortis de son sein — de lui fournir de l'extérieur cette nouvelle culture. Il me semble que cette nouvelle culture était ambiguë : d'un côté elle offrait à la classe ouvrière une vision d'action révolutionnaire, destinée à changer le monde (nous dirions une vision prométhéenne en même temps que manichéenne du cosmos), et de l'autre, elle faisait passer ce rêve millénariste dans l'action de tous les jours, dans la praxis. Or le prolétariat n'a pas supporté cette ambiguïté, il a transformé la culture qu'on lui donnait en séparant la visée révolutionnaire, rejetée dans l'avenir ou dans le discours, et une visée d'élévation du niveau économico-social du groupe ouvrier, en tant que réalité collective, maintenue dans la praxis quotidienne. La conséquence de ce dualisme, c'est que l'ancienne culture populaire (bien que se survivant à elle-même, comme nous l'avons dit, dans quelques secteurs) tend à être remplacée par la culture (et la vision du monde) de la classe immédiatement supérieure, c'est-à-dire de la petite classe moyenne.

Ce schéma d'évolution, dont on excusera la rapidité et le manque de nuances, nous met en présence ici d'un nouveau phénomène sociologique, celui que Goblot avait étudié jadis sous le nom de « la barrière et le niveau ». Il apparaît bien qu'une vision du monde peut être héritée par une classe d'une autre classe de la société — et qu'elle exprime alors moins une structure nouvelle qu'une structure plus ancienne. Ou tout au moins qu'elle exprime moins une structure de classe qu'une structure de la société globale. Et certes, dans ces changements et ces transpositions d'une strate à une autre, des modifications se produisent. Il n'en reste pas moins qu'il y a une certaine transcendance des visions du monde par rapport aux conditions historiques ou aux infrastructures sociales.

Voici donc deux faits qui se dégagent, si vous acceptez mon analyse, de ces considérations préliminaires :

1° l'existence de réponses anachroniques, ou le retard des visions du monde par rapport aux changements structurels ;

2° l'existence d'une prise en charge par un groupe social d'une vision du monde créée par un autre groupe social. Dans les deux cas, donc, la reconnaissance d'une pensée extérieure à l'histoire. Madame Amado Levy-Valensi arrivait, avec un point de départ différent, et pour une question beaucoup plus générale, à une conclusion analogue, quand elle montrait un processus relativement autonome du monde des significations, « toujours plus ou moins immanent à la pensée humaine » et qui tient à ce que l'homo « pense » l'histoire en même temps qu'il la fait ou qu'il la vit. Or il ne peut la penser qu'à travers les lois de l'esprit. La psychanalyse n'aurait-elle pas, dans ces conditions, un rôle encore plus important à jouer que celui — très subordonné — que nous lui avions reconnu dans la première partie de cet exposé ?

1) Toute représentation du monde peut arriver à la cohérence à travers un individu privilégié (philosophe, écrivain) ou à travers un groupe professionnel (caste sacerdotale, société secrète, etc.) ; il n'en reste pas moins que cette représentation du monde est plus que discours logique : elle est aussi tissu affectif et suite d'images ; et comme nous l'avons dit, ces systématisations d'images, de concepts et d'émotions sont relativement indépendantes, bien qu'elles évoluent toujours à l'intérieur d'un système social. Le rôle de la psychanalyse et celui de la sociologie sont donc plus complémentaires que contradictoires. Il ne nous appartient pas de cataloguer les apports possibles de la psychanalyse, ni de juger la validité de chacun de ces apports, mais seulement d'en justifier la possible contribution. Un système du monde peut, comme l'a dit M. Goldmann, revenir après avoir un moment disparu ; il peut aussi, comme nous l'avons vu pour la classe ouvrière, maintenir ou emprunter des visions du monde d'autres groupes. C'est que les classes vivent les rapports sociaux à travers les structures de leur subjectivité et que ces structures obéissent à des lois, comme celles de la psychanalyse. Il y a, en somme, un écart constant entre les structures des modes de pensée et les infrastructures économico-sociales ; les premières sont plus générales que les secondes. A travers cet écart, la réflexion psychanalytique peut passer...

2) Une représentation du monde nous est apparue comme une tentative pour transformer le désordre en ordre, l'incohérence en cohérence, ou, comme nous l'avons dit plus haut, le Chaos en Kosmos. M. Goldmann a bien montré que ce passage se fait à travers les relations interhumaines, à l'intérieur d'un groupe social, et qu'ainsi les représentations du monde reflètent ces systèmes d'interrelations. Mais à la base il y a naturellement le fait que l'homme est capable de donner une signification aux choses, que c'est ce qui le distingue de l'animal. Bref, la possibilité même pour un groupe d'avoir une représentation

à lui de l'univers, naturel ou social, repose sur l'existence préalable de la fonction symbolique. Or peu de sciences ont fait autant pour expliquer le symbolisme que la psychanalyse ; et nous pensons que certains des processus de « signification » du réel, par exemple celui, si l'on veut, du courant tragique janséniste ou celui, optimiste, du cartésianisme, pourraient gagner encore en force explicative en recourant à l'analyse, plus générale, des processus de « signification » mis au point par la psychanalyse. Par exemple, des modes de relation entre la symbolisation et les mécanismes de défense. L'histoire est le lieu des émergences de systèmes de signification et la génétique ne peut être que le dégagement progressif des mécanismes de la pensée symbolique.

3) Mais c'est la société, ou le groupe social, qui oriente les significations dans telle ou telle direction. Nous avons assez insisté, dans un livre antérieur, sur la différence entre le libidineux et le social pour avoir à y revenir aujourd'hui.

La collaboration entre les disciplines sociologiques et psychanalytiques n'est possible qu'à partir du refus de la confusion entre elles. A chacune son domaine propre. Il y a des niveaux d'explication et des champs de compréhension. Ces niveaux sont étagés et ces champs sont emboîtés les uns dans les autres. La psychanalyse vaut seulement à un de ces niveaux ou en circonscrivant nettement son champ d'application. Une sociologie de type marxiste également. La tâche de celui qui voudrait s'appuyer sur les deux, à la suite de remarques analogues à celles que j'ai faites aujourd'hui, est au fond une tâche épistémologique : établir la hiérarchie, probablement mouvante, des strates ou des lois d'emboîtement des champs.

PSYCHANALYSE ET CULTURE

par Paul RICŒUR

Après les contributions des psychanalystes, mon intervention ne peut avoir qu'un but : rendre possible le passage d'une interprétation psychanalytique à une interprétation non psychanalytique, par exemple sociologique, de l'œuvre d'art et en général de l'œuvre de culture ; le problème qui me paraît fondamental aujourd'hui est en effet celui de l'articulation entre plusieurs interprétations ; il me paraît légitime de cumuler plusieurs interprétations de l'œuvre d'art, mais à condition d'avoir un instrument de pensée pour les ordonner les unes par rapport aux autres et pour arbitrer leurs prétentions rivales. C'est en vue de cette mise en ordre et de cet arbitrage que je propose d'abord de considérer le bon droit de la psychanalyse à traiter de littérature et de culture, ensuite d'explorer les frontières de son domaine, au voisinage des autres interprétations.

Il faut accorder, je pense, que si la psychanalyse prend en charge les phénomènes de culture, ce n'est pas par application seconde ou par extension aléatoire hors de sa sphère de compétence, mais en raison de sa visée la plus fondamentale. La psychanalyse n'est pas seulement une thérapeutique : elle l'est, certes, à titre premier et fondamental, et si, d'aventure, elle renonçait à sa mission de guérir, au profit d'une simple épreuve de vérité sans souci proprement thérapeutique, elle se trahirait sûrement. Mais, dès le début, elle a voulu être, et elle a été en fait, quelque chose de plus : une interprétation de la réalité humaine dans son ensemble. Les lettres de Freud à Fliess attestent que très tôt une interprétation de la tragédie grecque d'Œdipe et de la tragédie élizabéthaine d'Hamlet a été nouée à l'interprétation du rêve et du symptôme ; il doit y avoir, en outre, plus qu'un hasard dans cette connexion initiale. La raison en est que l'objet même de la psychanalyse n'est pas la pulsion — je veux dire la pulsion seule, la pulsion nue —, mais la relation de l'être de désir avec l'être de culture ; toute analyse se place à cette flexion. C'est pourquoi la psychanalyse ne saurait être cantonnée dans la région du désir ; mais tout ce qui concerne l'articulation du désir et de la culture relève de sa compétence. C'est pourquoi aussi les différentes interprétations ne peuvent pas être réparties de manière régionale, comme si l'une avait compétence pour traiter de l'affectivité, l'autre de la socialité, etc. ; elles ne se distinguent pas par leur champ mais par leur théorie, c'est-à-dire à la fois par leurs hypothèses directrices, par leur méthodologie et par leur pratique.

Qu'est-ce qui qualifie ce rapport du désir à la culture comme objet de l'analyse ? Partant de la notion même de pulsion, il est facile de montrer que ce n'est jamais l'énergie comme telle, dans sa racine biologique, qui concerne l'analyste ; dès sa première émergence, la pulsion est placée en situation de culture et, le plus souvent, dans une situation antagoniste. Qu'est-ce en effet que la censure, dans la théorie du rêve, sinon un facteur culturel jouant comme inhibition à l'égard des plus vieux désirs ? C'est par là que la *Science du rêve* rejoint ce que l'anthropologie découvre par ailleurs sous le nom de prohibition de l'inceste. Dans les *Trois essais sur la sexualité*, le même facteur antagoniste paraît sous la figure des « digues » qui canalisent la *libido* vers la génitalité adulte. Dans les *Ecrits de métapsychologie*, qui s'échelonnent entre 1914 et 1917, les trois « localités » (inconscient, préconscient et conscient) figurent une relation dialectique dans laquelle l'inconscient sauvage est toujours confronté avec le préconscient, comme lieu du langage, et avec le conscient, comme accès au monde extérieur (monde de choses et monde humain) ; les trois lieux sont la représentation topographique, ou mieux topologique, de cette dialectique. Ce qui est vrai du premier système (inconscient, préconscient, conscient) l'est encore plus du second système : moi, surmoi et ça. Il s'agit en effet de rôles qui font alterner l'anonyme, le personnel et le supra-personnel dans des situations culturellement déterminées. Ainsi, de multiples manières, la psychanalyse est sans cesse confrontée, non avec le désir seul, mais avec le désir et son autre ; à vrai dire le désir humain n'est humain que comme demande, c'est-à-dire en relation avec un autre désir qui peut se refuser et qui, sans doute, s'est dès toujours refusé.

Cette situation initiale fait que l'interprétation du rêve et du symptôme est une interprétation au sens fort du mot, telle que la philologie l'a forgée : il s'agit bien de déchiffrer un ensemble de signes qui d'abord se présente comme un texte absurde et auquel doit être substitué un texte plus intelligible. Le travestissement se déclare au niveau des effets de sens ; c'est là que l'art d'interpréter s'applique. Cela suffit à distinguer à tout jamais la psychanalyse de la psychologie, c'est-à-dire, au sens moderne du mot, de la psychologie de comportement ; même si la psychanalyse rencontre des comportements, elle ne les prend pas comme phénomènes observables, mais comme segments de sens qui font partie du texte déchiffré ; la psychologie est une explication de comportements, la psychanalyse une exégèse de textes. Certes, on peut objecter — et je l'ai fait moi-même dans mon propre travail sur Freud — : l'interprétation psychanalytique est plus complexe que toute exégèse de textes, en ceci qu'elle met en jeu, non seulement des relations de sens, comme en philologie, mais des relations de forces, comme l'attestent des notions de caractère dynamique, telles que déplacement et condensation. C'est précisément ce qui fait la spécificité de l'explication psychanalytique. Le discours psychanalytique est un discours mixte qui désigne des **rapports de forces** par l'intermédiaire de **rapports de sens**. Cette situation complexe tient à la nature même du rapport entre le désir et ses effets de sens ; c'est parce que l'homme du désir s'avance masqué que la psychanalyse doit être constituée comme une technique de déchiffrage appliquée à ce que l'on pourrait appeler, d'un terme général, une sémantique du désir. Tout phénomène de culture en relève, dans la mesure où il peut se projeter sur ce plan bien délimité de la sémantique du désir. Cette référence constitue à la fois la validité et la limite de toute psychanalyse de la culture.

Le caractère limité de cette interprétation — limité, mais valide dans les limites des règles du jeu — se précise encore si l'on considère que la psychanalyse aborde le vaste domaine des effets de sens à partir d'un modèle initial dont elle cherche les analogues dans tous les registres de la culture. Ce modèle, comme on sait, est constitué par le couple rêve-névrose. La psychanalyse freudienne propose non seulement un type d'interprétation que j'ai essayé de caractériser par le rapport du sens et de la force, mais encore un modèle très déterminé de distorsion, la *Verstellung* du chapitre III de la *Science des rêves*. Cette transposition et cette distorsion, caractéristiques de l'accomplissement déguisé du désir, fournissent un fil directeur dans le dédale des effets de sens que nous nommons œuvres d'art, légendes, folklore, mythes, etc.

On peut déjà prévoir que l'interprétation psychanalytique de la littérature n'aura pas pour ambition de mettre à nu des pulsions, ni même des conflits d'enfance enfouis, mais d'élaborer les structures mêmes de la distorsion, les lois de transformation qui régissent le « montrer-cacher » propre aux effets de sens. Par rapport à ces lois de transformation, le fond pulsionnel figure comme référence quasi mythologique : nos « plus vieux désirs », nos désirs en quelque sorte « immortels », jouent le rôle de limite-arrière par rapport à l'interprétation. Ce qui est important, ce n'est donc pas ce qui est dit sur le désir, mais sur les procédés susceptibles de figurer comme *analogues* du déplacement, de la condensation, de la translaboration secondaire, de la mise en scène. C'est à ce niveau, celui de la production des effets de sens, que d'autres interprétations pourront être coordonnées à la psychanalyse ; mais ce sera à partir d'autres hypothèses de travail, susceptibles de jouer, par rapport à l'objet culturel et à ses effets de sens, le même rôle organisateur que la sémantique du désir. Je dirai donc que l'objet propre de la psychanalyse, dans le domaine de la critique littéraire, est l'étude des structures de distorsion susceptibles d'être traitées comme des analogues de celles qui règnent sur le rêve et la névrose. Pour dire la même chose autrement, le cœur de l'interprétation psychanalytique consiste dans le rapport entre une sémantique du désir et une syntaxe de la distorsion. C'est parce qu'il en est ainsi que Freud a pu, dès le début, appliquer à *Œdipe roi* et à *Hamlet* un schème explicatif qui n'était pas voué exclusivement au monde de la névrose ; les structures de distorsion ont certes leur modèle original dans le rêve et dans la névrose ; mais le caractère relativement formel de ces structures en permet une transposition analogique illimitée, aussi loin que s'étendent les expressions masquées du désir.

Je ne saurais donc m'élever avec assez de force contre un usage de l'interprétation psychanalytique qui la réduirait à ce que l'on pourrait appeler une biographie pulsionnelle de l'auteur et qui ne serait qu'une entreprise de déshabillage de la pulsion. Dans cet ordre, on ne peut recueillir que des déceptions ; car rien ne ressemble plus au secret de chacun que celui de l'autre. La psychanalyse ne montre rien ; elle ne fait rien voir — sinon l'œuvre elle-même. L'interprétation psychanalytique ne nous donne donc pas le moyen de raffiner l'axiome des exégètes romantiques, selon lequel l'interprétation aurait pour tâche de comprendre un auteur mieux qu'il ne s'est compris lui-même. Si cela était vrai, la psychanalyse serait la pire des interprétations subjectivistes. Je ne nie pas que certains psychanalystes, comme Marie Bonaparte dans son célèbre *Edgar Poe*, n'aient sacrifié à ce genre de psychographie des profondeurs. A mon sens, la seule interprétation psychanalytique valable est celle qui se borne à lire *dans l'œuvre même* les procédés de distorsion analogiques de ceux du rêve et de la névrose et à déplier devant nous l'œuvre même dans son « travail » de sens (je prends ici le mot travail dans une acception analogue à celle de Freud lorsqu'il parle du travail du rêve, du travail du deuil, du travail de la névrose).

Si telle est, dans son usage légitime, l'interprétation psychanalytique, le passage à d'autres interprétations, relevant d'autres hypothèses et d'autres procédés de lecture, est la conséquence directe d'un trait fondamental que nous avons souligné au passage : le caractère analogique — seulement analogique — de la psychanalyse de la culture par rapport à la psychanalyse de la névrose et du rêve. Le fanatisme commence lorsque l'on oublie ce caractère seulement analogique et qu'on le réduit à une identité.

Chez Freud lui-même l'analogie est traitée tantôt dans le sens de l'identité, tantôt dans celui d'une véritable création de sens ; au premier usage de l'analogie se rattache l'explication de « l'illusion religieuse » ; au second, celle de la « séduction esthétique ». Si la religion est, pour Freud, le lieu même où l'analogie vaut comme identité, c'est parce que, selon lui, elle ne fournit que des phénomènes régressifs, tributaires du thème du retour du refoulé ; c'est ce qui accrédite l'idée que, chez Freud lui-même, une psychanalyse de la culture serait une explication réductrice, un discours en « ne... que ». Or, même dans les textes les plus réducteurs, Freud met l'accent sur la création d'un sens irréductible à la simple analogie névrotique ; traitant en 1907 de l'analogie entre les actes obsédants et les exercices religieux, il note : « A la vue de ces solidarités on se risque à considérer la névrose obsessionnelle comme la contre-partie d'une religion, à découvrir cette névrose comme un système religieux privé et la religion comme une névrose obsessionnelle universelle. » Le simple mot « universelle » contraint à la reconstruction laborieuse de toutes les médiations par lesquelles on passe d'un fantasme privé à une illusion de caractère public, donc à une grandeur culturelle. Il ne suffit pas de retrouver partout un père : il s'agit de comprendre comment d'un père géniteur on a pu tirer un dieu. L'origine pulsionnelle importe moins que les transformations et les médiations qui remplissent l'intervalle entre l'effet de sens élémentaire et l'effet de sens terminal. J'avoue volontiers que Freud ne va pas bien loin dans l'exploration de ces médiations ; en particulier il n'a pas su intégrer une exégèse véritable des textes par lesquels la communauté croyante a éduqué sa croyance et son sentiment ; dans *Moïse et le monothéisme,* en particulier, il n'a guère dépassé le niveau d'une psychanalyse sauvage de l'homme croyant ; il n'a pas fait la psychanalyse de l'œuvre culturelle à travers laquelle s'est constitué le monde judéo-chrétien ; une psychanalyse fidèle au serment méthodologique du freudisme devrait certainement prendre la voie longue de la construction des dieux, à travers l'ensemble des textes dans lesquels s'est documentée la foi des croyants. Il reste que l'apport spécifique de la psychanalyse, dans cet ordre d'idées, est bien la constitution des effets de sens et non l'exhibition des pulsions refoulées. Jusque dans la plus réductrice des interprétations, la figure mise à jour — celle du père — reste la figure d'un absent, absent à toute histoire comme à tout psychisme ; qu'il soit père tyrannique, père protecteur, père donateur du nom, ou père symbolique comme chez les pré-socratiques, le père n'est pas une « réalité psychique », qui, après avoir été refoulée, fait « retour » ; c'est une promotion de sens, une construction symbolique ; même la « scène primitive » est sans doute, dès le début, autre chose qu'un fantasme névrotique ; c'est un véritable schème culturel, construit sur un matériau affectif et imaginatif, qui permet à l'homme de détecter et de prospecter ses propres racines ontologiques.

C'est cette création de sens qui passe au premier plan dans les écrits que Freud consacre à l'œuvre d'art ; le fondateur de la psychanalyse n'est plus ici contraint par le combat historique qu'il pensait devoir mener, en temps qu'homme de science, contre la religion ; c'est pourquoi les textes de Freud sur l'œuvre d'art recèlent sa véritable conception de la psychanalyse de la culture ; ici Freud déploie, sur l'œuvre même, ce que j'appelais plus haut une syntaxe de la distorsion, sans s'abandonner à une psychographie pulsionnelle de l'artiste ; il s'agit alors moins de démasquer des pulsions que de démonter les mécanismes et les structures par lesquels, à partir de la pulsion, le sens est produit comme sens.

Trois exemples jalonnent, de façon progressivement éclairante, cette manière d'interpréter. Dans le *Mot d'esprit,* l'important n'est pas la nature des pulsions libérées (érotiques, agressives, etc.), mais le mécanisme par lequel le plaisir préliminaire que nous prenons à l'agencement de l'œuvre d'art déclenche, à la façon d'un détonateur, les pulsions profondes. Ce mécanisme est singulièrement plus subtil que toutes les figures de distorsion du rêve ; un plaisir tout formel, plaisir de structure si l'on peut dire, se combine avec un plaisir ludique, lié lui-même à la libération sans honte des pulsions ; cette conjonction se fait à la faveur de la création d'un objet culturel, placé entre les hommes, pour le plaisir de tous.

Le deuxième exemple, celui du *Moïse* de Michel-Ange, est le plus propre à faire comprendre que la véritable interprétation analytique n'est pas une variété de psychographie ou de critique biographique ; dans cet admirable petit essai, l'objet seul, la statue comme telle, est soumis à l'analyse ; c'est sur la posture du Moïse statufié qu'est déchiffré le conflit fondamental qui s'est, en quelque sorte, surmonté dans la chose même ; c'est dans un geste composite, celui du Moïse qui retient les Tables de la Loi, que vient se figurer la synthèse immobilisée du conflit des forces. Celui-ci n'est jamais reporté dans le personnage historique ; il reste incorporé à l'objet culturel, au fantasme universel, si l'on veut, — lequel n'a pas d'autre lieu que l'histoire même de la culture. Les pulsions ne sont invoquées ici que comme matière affective ; la dynamique des forces reste prise dans la dialectique des formes. Il apparaît alors que l'art va plus loin qu'un simple traitement ludique de forces conflictuelles ; il représente, de manière figurée ou plastique, une tentative de résolution des conflits eux-mêmes ; mais c'est l'œuvre d'art comme telle qui concentre en elle cette promotion de sens ; nous n'avons pas à la chercher dans la psychologie de l'artiste, mais dans la structure de l'œuvre elle-même.

Le troisième exemple, celui du *Léonard*..., nous permet d'aller plus loin encore. Nous y voyons en effet comment un fantasme est recréé en objet culturel. Le sourire de la Joconde, derrière lequel Freud retrouve le souvenir de la vraie mère, celle qui avait abandonné l'enfant, reste l'objet de l'interprétation : le souvenir de la mère est vraiment perdu pour tous ; il est affectivement perdu pour Léonard, il est perdu pour l'historien ; il n'a pas d'autre existence que l'œuvre d'art qui le recrée en un objet de perception dans le monde de la culture. Il ne s'agit donc point tant de savoir ce qui fait retour, mais comment le fantasme infantile a été surmonté et recréé en devenant un objet présent entre les hommes dans le monde de la culture.

Si tel est bien l'usage de l'analogie du modèle névrotique dans l'interprétation freudienne de la culture, le passage à d'autres interprétations devient intelligible. L'œuvre d'art, mieux que la religion, fait apparaître un surplus de sens qui excède le modèle initial de distorsion fourni par le rêve et la névrose. Sur le terrain même de la sémantique du désir, la syntaxe des transformations fait apparaître une création de sens qui n'a pas sa raison complète dans les mécanismes psychanalytiques de distorsion. Nous venons tout simplement de retrouver les difficultés propres au concept freudien de sublimation ; celui-ci est le résumé de tous les effets de sens qui ne se laissent pas expliquer par l'analogie du modèle initial. C'est là que d'autres interprétations, sociologiques ou autres, marxistes ou non, peuvent s'articuler. Rien n'est plus critiquable qu'un usage éclectique des différentes interprétations ; or la critique contemporaine n'échappe pas toujours à ce reproche d'éclectisme : un peu de psychanalyse, un peu de marxisme, un peu d'existentialisme, une grosse pincée de structuralisme... Il importe aujourd'hui de construire méthodiquement le *passage* d'une interprétation à l'autre. Nous avons commencé de le faire, en montrant d'abord comment une sémantique du désir ne se réalise que dans une syntaxe de la distorsion, ensuite comment cette syntaxe elle-même fait apparaître, dans la création esthétique principalement, une promotion de sens qui excède les ressources d'une simple transposition analogique du modèle initial de distorsion. C'est en ce point que l'interprétation psychanalytique requiert d'autres modèles explicatifs ; elle ne les rencontre plus de manière fortuite en dehors d'elle-même : elle les exige en elle-même et par elle-même.

DISCUSSION

ZERAFFA

Je vais parler en esthéticien, c'est-à-dire dans une position à la fois de force et de faiblesse : les travaux que je fais sur le roman m'obligent à tenir compte de la psychanalyse, de la sociologie et de la linguistique mais je ne suis ni psychanalyste, ni sociologue, ni linguiste.

Nous avons assisté à une oscillation assez révélatrice entre, non pas la nature et la culture — encore que ces deux pôles aient été mis en cause et se soient opposés souvent — mais entre l'histoire et la structure. Notre époque s'intéresse surtout à la structure en ce qui concerne l'étude des œuvres d'art et des niveaux socio-culturels. Cela pour une raison anthropologique d'abord — l'effort d'unification de l'humanité malgré tous les obstacles qui s'y opposent — ensuite le devenir historique, les valeurs que l'on avait données à la succession du temps dans le passé sont actuellement en passe d'être niées.

M. Ricœur nous a précisé qu'une étude psychanalytique de l'œuvre d'art ne saurait en expliquer la forme qu'elle contribue seulement à situer. Or c'est tout de même cette forme qui importe en esthétique. Que nous apporte l'histoire ? Moins l'étude des fixations d'événements que celle des comparaisons possibles entre des faits d'art. Par exemple, lorsqu'il a été question du mythe d'Œdipe et de la tragédie *Œdipe roi*, je crois qu'on s'est enfermé dans des significations psychanalytiques à partir de l'œuvre de Sophocle. Si nous avions esquissé une étude comparative d'*Œdipe roi* et de *Hamlet,* nous aurions eu un double éclairage qui aurait permis une approche plus **précise.**

Depuis quelques années, des travaux se sont écartés de la voie traditionnelle d'étude des œuvres par la causalité et l'historicisme. Je pense notamment à *Mensonge romantique et vérité romanesque* de M. Girard qui nous prouve qu'il y a dans le roman des modèles correspondant à une vie sociale déterminée, qui fait intervenir le concept médiateur de niveau culturel entre la société globale concrète et les œuvres. Avec de tels travaux, nous risquons d'aboutir à des systématisations et d'exclure, au nom d'une explication sociologique, l'histoire spécifique des œuvres. Je donnerai l'exemple des romans de Robbe-Grillet que l'on peut faire correspondre à la réification, à la dépersonnalisation du monde contemporain, mais que l'on ne peut expliquer sans connaître tout l'héritage formel et esthétique de ce romancier.

Nous sommes donc à l'aurore d'une nouvelle discipline socio-culturelle des œuvres — à l'aurore seulement. Il faudrait qu'elle ne néglige pas l'étude des formes, sans tomber pour autant dans l'esthétisme.

Mauron

M. Ricœur a levé l'hypothèque d'une fausse psychanalyse qui ramènerait toute étude d'une œuvre d'art, ou même d'un rêve, à la découverte d'un simple événement infantile.

Il me semble pourtant que, même chez lui, on perçoit trop la tendance d'attribuer au freudisme une causalité unique, celle du désir, et d'expliquer la psychanalyse comme étant un déchiffrage du désir masqué. Freud était un clinicien, un expérimentateur dans la lignée de Claude Bernard, qui observait des phénomènes donnés. Le donné en psychanalyse est constitué par des fragments de langage qui ne sont pas le rêve mais la façon de le parler. Le rêve a existé dans l'esprit du rêveur puis est traduit en langage verbal de façon qui peut être fausse ou incorrecte. Il est le produit de deux forces au moins : non pas du seul désir, mais du désir et de la censure qui représente la réalité. Le rêve est le point d'une fonction à deux variables et le problème est d'évaluer celles-ci, d'établir la forme de la fonction et le coefficient d'influence de chacune des variables.

La psychanalyse n'est pas le déchiffrage d'un message où le sens primordial est masqué par le codage. Dans l'opposition du principe de plaisir et du principe de réalité, ce dernier n'a pas du tout la forme d'un masque ; c'est une force qui tantôt tolère, tantôt interdit la satisfaction du désir. Si le désir était seul en jeu, il se satisferait purement et simplement. L'intervention d'une seconde variable qui est une force nous donne un phénomène complexe. Il ne s'agit pas de décoder celui-ci mais de l'expliquer au sens scientifique du terme, de le réduire à un point d'une fonction avec plusieurs coordonnées. La psychocritique montre expérimentalement qu'il y a non pas un désir mais un ensemble de désirs et d'anciennes interdictions, toute une structure inconsciente — ça, surmoi, moi inconscient et une partie du moi conscient — qui forment une seule force globale. Celle-ci va se synthétiser avec un autre ensemble : le langage, la réalité et le milieu.

C'est une synthèse de ce genre que Freud essaye de définir lorsqu'il étudie le *Moïse* de Michel-Ange. Il décrit deux forces : l'expression d'un mouvement de colère et celle d'un moment de réflexion qui provient de la réalité ; le mouvement du *Moïse* est la combinaison des deux.

Il est important sans doute de découvrir la forme de la fonction, qu'on peut appeler structure. Mais je pense qu'il y a un certain danger à ne pas distinguer le phénomène de la façon dont il est parlé. Lorsqu'on réduit ce dernier à la somme de ses interprétations possibles — c'est un peu ce que fait Barthes — la notion même de phénomène s'évanouit ; il n'y a plus que des langages possibles.

Rosolato

Je pense, M. Ricœur, que vous connaissez très bien la psychanalyse, non pas d'une manière lointaine et à travers des écrans, ni même de manière tempérée, mais au plus près des textes et de la pensée intime de Freud. Je suis sûr, pour cette raison, que vous jetez un regard favorable sur la nouvelle critique.

Je suis très content de voir que vous situez les termes que vous employez dans la problématique du désir. Lacan nous a appris, en effet, qu'il est nécessaire d'élucider le concept freudien de désir, de préciser les points d'application de ce dernier, ses disparitions et ses résurgences. Vous avez distingué désir et demande — Lacan le fait aussi —, mais en plus vous distinguez sens et force —, et ceci vous est particulier. Vous avez encore différencié, en vous référant à Freud, dans la structure même du sens, déplacement et condensation. Lacan a montré comment le déplacement était une métonymie et la condensation une métaphore. A partir de tout ce que vous proposez, nous découvrons la possibilité d'appréhender les structures.

Au sujet des structures, vous posez la question de l'analogie. Que représente celle-ci dans l'opération freudienne à propos de l'œuvre d'art ? L'analogie ne consiste pas dans la réduction d'une structure à une autre structure ; elle est un moyen de mettre en évidence certaines différences dans une comparaison de structures — je pense ici à la distinction que Heidegger a faite entre le même et le semblable. Sur le plan de l'œuvre d'art il ne s'agit donc pas de mettre en évidence un, deux, trois thèmes, ce qui est extrêmement décevant, mais au contraire d'essayer de voir comment il y a quelque chose d'original qui résiste et comment la perception de cela, précisément, peut être mise à l'origine de la jubilation esthétique.

Comment se pose le problème de l'analogie quand il s'agit de phénomènes religieux ? Comprendre la structure religieuse dans son intimité n'est pas irrespectueux puisqu'elle constitue son fait capital sur le plan du sens. Vous nous dites que Freud réduit le fait religieux à l'acte obsédant, en vous appuyant sur l'article de 1907. S'agit-il de réduction ? Et ce terme est-il aussi péjoratif qu'il le paraît dans toutes les critiques adressées ici même à la psychanalyse qui se voit reprocher de tout ramener à la sexualité. Je dirai en passant que la psychanalyse parle de la sexualité comme elle parle de tout ; elle laisse le malade parler de tout. Celui-ci tait le sexuel dont la société a fait le caché, l'occulte. Les sociologues devraient élucider pourquoi cette sexualité justement est l'occulte.

A propos du problème religieux, ne pourrions-nous pas essayer de voir les différents niveaux à mettre en évidence dans sa structuration. M. Ricœur a dit que Freud s'était limité au niveau de la confrontation entre acte obsessionnel et rituel religieux. Nous pourrions pousser plus loin la confrontation, voir comment le phénomène du père peut être repris dans le contexte d'une trinité. Il est important de distinguer parmi toutes les formes du père, le père idéalisé et le père mort selon la loi.

Ricœur

Je reprendrai les questions dans l'ordre inverse où elles ont été posées car les lignes de divergence vont croissant en remontant.

Rosolato me demande une réponse sur la nouvelle critique. Il est évident que mon goût est d'un côté bien déterminé. Ce que je crains, c'est un usage sans discrimination de plusieurs modes de critique juxtaposés. Il y a là un problème qui n'est pas de critique appliquée à une œuvre, mais de critique de la critique, qui suppose un meilleur maniement des ressources explicatives de chacune des interprétations et une philosophie de l'interprétation, dont Nietzsche est le premier à nous avoir donné l'idée. Sinon on risque d'obtenir une sorte d'amalgame faible qui ne donne pas ses règles. C'est justement pour pallier cet éclectisme que j'ai examiné le problème au niveau de la psychanalyse. Il faudrait faire la même chose pour le marxisme ; je serais d'ailleurs assez d'accord avec ce que fait Goldmann dans ce domaine. Je crois que nous perdons tout si nous juxtaposons une psychanalyse et un marxisme vulgaire : confronter conditionnement individuel et conditionnement social, se battre pour savoir si c'est l'un ou l'autre qui prédomine, me semble vain.

Dans la psychanalyse il importe moins de s'attacher à retrouver les sources individuelles de caractère pulsionnel, que de décrire les structures de transformation qui ont fait apparaître le sens. Je n'ai pas voulu montrer ce que Freud dit sur le désir, puisqu'il n'en dit rien. J'ai étudié le mécanisme de transformation dont il parle dans ses plus grands chapitres. Le désir avec son foisonnement nous donne l'abondance d'un sens qui peut être n'importe quoi ; rien de plus désolant que les grandes listes de symboles de la sexualité où tout signifie toujours la même chose ; il y a là une sorte de monotonie thématique des substituts. Le travail qui donnera la forme aux rêves est beaucoup plus intéressant à observer et l'analyse doit consister à montrer comment on fait du sens avec un matériau affectif relativement indifférencié. Je ne veux pas discuter si ceci mène à la métaphore et à la métonymie, comme le dit Lacan ; Jacobson obtient un résultat assez différent à ce propos. Mais je vois que le travail de structuration est important et je crois que c'est au niveau de cette espèce de polysémie que l'intervention des forces sociales peut jouer.

Le marxisme doit pousser ses recherches dans la même direction que la psychanalyse, se demander comment les données de milieu qui ont le même rôle que la pulsion et sont des espèces de pulsions sociales vont être structurées en des niveaux intermédiaires. Goldmann a pu dégager la vision du monde comme structure intermédiaire entre l'infra et la superstructure.

La médiation entre infra et superstructure est capitale. C'est au niveau de cette polysémie réduite que les analyses psychanalytique et marxiste découvriront ensemble des modalités et des niveaux de structuration. Le freudien va rencontrer le problème de la façon suivante : comment à partir de pulsions individuelles apparaît un objet de culture valable pour tous et non pas simple rêve, sorte de cinéma privé et sans intérêt social. Le marxiste rencontrera le problème à l'envers. Les prétendues déterminations sociales opèrent au niveau d'objets culturels, en passant par des figures de sens, par des structures de sens qui, elles, n'émergent que dans les individus. Il faudra renoncer à l'idée de conscience collective car la promotion du sens se fera toujours sur le plan d'une œuvre façonnée par des individus créateurs d'objets de culture.

Je répondrai rapidement à M. Mauron. Je ne crois pas que la psychanalyse soit simplement le monde du désir ; elle est bien celui du travail à deux variables ; c'est ma position de départ. Là où nous différons un peu c'est quand il évoque Claude Bernard. A mon sens, il ramène trop à la méthode des sciences naturelles un problème d'exégèse et il me semble que sa propre psychocritique entre plutôt dans les disciplines historiques et exégétiques que dans celles des sciences naturelles. Je ne vois pas bien non plus comment on peut travailler sur des forces autrement qu'au niveau de leur expression. Le rêve serait autre chose que ce qui en est raconté. Je réponds : « Je n'en sais rien, j'ignore absolument ce qu'est le rêve rêvé. » L'étude du rêve rêvé ressortit à la psychophysiologie ; la psychanalyse commence avec le récit du rêve et la possibilité de l'interpréter.

MAURON

On n'est pas forcé de passer par une forme verbale pour faire une association d'images.

RICŒUR

Oui, mais que représentent pour l'homme des images qui n'ont pas été verbalisées ? Nous n'avons plus aucune espèce de recours à un fond imaginatif préverbal, sinon les traces de sensation, et c'est là que la psychologie freudienne est à revoir dans la mesure où elle conçoit les paroles elles-mêmes comme des traces d'images acoustiques.

Je me trouve entre deux positions : celle de M. Mauron, qui voudrait m'attirer davantage vers l'étude des forces, et une autre qui voudrait m'attirer vers le langage. Quant à moi, toute ma problématique a été de récuser cette espèce de rupture et de présenter le problème de la psychanalyse comme la constitution d'un discours difficile où les forces en présence ne sont jamais accessibles que dans les rapports de sens. La notion de censure est justement intéressante parce qu'elle appartient à ce discours mixte.

Qu'est la censure ? Un concept mixte, énergético-exégétique si j'ose dire, puisque la force joue au niveau d'un sens, impose au texte des ratures, des blancs, des déplacements.

Nous atteignons le principe de plaisir au niveau de ce que Freud a appelé les processus primaires. Pour atteindre le principe de réalité, nous passons par toutes les médiations, parce que la réalité n'est pas ce que l'on voit, c'est un monde humain élaboré à la hauteur d'une culture.

Mauron

Il y a la réalité psychique.

Ricœur

Nous sommes par conséquent dans du signifiant, dans du verbal. Sinon nous ne serions plus dans un monde humain.

LE SUJET DE LA CRÉATION CULTURELLE

par Lucien GOLDMANN

Si j'ai choisi ce thème, c'est parce qu'il me semble le plus apte à mettre en lumière à la fois les convergences profondes et les divergences fondamentales qui existent entre, d'une part, l'étude sociologique et dialectique et, d'autre part, l'étude psychanalytique de la création culturelle.

En effet, il importe tout autant de ne pas laisser de côté ce que la psychanalyse peut, même dans la perspective d'un sociologue, apporter à la compréhension de l'homme et de la création culturelle, que de ne pas estomper les oppositions pour arriver à une sorte d'irénisme aussi éclectique que vague, qui ne saurait que nuire à la recherche positive.

En quoi consistent tout d'abord les éléments communs ? Je crois que Ricœur l'a déjà indiqué ce matin. Sociologie dialectique et psychanalyse partent en effet l'une et l'autre d'une affirmation commune : celle que, sur le plan humain, rien n'est jamais dépourvu de sens. Cela ne veut pas dire, comme on l'a affirmé souvent de l'hégélianisme, que la dialectique est un panlogisme, d'autant plus qu'étant donné le développement contemporain de la logique formelle, on risquerait facilement de donner à ce terme un sens trop étroit. Peut-être vaudrait-il mieux créer un terme non pas à partir de « logique » mais de « signification », et parler de *pansignifiance*. A condition, bien entendu (c'est une idée que j'ai déjà eu l'occasion de développer dans une discussion avec Paul Ricœur à Montréal), de rester conscient du fait que la signification ne commence pas avec l'homme et encore moins avec la pensée et le langage, et surtout qu'elle n'est pas toujours consciente.

Si nous avions dans cette chambre un chat plus ou moins affamé et si une souris longeait le mur de gauche, le fait pour le chat de s'orienter de ce côté et d'attraper la souris serait une action parfaitement significative adaptée à la fois au problème qui se pose au chat (celui d'apaiser sa faim et de trouver la nourriture), et au contexte dans lequel il se pose, celui d'une souris qui longe le mur de gauche vers lequel le chat doit s'orienter pour l'attraper.

Or, bien que nous ne sachions pas grand-chose sur la psychologie des animaux, il n'est nullement certain, il est même très peu probable, que le chat soit conscient du problème et du procédé qu'il emploie pour le résoudre. Son comportement n'en est pas moins significatif dans le sens où *signification* veut dire résolution biologique corporelle, implicite, d'un problème posé dans une situation donnée.

Quoi qu'il en soit cependant de la conscience du chat, ce qui importe c'est le fait que depuis l'apparition de l'homme, la signification passe toujours chez celui-ci à travers la conscience (vraie ou fausse), la communication, la parole et le langage, de sorte que nous trouvons cette conscience signifiante chaque fois que nous avons affaire soit à une réalité humaine contemporaine, soit à une réalité humaine passée qui nous a laissé suffisamment de vestiges et de témoignages pour que nous puissions l'étudier.

Or ce qui est commun à des penseurs comme Hegel, Marx, Lukàcs, Freud et je crois pouvoir ajouter Piaget, c'est l'affirmation que chaque fois que nous nous trouvons devant un comportement humain, une expression linguistique, une phrase écrite, une indication quelconque de communication [1], quelle que soit d'ailleurs l'impression immédiate que produit ce fragment ou ce comportement, et même si nous ne voyons pas d'emblée sa rationalité, la manière dont il pourrait contribuer à la solution d'un problème, c'est en fait un fragment de sens qui, si nous réussissons à l'intégrer à l'ensemble dont il fait partie, *va se révéler* significatif.

Aussi, tant les analyses de Marx que celles de Freud, qu'il s'agisse d'économie, d'étude des idéologies, d'histoire politique, d'histoire de la littérature, de philosophie, de religion et de pensée scientifique, ou bien d'analyse de rêves, de névroses ou de lapsus, aboutissent à mettre en lumière le caractère significatif — et cela veut dire à la fois structurel et fonctionnel — de tel témoignage ou comportement humain qui paraissait à l'origine plus ou moins, et parfois même entièrement, dépourvu de signification.

C'est là un premier élément commun.

Le deuxième réside dans la manière dont Hegel, Marx, Lukàcs et Freud s'y prennent pour rétablir le sens à partir d'un fragment qui n'est pas en lui-même significatif ou qui paraît au premier abord avoir une signification différente de celle qu'aboutira à mettre en lumière la recherche dialectique ou psychanalytique.

---

[1] Cette affirmation s'étend aussi au comportement biologique car, au niveau humain, le biologique lui-même devient signifiant au niveau symbolique, devient au moins, comme le disait Sartre, « conscience (de) soi », et peut devenir par la suite conscience réflexive.

Cette manière d'y parvenir est, pour tous ces penseurs, l'intégration de l'objet étudié dans une totalité relative plus vaste, qu'on l'appelle structure, vie sociale, réseau d'images ou psychisme inconscient ; je me permets d'ajouter que dans cette perspective la notion de polysémie dont on a beaucoup parlé dans ce colloque devient parfaitement acceptable et signifie tout simplement la possibilité d'intégrer de manière adéquate l'objet étudié dans plusieurs structures différentes, tant sur le plan de la conscience que sur celui de la vie historique et peut-être aussi (je ne suis pas assez compétent pour me prononcer) biologique.

Troisième point commun : l'idée que les structures ne sont pas invariables et permanentes mais constituent l'aboutissement d'une genèse ; aussi ne peut-on comprendre le caractère significatif d'une structure qu'à partir d'un ensemble de situations actuelles à l'intérieur duquel elle est née des tentatives du sujet (*déjà structuré lui-même par son devenir antérieur*), de modifier des structures anciennes pour répondre aux problèmes posés par ces situations : tentatives de réponse qui, à l'avenir, au fur et à mesure que des influences externes ou bien le comportement du sujet et son action sur le monde ambiant transformeront les situations et poseront des problèmes nouveaux, modifieront progressivement la structuration actuelle du sujet.

En bref, aussi bien la pensée de Freud que celle de Marx (et bien entendu, ces deux noms ont ici une valeur plus générale et signifient toute sociologie dialectique et positive et toute psychanalyse d'inspiration freudienne) sont des structuralismes génétiques.

Ceci dit, il faut cependant insister aussi sur les différences qui séparent le marxisme et la psychanalyse.

Celles-ci me paraissent se situer en premier lieu au point que je me propose de traiter aujourd'hui ; celui du sujet du comportement humain et, à partir de là, de la signification et du langage significatif ; et, à l'intérieur de ce comportement et de ce langage, celui du sujet de la création culturelle.

La différence essentielle entre toute sociologie dialectique et la pensée freudienne me paraît résider dans la manière de concevoir ce sujet. Pour deux raisons qui se sont conjuguées, Freud a en effet, me semble-t-il, pensé que le sujet était toujours et partout un individu. Il l'a fait d'abord dans la mesure où il se situait encore dans le prolongement de la pensée des Lumières [2] et où cette philosophie — qui a

---

[2] Ce qui explique entre autres sa profonde hostilité contre la religion, dont parlait ce matin Ricœur, (c'est là un trait extrêmement fréquent chez les philosophes des Lumières) et le court-circuit du raisonnement grâce auquel il réduisait la religion à l'illusion et à l'idéologie.

constitué pendant plusieurs siècles la forme de pensée prédominante du monde occidental — partait, sous une forme ou une autre, toujours de l'individu. *Cogito* cartésien ou husserlien, sensations ou propositions protocolaires des empiristes, c'était toujours l'individu qu'elle voyait comme unique sujet possible de l'action, de la pensée et du comportement.

Cela aboutissait d'ailleurs parfois à des formes à la fois aussi paradoxales, aussi révélatrices que celle que j'ai citée dans un de mes livres : une grammaire pour la classe de troisième ou de quatrième dans laquelle on pouvait lire, comme s'il s'agissait d'une vérité évidente, que « *Je* est un pronom qui n'a pas de pluriel ; *Nous* signifie Je et Tu ». Bref, pour la pensée des Lumières, et pour Freud à sa suite, il n'y a que des individus, le sujet est toujours un « Je ».

Or cette position individualiste a été renforcée chez Freud par le fait que, même là où se situent ses grandes découvertes, notamment celle de l'inconscient, et où par ces découvertes il dépassait de manière essentielle la pensée des Lumières et s'orientait vers une conception dialectique de la personnalité, il s'est trouvé en tout premier lieu devant l'aspect biologique ou immédiatement dérivé du biologique de celle-ci, en face de la sexualité, de ce qu'on a appelé ici le désir, mais qu'il serait peut-être préférable, pour éviter toute confusion avec Hegel, de désigner par le terme libido.

Or, même si la structure de la libido ou du désir n'est pas particulièrement génitale — et Freud fut le premier à découvrir et à enseigner qu'elle ne l'est certainement pas — je crois qu'on peut la définir d'une manière assez rigoureuse par le fait qu'elle embrasse exclusivement des pulsions dont le sujet est, du point de vue biologique, un individu pour lequel les autres individus ne sauraient être que des objets et, plus précisément, des objets de satisfaction ou des obstacles à celle-ci tels par exemple la Mère et le Père dans le complexe d'Œdipe.

Ceci dit, il est cependant évident que, une fois intégrées à une personnalité capable de pensée symbolique et de langage, ces tendances elles-mêmes deviennent plus complexes et acquièrent certaines caractéristiques nouvelles, notamment la possibilité de s'intégrer à une conscience réflexive, de penser le Je et, à partir de là, d'en faire l'objet de la pulsion. On aboutit ainsi au narcissisme qui est une particularité humaine et a ceci de caractéristique qu'il présente, au niveau du sujet individuel — qui, selon nous, n'est qu'un facteur secondaire dans la création culturelle — une des particularités les plus importantes des sommets de la conscience collective : l'identité du sujet et de l'objet.

Quelles qu'en soient cependant les raisons, c'est un fait que les analyses freudiennes de la création culturelle sont une sorte de transposition rigoureuse, et à peine modifiée sur quelques points secondaires, des analyses du comportement individuel et de la libido individuelle.

Or, si la psychologie structuraliste est incontestablement fondée jusqu'à un certain point — nous l'avons nous-même souligné au début de cette conférence —, la transposition du sujet individuel du domaine biologique et libidinal à la vie sociale et à la création culturelle nous paraît au plus haut point problématique et nous craignons qu'elle ne mette en question tout intérêt positif et scientifique de ces analyses.

Avant d'aborder cependant l'essentiel du problème, je voudrais rappeler qu'un certain nombre de particularités, à la fois importantes et contestables, de la pensée freudienne semblent découler de cette position. Je me contenterai d'en mentionner une seule : l'absence de la catégorie de l'avenir.

L'avenir de l'individu est en effet limité ; il s'arrête à la mort, aussi serait-il difficile d'en faire une catégorie fondamentale de la pensée individualiste.

De plus, la disparition de la catégorie de totalité dans l'individualisme entraîne, elle aussi, pour une pensée conséquente, la disparition de l'idée de temps et son remplacement par les deux autres catégories équivalentes et atemporelles de *l'instant* et de *l'éternité*. Ce n'est pas un hasard si cette atemporalité caractérise les deux grandes pensées rationalistes : celle de Descartes et celle de Spinoza. De même on pourrait montrer que, si l'engagement politique des penseurs des Lumières au XVIIIe siècle les a amenés à lutter pour un avenir meilleur, il n'en était pas moins très difficile de fonder cette idée d'avenir (qu'ils concevaient d'ailleurs très souvent sous une forme atemporelle) dans leurs systèmes.

Aussi n'y a-t-il rien d'étonnant dans le fait que la pensée de Freud, malgré son caractère génétique, ignore l'avenir et semble évoluer dans une temporalité à deux dimensions : le présent et le passé, avec une nette prédominance de celui-ci. Si je ne me trompe, le mot avenir ne se trouve qu'une seule fois dans le titre d'un de ses livres : *l'Avenir d'une illusion*, lequel démontre précisément que cette illusion n'a pas d'avenir.

Revenons cependant au problème qui nous intéresse : Freud l'a soulevé lui-même dans *Malaise dans la civilisation*. Il y constate en effet que la libre satisfaction des tendances libidinales qui prennent pour objet les premiers êtres que rencontre l'enfant, et notamment, comme on l'a si souvent dit dans ce congrès, la mère et le père, aurait pour conséquence la création de très petits groupes autonomes et empêcherait toute constitution d'une société plus vaste.

Or les hommes ont créé des sociétés semblables, et pour ce faire ils ont, entre autres, interdit la satisfaction des pulsions libidinales les plus intenses : celles qui correspondent précisément au complexe d'Œdipe. L'interdiction de l'inceste est une des institutions sociales les plus répandues et les plus générales que nous connaissons. Freud se pose le problème de savoir ce qui a pu amener les hommes à accepter librement une frustration aussi grave et aussi douloureuse pour créer la vie sociale et la civilisation, et affirme que c'est là un des problèmes les plus importants des sciences humaines, à la solution duquel les hommes de science n'auraient jusqu'ici formulé aucune hypothèse sérieuse. Or cette réponse, qui met en question il est vrai tout l'individualisme freudien, la pensée marxiste l'avait formulée depuis longtemps.

Avec le développement de la fonction symbolique, du langage et de la communication, des moyens tout à fait nouveaux et révolutionnaires de satisfaire l'autre besoin fondamental de l'homme, à côté de la libido, la protection de la vie (contre la faim, le froid, etc.) étaient apparus. Nous résumerons l'ensemble des comportements correspondant à ce deuxième besoin par le terme « maîtrise de la nature ».

Or si la libido, malgré tout le développement et les modifications apportés par l'apparition de la conscience, de la fonction symbolique et du langage, restait toujours individuelle, le comportement correspondant au besoin de maîtriser la nature pour améliorer les conditions de vie changerait du tout au tout ; avec la communication et le langage se développerait, en effet, la possibilité d'une division du travail qui réagirait à son tour sur la fonction symbolique, et ainsi de suite — c'est ce que Piaget a appelé le choc en retour — engendrant quelque chose d'entièrement nouveau et inconnu jusqu'ici : *le sujet constitué par plusieurs individus.*

Si je soulève une table très lourde avec mon ami Jean, ce n'est pas moi qui soulève la table, et ce n'est pas Jean non plus. Le sujet de cette action, au sens le plus rigoureux du mot, est constitué par Jean et moi (et, bien entendu, pour d'autres actions on devrait ajouter d'autres individus en nombre beaucoup plus grand), c'est pourquoi les relations entre Jean et moi ne sont pas des relations de sujet-objet, comme dans le domaine de la libido, du complexe d'Œdipe par exemple, ni des relations intersubjectives, comme le pensent les philosophes individualistes qui prennent les individus comme des sujets absolus, mais ce que je proposerais de désigner par un néologisme, des relations *intrasubjectives,* c'est-à-dire des relations entre individus qui sont chacun des éléments partiels du véritable sujet de l'action.

Mais, pour que nous puissions soulever la table ensemble, il faut que nous puissions la désigner, et désigner toute une série d'autres choses ; il faut donc qu'il y ait une pensée théorique. Aussi, tout ce qui sera dit sur le plan de la théorie sera-t-il, dans la mesure où il reste lié au comportement qui prend pour objet soit le monde naturel ambiant, soit d'autres groupes humains, un domaine où le sujet sera transindividuel, et où toute communication entre Jean et moi concernant la table que nous sommes en train de soulever reste une communication à l'intérieur du sujet, une communication, nous venons de le dire, intrasubjective.

C'est ici que me paraît se situer la rupture fondamentale entre la sociologie dialectique et la psychanalyse. Car Freud, qui a découvert le domaine des pulsions inconscientes et des comportements destinés à les satisfaire, a vu aussi naturellement celui des pulsions créées ou tout au moins assimilées par la société et dont la satisfaction est par essence liée à la conscience, le domaine des comportements orientés, directement ou indirectement, vers la maîtrise de la nature et la création culturelle.

Malheureusement il n'a pas enregistré le changement de nature du sujet, qui s'établit au passage des unes aux autres, et c'est pourquoi il les a toujours rapportées à un sujet individuel. Il est hautement caractéristique qu'il les ait désignées sous le terme global de « Ichtriebe », c'est-à-dire « pulsions du moi », alors que ce qui caractérise précisément l'apparition de l'homme, la naissance de la civilisation et, liée à elle, l'apparition de la conscience et de la division du travail, c'est d'avoir rendu possible le développement d'un secteur de la vie et du comportement à sujet transindividuel et infiniment extensible, sujet qui agit, il faut le rappeler, non seulement sur le monde naturel, mais aussi sur d'autres hommes ou sur d'autres groupes d'hommes, lesquels constituent alors l'objet de sa pensée et de son action.

La véritable opposition n'est pas, comme le pensait Freud, entre les pulsions du Ça, sujet individuel à prédominance inconsciente et biologique et les pulsions du Moi, sujet individuel lui aussi mais à prédominance consciente et socialisée. Elle se situe entre les pulsions du Ça et celles qui structurent la conscience d'un être qui, tout en restant biologiquement un individu, ne représente plus, en tant qu'être conscient et socialisé, *qu'un élément partiel d'un sujet qui le transcende*.

Ajoutons qu'il n'y a, dans cette perspective, aucune difficulté à admettre que l'énergie dépensée dans le comportement social trouve son origine dans la transformation des pulsions libidinales. Le caractère véridique ou erroné de cette affirmation est un problème de psychologie.

Il nous reste à souligner que la conception du sujet comme individuel ou transindividuel n'est pas un simple problème terminologique — auquel cas nous ne lui attacherions aucune importance — mais un problème décisif pour toute recherche en sciences humaines. Il s'agit en effet ni plus ni moins de savoir par rapport à quel sujet se situe l'intelligibilité fondamentale de tout comportement à caractère même partiellement conscient.

Pour la psychanalyse, cette intelligibilité reste toujours individuelle, l'éventuelle intelligibilité sociale n'ayant qu'un caractère secondaire, dérivé, et finalement imposé de l'extérieur bien qu'intériorisé par la suite.

Pour la pensée dialectique, au contraire, c'est l'intelligibilité par rapport au sujet collectif qui est primordiale, l'éventuelle intelligibilité par rapport au sujet individuel ayant, tant que nous ne sommes pas devant des phénomènes irrationnels comme la folie, le rêve ou même le lapsus, un caractère subordonné et secondaire.

Bien entendu, il n'est pas question dans tout cela d'une conscience collective qui se situerait en dehors des consciences individuelles et il n'y a d'autre conscience que celle des individus. Seulement, certaines consciences des individus se trouvent en relations non pas intersubjectives mais *intrasubjectives* l'une avec l'autre et constituent ainsi le sujet de toute pensée et de toute action à caractère social et culturel.

En résumé le sens que la psychanalyse découvre dans les manifestations humaines qui paraissent au premier abord absurdes (lapsus, rêves, névroses) et les significations objectives que l'analyse sociologique découvre derrière les significations apparentes ou l'absence apparente de signification des faits sociaux historiques et culturels, se situent par rapport à des sujets différents. Un sujet individuel coïncidant avec le sujet biologique dans le premier cas, un sujet transindividuel, ou si l'on veut pluriel, dans le second.

Ajoutons, pour éviter tout malentendu, que dans certaines conditions le sujet pluriel qui élabore la pensée théorique et les visions du monde peut aussi élaborer une vision individualiste ; celle-ci n'est alors en rien moins collective que toutes les autres formes de pensée. Pour être isolé sur son île, Robinson n'est pas une création moins collective que les visions et les formes de pensée qui nient toute réalité à l'individu.

Bien entendu cette forme de communauté intrasubjective que je vous ai décrite pour simplifier, la relation entre deux personnes qui se proposent de soulever une table, est idyllique et très éloignée de la réalité sociale effective.

Elle suffisait cependant pour illustrer le problème car je n'ai pas le temps d'insister sur les nombreuses formes de pathologie sociale analysées en premier lieu par Marx et les penseurs marxistes mais aussi par beaucoup d'autres sociologues et historiens, notamment par Adorno et l'Ecole de Francfort dont on a souvent parlé ici.

Il faudra analyser dans des recherches concrètes les différentes formes de pathologie sociale et notamment, pour les sociétés occidentales contemporaines, la réification, le remplacement du qualitatif et de l'humain par le quantitatif, les pathologies de l'organisation bureaucratique et technocratique. Mais quelles que soient ces formes de la pathologie sociale, elles sont fondamentalement différentes des formes pathologiques de la libido ; les unes sont en effet des pathologies du sujet transindividuel, de la coopération, de la division du travail, les autres des pathologies de l'individu.

J'en arrive à une question essentielle que je voudrais poser à Ricœur. Je suis entièrement d'accord avec lui lorsqu'il signale que tout structuralisme génétique, qu'il s'agisse de psychanalyse ou de sociologie dialectique, est toujours menacé par un même danger : celui de la réduction, du *ne... que*. Ce tableau *n*'est *que* l'expression d'un désir libidinal, l'œuvre de Valéry *n*'est *que* l'expression idéologique de la pensée « petite-bourgeoise ».

Je suis aussi d'accord avec lui pour penser que tout structuralisme génétique doit expliquer comment un point de départ a été dépassé pour aboutir à une création complexe supérieure et non pas comment cette création se réduit au point de départ. Mais je voudrais lui demander si, dans la mesure où elle ramène tout à la libido et au sujet individuel, la pensée psychanalytique *la moins réductrice dans son domaine propre* ne le devient pas nécessairement lorsqu'elle aborde la création culturelle, s'il ne lui manquera pas toujours la possibilité de rapporter celle-ci à un sujet collectif et si la société ne reste pas pour elle simplement le milieu à travers lequel s'exprime le sujet individuel ? Or je pense que c'est là un des points les plus problématiques et empiriquement insuffisants de cette perspective.

A l'occasion de la conférence de Green, un problème connexe à celui que nous traitons n'avait pas été soulevé dans la salle, mais est revenu dans les conversations privées.

Quels sont les rapports entre l'interprétation et l'explication ? Je crois que je pourrais vous proposer une réponse. C'est là en effet une question importante qui a, me semble-t-il, été traitée le plus souvent de manière hautement contestable. On a en effet opposé artificiellement *l'explication* comme étant du ressort des sciences causales physicochimiques, à *l'interprétation,* propre aux sciences humaines, qui serait du domaine de la participation, du dialogue et parfois de l'affectivité.

Pour une pensée dialectique, le problème se pose différemment.

Comprendre est un processus intellectuel [3] : la description d'une structure significative dans ce qu'elle a d'essentiel et de spécifique. Mettre en lumière le caractère significatif d'une œuvre d'art, d'une œuvre philosophique ou d'un processus social, le sens immanent de leur structuration, c'est les *comprendre,* en montrant qu'elles sont des structures qui ont leur cohérence propre. *Expliquer,* c'est situer ces structures en tant qu'éléments dans des structures plus vastes qui les englobent. *L'explication se réfère toujours à une structure qui englobe et dépasse la structure étudiée.*

Si j'analyse la cohérence interne des *Pensées* de Pascal, je les comprends à l'aide d'une activité strictement intellectuelle. Mais si je situe ces mêmes *Pensées* à l'intérieur du jansénisme extrémiste ou du jansénisme en général, je *comprends* ce dernier et *j'explique* la *genèse* des *Pensées.* De même, si j'insère la structure du jansénisme dans l'ensemble des relations de classe de la France du XVIIe siècle, ou dans la noblesse de robe de cette époque, je *comprends* l'évolution de la noblesse de robe, et *j'explique* la naissance du jansénisme, etc.

Mais alors se pose une question essentielle à notre problématique :

Pour interpréter un rêve, pour trouver sa signification (je prends cet exemple, mais je pourrais tout aussi bien parler d'une névrose), le psychanalyste en aucun cas ne peut s'arrêter à une interprétation immanente, à une simple mise en lumière de sa structure, il doit recourir aux pulsions inconscientes, insérer le rêve dans quelque chose de plus vaste, qui n'est pas simplement son contenu manifeste, et rendre compte du travail de transformation. La question se pose donc : pourquoi ne peut-on pas comprendre et interpréter les rêves comme on pourrait, à la limite, comprendre et interpréter la *Phèdre* de Racine ou l'*Orestie* d'Eschyle ? J'ai dit hier qu'il me paraissait absurde d'admettre l'existence d'un inconscient d'Oreste ; Oreste n'est rien d'autre que le personnage littéraire attesté par le texte et n'a aucune existence en dehors de celui-ci. Or, nous venons de le dire, la psychanalyse ne peut pas interpréter un rêve sans dépasser son contenu manifeste, c'est-à-dire sans recourir à l'explication. Dans l'analyse sociologique, je dépasse bien entendu aussi presque toujours le texte, mais c'est pour *l'expliquer* et non pas pour le comprendre, alors que, pour trouver le sens d'un rêve, vous êtes *obligés* d'expliquer. Il n'y a pas *d'analyse immanente* du rêve.

La raison en est que le rêve ne constitue pas, à lui seul, une structure significative et n'est, en tant que manifestation consciente, qu'un *élément* d'une pareille structure (biologique et individuelle), alors que

---

[3] Ce qui ne veut pas dire une attitude purement théorique, dans la mesure où toute attitude théorique est en même temps théorico-pratique.

la logique sociale crée des structures significatives ayant une autonomie relative et un sens propre. Bien sûr, il y a une *explication* du rêve comme des structures conscientes, mais ce qui distingue l'une de l'autre c'est leur situation respective sur un continuum qui va du purement biologique (sans signification hors de l'explication) à la grande œuvre culturelle (susceptible en principe d'une compréhension autonome, différente de l'explication). Dans la recherche concrète, il est vrai, l'explication aide toujours à la compréhension et inversement.

Cela explique pourquoi, chaque fois que nous voulons situer le rêve par rapport à la logique consciente, c'est-à-dire *l'interpréter,* lui donner un sens, nous devons recourir à l'inconscient comme facteur *explicatif* des déformations, et trouver la signification latente grâce à *l'explication* des distorsions de sens par rapport à la logique sociale. En bref, ce qui distingue la création culturelle du rêve, c'est qu'elle se situe au niveau de la signification par rapport au sujet collectif ; non pas que la psychanalyse n'y trouve pas de significations libidinales, car il n'y a pas de conscience collective en dehors des consciences individuelles, mais, toute conscience individuelle se compose à la fois d'éléments libidinaux dont le sujet est individuel et d'éléments conscients qui ressortissent au plan de la création culturelle et pour lesquels le sujet est transindividuel.

Bien entendu, il n'y a pas deux secteurs séparés dans la conscience, mais dans cette interpénétration, il se peut que l'élément collectif réussisse à garder son autonomie et ses lois propres et crée ainsi quelque chose d'entièrement significatif par rapport au sujet transindividuel qui agit, travaille et élabore la culture. Dans ce cas, les éléments de satisfaction individuelle ne peuvent entrer en ligne de compte que dans la mesure où ils s'adaptent à cette logique sans la modifier. Ils pourront rendre compte du fait que c'est précisément l'individu Racine qui a écrit les pièces que nous connaissons, et non pas un autre. Mais le sens de ces pièces, l'exigence d'absolu, les personnages muets et spectateurs qui se traduisent pour le héros par l'existence d'une contradiction insoluble, la distance qui sépare le personnage tragique des êtres qui exigent, est une transposition des catégories élaborées par le groupe janséniste, et la seule question où la psychanalyse peut apporter des renseignements, à la fois valables et précieux, est celle de savoir pourquoi c'est dans l'individu Racine qu'elles se sont manifestées avec une force particulière, comment il se fait qu'elles ont coïncidé avec les problèmes individuels à un point tel que cet individu a réussi à donner une forme particulièrement cohérente à des tendances présentes avec plus ou moins d'intensité et de cohérence chez tous les autres membres du groupe. Si, au rebours, cette coïncidence entre l'individuel et l'intrasubjectif ne se produit pas, si les pulsions individuelles parviennent à troubler la logique et la structure de la signification collective, nous passerons progressivement de l'œuvre de Racine à la conscience moyenne et, à l'autre extrême, au rêve et au pathologique.

Or, dans la mesure où la psychanalyse essaie de rapporter l'ensemble de la conscience au Je, à l'individu, au libidinal, elle se trouve fatalement amenée à effacer les différences entre ces différents types d'expressions en abandonnant tout critère qui lui permettrait de distinguer le malade du génie.

Quand le psychanalyste se trouve devant un écrit ou une peinture, du fait de sa méthode même, il les situe sur le même plan que n'importe quelle autre expression de même nature d'un malade ou d'un aliéné, et il a raison de son point de vue car il est hautement probable que l'œuvre remplit pour son auteur une fonction analogue par exemple à celle qui est remplie par le dessin d'un fou. Aussi le psychanalyste a-t-il probablement raison de soutenir que, en écrivant sa pièce, Racine a exprimé telle ou telle aspiration inconsciente et libidinale.

Le problème reste cependant de savoir quelle est la relation entre celle-ci et la signification de l'ensemble de l'œuvre qui ne saurait être rapportée qu'à un sujet transindividuel.

Et c'est seulement lorsque la première parvient à s'exprimer sans troubler en rien la seconde qu'elle peut renforcer la valeur culturelle — en l'occurrence littéraire — de celle-ci.

Il faut toujours rappeler cette affirmation fondamentale de la sociologie structuraliste génétique que la cohérence significative (et cela veut dire collective) des œuvres d'art, loin d'être plus individuelle que celle de la pensée et des écrits d'individus moyens, atteint au contraire un degré beaucoup plus élevé de socialisation.

Pour nous, chaque fois que nous avons affaire à un texte culturel important ou à un événement historique, nous nous trouvons devant un objet d'étude dans lequel le sujet transindividuel ou, si vous voulez, le sujet collectif, s'est exprimé à un niveau de cohérence beaucoup plus élevé que celui atteint par la conscience des individus moyens, la vôtre ou la mienne par exemple, et cela veut dire à un niveau où l'étude positive peut faire abstraction du facteur individuel. Non pas que la satisfaction libidinale n'ait pas existé ou constitué un chaînon important dans la genèse de l'œuvre, mais elle est particulièrement difficile à saisir et ne contribue que très peu à la compréhension de l'objet que l'on veut étudier [4].

---

[4] Ce fut par exemple le cas lorsque nous avons essayé de comprendre le

Sur ce point j'ai eu récemment à Montréal une discussion que je voudrais évoquer ici car elle m'a révélé un malentendu à éviter. Lors d'un exposé sur l'esthétique sociologique au cours duquel j'avais mentionné l'exemple de la tragédie française du XVIIe siècle, certains de mes auditeurs, qui étaient d'ailleurs des historiens professionnels de la littérature, ont soulevé une objection inattendue :

« Tout cela est très bien et nous l'admettons volontiers, mais vos catégories sociologiques peuvent-elles saisir le fait esthétique et ne faudrait-il pas, pour ce faire, leur ajouter des catégories spécifiquement littéraires ? »

Or je n'ai jamais eu l'idée d'utiliser des catégories sociologiques pour *la compréhension de l'œuvre*. L'esthétique de celle-ci dépend en premier lieu de sa richesse, de sa cohérence significative et de la cohérence entre son univers et la forme dans le sens étroit du mot. Seulement, pour mettre en lumière cette signification et cette cohérence internes, je dois me servir de procédés *explicatifs* qui impliquent son insertion dans une structure plus vaste, c'est-à-dire dans une structure sociale. Mais, ce faisant, je ne veux nullement, et en aucun cas, trouver des éléments sociologiques à l'intérieur de l'œuvre. Celle-ci n'est rien d'autre qu'un texte ayant, ou n'ayant pas, une structure cohérente. Je rappelle une fois de plus ce que je disais hier : lorsqu'il s'agit d'interpréter l'*Orestie*, on peut sans doute recourir à des procédés explicatifs en l'insérant dans une structure qui l'englobe, dans la psychologie d'Eschyle par exemple, ou dans la société athénienne, mais on n'a pas le droit d'ajouter ni une ligne ni un mot à l'écrit. Le personnage d'Oreste peut donc éventuellement s'expliquer par *l'inconscient d'Eschyle* ou par les structures sociales d'Athènes, mais on ne saurait lui attribuer un inconscient propre tant qu'on n'aura pas trouvé dans le texte une phrase affirmant explicitement l'existence de ce dernier, et encore moins introduire dans le texte des catégories sociologiques.

En bref, dans les cas où il y a prédominance de la signification libidinale, le chercheur est obligé de recourir à l'explication pour pouvoir interpréter. Dans le cas de la création culturelle, interprétation et explication sont des processus complémentaires qui se facilitent mutuellement dans le cours de la recherche, mais néanmoins des processus différents. L'individuel ne saurait pénétrer dans l'œuvre d'art sans l'affaiblir ou la détruire, que dans la mesure où il s'intègre à la signification collective. Il en résulte que lorsque le psychanalyste aborde l'étude de cette œuvre en y cherchant des significations indivi-

---

théâtre tragique de Racine, les *Pensées* de Pascal et le mouvement janséniste, auquel l'un et l'autre étaient liés.

duelles il en trouvera sans doute et parfois en très grand nombre, mais presque toujours en la morcelant et en laissant de côté sa structure totale et sa problématique essentielle.

Qu'il s'agisse du *Moïse* de Michel-Ange, ou des sourires de sainte Anne et de Marie dans la *Sainte-Famille,* l'essentiel n'est pas de savoir ce qui, dans la vie de Léonard, dans ses relations avec le Pape ou avec son père a pu l'amener à les peindre ainsi — car des relations libidinales analogues auraient pu exister à un autre instant et dans une autre société — mais ce qui a fait que cette expression de désirs individuels a pu s'insérer dans une structure et dans une œuvre d'art qui avait, au niveau de ce qui est peint, un degré très élevé de cohérence significative. Des relations entre un frère et une sœur, analogues à celles de Blaise et de Jacqueline Pascal, il en existe peut-être des milliers. C'est à un certain moment, et dans un certain contexte, que cette relation s'est avérée particulièrement favorable pour exprimer à un niveau de cohérence extrême, au niveau du système philosophique, toute une vision qui s'est élaborée à Port-Royal, avec Saint-Cyran et, au-delà, à l'intérieur d'un groupe social particulier, celui des sommets de la noblesse de robe en France.

Cela nous amène à poser un problème particulièrement important: celui de la nature de la satisfaction esthétique puisque, de toute évidence, cette satisfaction comporte un élément de plaisir : tout à l'heure quelqu'un m'a demandé : « Que faites-vous du plaisir ressenti devant une œuvre d'art ? Il est malgré tout du même ordre que celui dont parle Freud dans le domaine de la libido. »

Oui et non, comme chaque fois qu'il s'agit de la relation entre la psychanalyse et la dialectique.

Oui, dans la mesure où il existe une parenté étroite entre la fonction sociale de l'œuvre d'art et la fonction individuelle de l'imaginaire, du rêve et de la folie, telle qu'elle a été décrite par Freud. L'un et l'autre naissent en effet de l'inadéquation des aspirations du sujet par rapport à la réalité. Pour supporter les frustrations que lui impose celle-ci, l'homme est obligé de les compenser par une création imaginaire qui favorise d'ailleurs, tant qu'il s'agit d'une psychologie normale et non pas pathologique, son insertion dans le monde ambiant.

Non, dans la mesure où, au niveau individuel, ces frustrations concernent presque toujours un objet (et le plus souvent un être humain faisant fonction d'objet) que le sujet individuel n'a pu posséder. Inversement, au niveau du sujet transindividuel, l'aspiration ne concerne pas, ou tout au moins ne concerne pas en premier lieu, un objet mais une cohérence significative, la frustration étant constituée par le fait que la réalité impose à chacun d'entre nous un certain degré d'incohérence et de compromission.

Celles-ci résultent non seulement de la relation entre le sujet collectif et le monde ambiant, mais aussi de la structure même de ce sujet composé d'individus qui appartiennent à un grand nombre de groupes sociaux divers et dans la conscience desquels interviennent encore (Freud nous l'a suffisamment montré) des éléments libidinaux. Ces individus constituent ainsi des mélanges, et le sujet transindividuel un groupe qui tend vers la signification cohérente sans jamais parvenir à l'atteindre effectivement.

Aussi la fonction la plus importante de la création littéraire et artistique nous paraît être d'apporter sur le plan imaginaire cette cohérence dont les hommes sont frustrés dans la vie réelle, exactement comme, sur le plan individuel, les rêves, les délires et l'imaginaire procurent l'objet ou le substitut de l'objet que l'individu n'avait pas pu posséder réellement.

Il y a cependant une grande différence entre la cohérence d'une structure consciente rapportée à un sujet collectif, cohérence qui n'est d'ailleurs pas toujours réductible au sens explicite, et la cohérence latente d'une structure libidinale rapportée au sujet individuel.

J'ai déjà dit que, dans un cas comme dans l'autre, la création imaginaire a pour fonction de compenser une frustration, seulement dans le cas du sujet individuel et des frustrations libidinales étudiées par Freud, il s'agit de tourner la censure de la conscience, d'introduire subrepticement dans celle-ci des éléments qu'elle se refusait à admettre et qu'elle avait refoulés.

Dans le cas de la création culturelle, au contraire, l'aspiration à la cohérence constitue une tendance explicite ou implicite de la conscience, tendance qui n'est nullement refoulée. La création renforce ici la conscience dans ses tendances immanentes alors que la libido essaie le plus souvent de la contourner et d'y introduire des éléments étrangers et contraires à sa nature.

Cette différence n'est d'ailleurs pas faite pour nous étonner étant donné que la conscience est étroitement liée au sujet collectif ou, si vous voulez, au sujet transindividuel ; alors qu'elle n'apparaît, au contraire, dans le domaine libidinal que dans la mesure où, lorsque la libido se manifeste *chez l'homme,* elle est obligée d'incorporer cet élément général de la structure humaine qui est l'existence d'une vie consciente en essayant cependant de garder sa propre structure, en l'assimilant ou du moins en assimilant certains de ses éléments à ses propres besoins [5].

---

[5] Il faut cependant toujours, lorsque nous parlons de sujet transindividuel ou de sujet collectif, mentionner qu'il s'agit, non pas de ce que l'école de Durkheim désignait par ce terme, à savoir une conscience collective qui se situerait en dehors, au-dessus ou à côté de la conscience individuelle, mais, au contraire,

Bien entendu, des éléments inconscients s'intègrent presque toujours dans la cohérence d'une structure globale, soit en la déformant vers le lapsus, le rêve ou la folie, soit en lui conservant sa structure explicite et claire mais en lui ajoutant une surdétermination de type libidinal.

Il se peut dans ce dernier cas qu'aux satisfactions de type transindividuel que procure l'œuvre culturelle s'ajoutent des satisfactions et des plaisirs individuels communs à tous les hommes (je les appellerais volontiers des satisfactions générales) et lorsque cela se produit, la réception de l'œuvre se trouve favorisée. Mais pour être favorable, cette coïncidence n'est pas nécessaire et doit être étudiée dans divers cas particuliers.

Ce qu'il importe cependant de souligner, c'est le fait que lorsqu'il s'agit d'interpréter une œuvre culturelle dans ce qu'elle a de spécifiquement culturel, le système de pensée qui la rapporte au sujet individuel et libidinal ne saurait jouer qu'un rôle secondaire et pourrait même, surtout lorsqu'il s'agit d'une œuvre importante, être entièrement éliminé. Il faut aussi ajouter qu'étant donné la difficulté extrême de connaître une conscience individuelle surtout lorsqu'il s'agit d'un écrivain qu'on ne peut analyser durant des mois ou qui est mort depuis plusieurs siècles, c'est surtout l'œuvre et la cohérence transindividuelle de celle-ci, dans la mesure où le sociologue parvient à la mettre en lumière, qui nous apportent des éléments décisifs pour la compréhension de l'auteur. Ce fut par exemple le cas, dans une très grande mesure, au cours de nos recherches sur Pascal et Racine.

Ajoutons que l'étude des conflits et des interpénétrations entre la cohérence intrasubjective et la cohérence libidinale pose un autre problème sur lequel l'école de Francfort a particulièrement insisté (mais qui devrait, je pense, être étudié de manière plus concrète, plus située historiquement, et surtout à la fois dans le contexte de la société contemporaine et en dehors de celle-ci) : celui de savoir dans quelle mesure la cohérence transindividuelle, avec tout ce qu'elle comporte sur le plan pratique, économique, social, politique et aussi culturel, engendre des frustrations importantes dans la vie individuelle et libidinale du sujet. On sait que, selon Freud qui l'a affirmé de manière assez catégorique, toute vie sociale implique des frustrations de la libido, de sorte qu'il y aura toujours un malaise dans la culture. Ceci reste cependant extrêmement général car, comme l'ont bien vu Marcuse, Adorno et leurs amis, ces frustrations peuvent avoir

---

d'un sujet collectif dans le sens que lui a donné ce matin Bastide, à savoir des relations entre le moi et les autres dans une situation dans laquelle l'autre n'est pas l'objet de pensée, de désir ou d'action, mais sujet en train d'élaborer une prise de conscience ou de faire une action en commun avec lui.

un caractère plus ou moins intense, et surtout être réparties de manière inégale entre les individus ou les groupes sociaux. Et c'est un fait qu'elles ne se distribuent pas de manière équitable et homogène entre les différentes classes sociales.

Or la question se pose aujourd'hui de savoir dans quelle mesure le niveau technique élevé atteint par les sociétés industrielles avancées ne permettrait pas, si l'ordre social était organisé de manière plus efficace, de réduire au minimum ces frustrations pour chaque individu, et dans quelle mesure les formes concrètes qu'a prises la société contemporaine, notamment la société technocratique du capitalisme d'organisation, ne sont pas à l'origine du degré particulièrement intense de frustrations que doivent accepter la plupart des hommes d'aujourd'hui.

Quoi qu'il en soit, je ne crois pas qu'il suffise de dire que le travail peut devenir un plaisir et qu'aujourd'hui, étant donné le niveau élevé des standards de vie, on pourrait lui conférer effectivement ce caractère ludique. L'organisation sociale actuelle a, Bastide nous l'a dit ce matin, incontestablement tendance à effacer l'individu à l'intérieur du sujet transindividuel, en organisant une sorte de lavage de cerveau spontané et implicite.

Aussi le problème pratique le plus important de notre époque est-il précisément de savoir dans quelle direction agir, quelle attitude prendre pour contribuer à donner à l'évolution sociale une orientation différente de celle qu'elle semble être en train de prendre spontanément, une direction qui permettrait de modifier une évolution risquant de supprimer l'élément qualitatif et la personnalité humaine, tout en augmentant considérablement le niveau de vie et les possibilités de consommation des individus, créant ainsi une situation dont j'ai une fois caractérisé l'élément paradoxal sur le plan de la culture en écrivant que nous risquons d'aboutir à une production considérable de diplômés de l'Université et de docteurs analphabètes, pour la remplacer par une orientation vers une structure sociale capable d'assurer effectivement un développement harmonieux à la fois du sujet libidinal (lequel a aujourd'hui le droit et la possibilité d'obtenir des satisfactions beaucoup plus grandes et plus intenses que celles que pouvaient lui offrir les sociétés antérieures qui vivaient sous la pression de la pénurie et de la rareté) et de la personnalité intrasubjective et socialisée, un développement harmonieux de l'individu et de la personnalité.

Mais cela nous amène, tant dans la psychanalyse que dans la sociologie, au problème de l'attitude à prendre devant la société contemporaine et des alternatives qui s'offrent encore, problème dont vous savez bien que je suis loin de sous-estimer l'importance, mais qui ne constitue pas le thème de la conférence d'aujourd'hui.

Pour terminer, je voudrais ajouter une remarque au bel exposé que nous avons entendu ce matin, celui de Roger Bastide. Je ne suis en effet pas sûr que tout ait été dit, lorsqu'il souligne que le remplacement du quantitatif par le qualitatif aboutit à un retour aux valeurs archaïques, je ne suis pas sûr qu'il s'agisse ici *seulement* d'archaïsme, et non pas aussi du contraire, de l'avenir et de la nouveauté. Les besoins humains étant par nature liés à l'aspect qualitatif des objets, il se peut que la réapparition *dans la conscience* des hommes des relations qualitatives avec les choses et avec les autres hommes soit à la fois, au moins du point de vue formel, un retour aux valeurs archaïques, mais aussi une orientation réelle et essentielle vers des possibilités de développement humain dans l'avenir.

Enfin, pour terminer cet exposé, je voudrais me servir d'un exemple particulièrement suggestif. J'ai lu, dans l'écrit de Freud sur Léonard, que la construction de la machine à voler est étroitement liée au symbolisme libidinal que le psychanalyste retrouve souvent dans les rêves de ses malades au cours de son activité thérapeutique. N'étant pas psychanalyste, je ne saurais entrer dans une discussion technique et veux bien admettre cette dernière affirmation. Ce qui m'intéresse, c'est l'hypothèse selon laquelle, chaque fois que nous voyons quelqu'un construire réellement ou en imagination une machine à voler, et notamment dans le cas de Léonard qui, longtemps avant que cela ne puisse être techniquement réalisé, a imaginé une pareille machine, c'est un élément libidinal qui entre en jeu de manière prépondérante et qui, finalement, aurait abouti au développement de la technique contemporaine de l'aviation.

Il me semble que, même si nous acceptons les trois points de départ de cette analyse, à savoir :

— le fait que les hommes font souvent des rêves dans lesquels ils se voient en train de voler ;
— le fait que ces rêves sont liés à certaines pulsions libidinales et constituent des satisfactions sublimées ;
— le fait que Léonard a imaginé une machine à voler et que, depuis, la technique du vol a pris une très grande importance dans la société humaine et dans la vie des hommes,

on ne saurait admettre le lien qu'essaie d'établir Freud et que tend à établir la psychanalyse.

Il est possible — si Freud a raison — que de tout temps et à toute époque, les gens aient rêvé qu'ils volaient, mais au moment où Léonard construit ses modèles de machines à voler il se trouve à un certain niveau précis du développement des sciences et des techniques, et les machines à voler ne sont chez lui qu'une tentative parmi beaucoup d'autres. Il serait difficile de séparer nettement le modèle de machine à voler qui aurait une signification libidinale, de toutes ces autres tentatives qui, pour l'historien des techniques et des sciences, ont un caractère absolument homologue.

C'est dire que, pour tout essai de situer cette œuvre dans l'histoire de la pensée scientifique et technique, le fait mis en lumière par Freud et la liaison qu'il essaie d'établir ont, sans qu'il soit nullement nécessaire de nier l'existence de cette dernière, un caractère secondaire et même négligeable et que, si nous voulons comprendre la nature réelle et objective du phénomène, il faut nous placer avant tout sur le plan du sujet historique transindividuel.

Cet exemple me semble particulièrement pertinent pour illustrer la problématique que j'ai voulu traiter dans cette conférence.

En conclusion, je pense qu'il faut à la fois accepter et refuser la psychanalyse, l'accepter en tout cas sur le plan de l'étude psychologique individuelle et de la thérapeutique clinique et lui laisser aussi une place non négligeable dans l'analyse des processus psychologiques de la création culturelle, mais aussi éviter toute tentative de rapporter la signification objective de cette création (et quand je parle de signification objective il vaudrait peut-être mieux dire la signification *spécifique* ; il s'agit en effet de la signification littéraire des œuvres littéraires, picturale des œuvres picturales, philosophique des systèmes philosophiques, théologique des écrits théologiques) à un sujet individuel, procédé qui doit nécessairement et pour des raisons méthodologiques aboutir à une réduction dangereuse et même au complet effacement de cette signification.

CRITIQUE ET TOTALISATION DU SENS

par Serge DOUBROVSKY

N'étant ni psychanalyste ni sociologue mais, simplement, critique littéraire, j'ai un peu l'impression d'être un intrus, en ce colloque où nous avons vu s'affronter, plutôt que fraterniser, des disciplines scientifiques rivales. Et pourtant, j'aimerais demander à une réflexion sur la critique, plus exactement sur un point fondamental de la critique, cet espoir pour nous tous essentiel de voir ultimement s'intégrer, sinon dans une synthèse, mot trop ambitieux, du moins dans une conciliation possible, des perspectives divergentes et encore hostiles.

La querelle déclenchée par la publication du pamphlet de Raymond Picard, *Nouvelle critique ou nouvelle imposture,* a eu le mérite, au-delà des polémiques stériles, d'attirer l'attention sur ce problème toujours irrésolu, depuis quelques siècles qu'il y a des critiques, et qui pensent : qu'est-ce que la signification en littérature ? Ce n'est pas tout à fait la question, plus vaste, que posait naguère Sartre : « Qu'est-ce que la littérature ? » Disons que c'est la question : « Qu'est-ce que le littéraire ? » Il se trouve que je suis en train d'écrire une réponse à Raymond Picard, sur l'ensemble des problèmes qu'il a soulevés dans son livre. Je voudrais en extraire un passage qui me paraît se rapporter particulièrement aux difficultés qui ont surgi au cours des discussions récentes.

Les nouveaux critiques, nous dit en substance Picard, montrent une indifférence totale pour les structures littéraires : il s'agit toujours, chez eux, des structures psychiques, sociologiques, métaphysiques manifestées par l'œuvre littéraire ; mais de spécificité de la littérature, point. Ainsi on serait conduit à se préoccuper de ce que Jean-Pierre Richard nomme les « en-dessous » de l'œuvre, au détriment de l'œuvre elle-même. Or, objecte Picard : « La profondeur d'une expression est dans ce qu'elle dit, dans les implications de ce qu'elle dit, et non pas nécessairement dans ce qu'elle dissimulerait et révélerait à la fois. Pourquoi le profond serait-il lié à l'obscur et à l'invisible ? » Nous sommes là au cœur du problème, et ce ne sont pas seulement nos amis psychanalystes qui se trouvent visés. Paul Ricœur nous a dit ce matin que la réflexion littéraire avait besoin d'une véritable théorie de la signification, d'une véritable herméneutique : rien n'est, en effet, plus urgent.

La définition du sens littéraire, que Raymond Picard nous propose ici, à la suite de Valéry (d'un certain Valéry), implique ce que l'on pourrait, je crois, appeler un optimisme sémantique. A partir du moment où le « brut », le « primitif », bref le « pré-littéraire » se trouvent éliminés d'une littérature devenue « l'activité volontaire et lucide d'un homme qui se livre, en fonction de normes et d'exigences qu'il a faites siennes, à un travail d'expression », il semble qu'une telle théorie « classique » de l'interprétation résolve tant de difficultés pratiques et théoriques auxquelles se heurte la recherche : 1° la signification « littéraire » authentique se situe au niveau de l'explicite (« ce qu'une œuvre dit et les implications de ce qu'elle dit ») ; 2° ce qui est dit dans l'œuvre coïncide exactement avec ce que l'auteur a consciemment voulu dire (« activité volontaire et lucide »). Le signifié littéraire est tout entier épuisé par un signifiant en droit transparent : les mots, porteurs d'un sens univoque, pour le scripteur et le lecteur, communiquent directement ce choix intelligible qui constitue précisément l'écriture littéraire. Dès lors, peu importe que l'écrivain travaille à partir d'un traumatisme infantile, d'une donnée historique ou d'une lecture antérieure ; ce qui compte, c'est la forme élaborée qu'il donne à l'objet de son travail. Il y a donc un triple accord qui permet d'instaurer une critique *vraie* et *objective* : accord de ce que l'œuvre dit et de ce qu'elle veut dire ; accord de ce que l'auteur veut dire et de ce que son œuvre dit ; accord entre ce que je pense que l'œuvre dit et ce qu'elle dit (à condition, bien entendu, que ma lecture soit informée et intelligente).

Or la réflexion moderne sur le langage, à commencer par celle de Husserl, montre qu'il est toujours à double face : il *énonce* et il *manifeste*. Toute parole est porteuse d'une *signification* et dépositaire d'un *sens,* qui se situent à des niveaux radicalement différents. A côté de ce qui est dit, il y a toujours ce que quelqu'un veut dire, et qui ne se confond nullement avec ce qu'il dit. Dire : « il est dix heures » à des compagnons qui attendent, veut clairement dire : « mettons-nous en route ». Le signe est ici signal, où l'explicite renvoie à l'implicite par un rapport simple et univoque. Tout change, cependant, quand la parole laisse affleurer le Moi et devient, en quelque sorte, modulation personnelle. Si j'attends une femme, que je désire et redoute à la fois, et si je constate, en ne la voyant pas venir, « il est dix heures », cette constatation, qui *énonce* un fait parfaitement clair, *exprime* une réalité parfaitement équivoque : soulagement, regret, les deux à la fois, ou peut-être ni l'un ni l'autre, détachement un peu désabusé (elle avait promis). Je sais ce que je dis ; qui sait ce que cela veut dire ? Dans cette phrase, comme le pronominal le dit si bien, je *m*'exprime, introduisant, au sein du langage, la parole, selon la distinction essentielle de Saussure, c'est-à-dire, en fait, l'ambiguïté même de la réalité humaine, sur le double plan de la conscience et du langage qui révèle la conscience à elle-même. D'une part, en effet, la conscience étant précisément non-coïncidence avec soi, perpétuel décalage dans la temporalité et dépassement dans le projet, son être n'est jamais susceptible d'une traduction univoque. D'autre part, comme système symbolique, le langage ordinaire, historiquement constitué, soutient en permanence un perpétuel glissement des sens. Pour que ce que l'on dit coïncide exactement avec ce que l'on veut dire, il ne faudrait jamais quitter le langage scientifique (fonctionnement rigoureux d'un ensemble logique de signes) ou technique (opérations minutieusement réglées sur le monde). Si donc, selon le mot de Heidegger, « je suis ce que je dis », je suis toujours, en fait, au-delà de ce que je dis, et c'est pourquoi Freud a pu voir dans le langage l'« investissement » total d'une vie. En bref, Merleau-Ponty me paraît résumer le mieux la situation sémantique dans cette formule : « Ce que nous *voulons dire* n'est pas devant nous, hors de toute parole, comme une pure signification. Ce n'est que l'excès de ce que nous vivons sur ce qui a été déjà dit. »

La littérature serait-elle donc le langage qui ferait exception à l'ambiguïté foncière du langage ordinaire, et rejoindrait-elle ici le langage scientifique ? Ce postulat me paraît insoutenable. Si l'humanité concrète et quotidienne est déjà excédentaire par rapport aux significations du langage où elle se projette (la psychanalyse se loge tout entière dans cet excédent), la littérature, à cet égard, est *l'excédent maximal de la parole,* l'excès le plus grand possible du signifié sur le signifiant, le débordement infini de l'énoncé manifeste par l'expression tacite. Comme le rappelle Sartre, « les plus grandes richesses de la vie psychique sont *silencieuses* » ; et comme le rappelle Blanchot, la littérature est faite d'autant de silences que de paroles ; ce qu'elle *dit* prend son sens par ce qu'elle ne *dit pas* : et c'est précisément là ce qu'elle *veut dire.* (C'est pourquoi la critique est, à son tour, un type particulier de psychanalyse, qui consiste à révéler ce qui se cache et à raccorder ce qui se donne à ce qui se dérobe, dans un effort pour dégager la totalité de l'expression). La sémantique de R. Picard peut d'autant moins se réclamer du « classicisme » sur ce point, que la littérature classique est, par excellence, celle de la litote, celle qui, selon le mot de Gide, dit le moins pour dire le plus. L'art classique est précisément l'art de la *réticence,* sa fameuse « clarté » est l'inverse d'une transparence immédiate :

Mais rendre la lumière
Suppose d'ombre une morne moitié.

Sera-t-on plus valéryen que Valéry ? C'est par une complète erreur qu'on croit pouvoir faire du XVIIe siècle une chasse gardée des significations limpides et réserver aux auteurs modernes les enfers de l'« ambiguïté ». C'est dans cet écart irréductible entre les significations possibles et le sens total de tout langage, que se situe la littérature, et, plus qu'une autre, la classique. Je voudrais, plus que par des justifications abstraites, le montrer sur un exemple précis.

Qui te l'a dit ? demande magnifiquement Hermione à Oreste, coupable d'avoir confondu ce qu'elle *disait* et ce qu'elle *voulait dire,* en réclamant la mort de Pyrrhus. Le critique peut-il être aussi naïf qu'Oreste sans être aussi coupable que lui ? Si je demande à un ami qui se plaint que sa femme le trompe : « Qui te l'a dit ? », nous sommes dans la banalité. Quand Hermione crie à Oreste : « Qui te l'a dit ? », nous sommes dans la littérature, et la grande. Pourquoi ? Tout d'abord, cette interrogation ne saurait être séparée du discours racinien où elle s'insère ; elle nous frappe comme le couronnement haletant d'une série rythmique :

Pourquoi l'assassiner ? Qu'a-t-il fait ? A quel titre ?
Qui te l'a dit ?

Ce discours se donne d'emblée comme une certaine modulation, une certaine « musique » verbales (disons, pour simplifier, qu'il s'agit d'une saisie poétique). Mais il est aussitôt évident que le sens poétique se double d'un sens psychologique, dans lequel il se fond : la succession rythmique est la progression d'un délire, où Hermione « oublie » commodément, et en ordre ascendant, la culpabilité de Pyrrhus (« Pourquoi l'assassiner ? »), la mission assignée à Oreste (« A quel titre ? ») et enfin — et surtout — sa propre responsabilité (« Qui te l'a dit ? »). A peine ces sens établis, ils convergent vers un troisième : la beauté des vers, la souplesse de la psychologie ne sont pas des fins en soi ; elles concourent à un effet *dramatique,* elles servent une exclamation finale qui éclate comme un « coup de théâtre ». Mais, à son tour, ce « coup de théâtre » n'en est pas un : ainsi que le montre fort bien R. Picard lui-même, « la pièce est donc jouée quand le rideau se lève... La surprise du *Qui te l'a dit ?* est dès longtemps préparée.[1] » Cette fausse surprise, pour être pleinement appréciée, renvoie donc à un certain code qui n'est autre que le système dramatique de Racine tout entier. Ces différentes significations, imbriquées les unes dans les autres, définissent ce que R. Picard appellerait les « structures littéraires », ou encore la « valeur esthétique » de ce passage, étant entendu que *le sens esthétique épuiserait la totalité du sens littéraire.* Voilà

---

[1] RACINE, *Œuvres complètes,* éd. de la Pléiade, I, p. 237.

« ce que l'œuvre dit et les implications de ce qu'elle dit » : vouloir chercher plus loin ou descendre plus bas est non seulement inutile, mais dangereux, puisque, nous dit R. Picard, c'est aboutir à « nier la littérature » que de fouiller dans ses « en-dessous ». Nous sommes exactement devant ce « coup d'arrêt », dont nous parlions précédemment. Mais on peut dire, de ce décret arbitraire d'une certaine critique, ce que Heidegger disait de la dictature du langage quotidien : « Celle-ci décide d'avance de ce qui est compréhensible, et de ce qui, étant incompréhensible, doit être rejeté[2]. »

En fait, la littérature déborde de toutes parts cette conception restrictive de la structure littéraire. On ne saurait empêcher les sens de s'appeler, de proliférer : la critique de Raymond Picard est un malthusianisme qui lutte en vain contre une explosion sémantique. Impossible, pour commencer, de s'en tenir aux formules de la « psychologie » traditionnelle, si l'on veut saisir adéquatement le comportement d'Hermione. C'est Picard qui nous l'indique fort bien, dans son propre commentaire de ce *Qui te l'a dit ?* : « Et comment pouvait-il en être autrement ? Le héros tragique se laisse conduire par les égarements passionnés de l'être aimé. Son action est dirigée par les errements de l'autre » (*ibid.*, p. 236). On ne saurait empêcher la signification « psychologique » de déboucher sur une véritable dialectique des rapports avec autrui. Et cette dialectique, on ne saurait non plus se borner à la constater ou à l'assigner aux simples lois d'un « genre » (« le héros tragique se laisse conduire... »). Ce n'est pas *le* héros tragique, mais Hermione, *une* héroïne, qui vivra son rapport à l'Aimé selon les données de la condition féminine (fille de roi, enjeu politique, etc.), radicalement différentes de celles de la condition masculine. Il s'agira donc non de formuler une vague loi générale, mais de décrire, dans toute sa complexité, une aliénation particulière. Pour cela, il faut évidemment disposer d'un certain instrument qui ne peut être celui de l'analyse esthétique, encore moins la simple « parlerie » quotidienne. Mais, avant même d'être un rapport précis et pervers à autrui (dépossession radicale de soi au profit de l'Autre), le *Qui te l'a dit ?* est d'abord rapport faussé à soi-même, il suppose cette forme d'aveuglement particulière qu'est le mensonge à soi, la possibilité, pour une conscience, de se mystifier autant que de s'aliéner. Cette possibilité, que Racine ouvre à la fameuse « lucidité » de ses personnages comme un gouffre où elle vient s'abîmer, il faut, pour la comprendre, disposer de certains schémas théoriques destinés justement à en rendre compte, — et cela, non pour se livrer à une vaste et vague « interprétation » du théâtre de Racine, mais simplement pour saisir sur le vif la nature et le sens des

---

[2] *Lettre sur l'Humanisme*, Aubier, p. 37.

poussées passionnelles qui jettent les uns sur les autres ces « fauves » dans leur « cage » (Giraudoux *dixit*). A cette fin, on s'aidera, par exemple, des concepts de la psychanalyse classique de Freud ou de la psychanalyse existentielle de Sartre, puisque aussi bien nous voyons les significations psychologiques « passer » sous nos yeux dans des significations existentielles.

S'arrêtera-t-on ici ? Impossible. L'existence humaine, à son tour, ne se comprend que comme rapport à l'Etre ; la signification existentielle débouche forcément sur une signification métaphysique. C'est le même Picard, dont les analyses concrètes valent mieux que ses théories, qui nous l'indique excellemment : dès que le héros « comprend qu'il ne dispose plus de soi », dès qu'il « renonce à sa liberté », « tout se remplit de dieux et commence le règne des puissances fatales » (éd. Pléiade, I, p. 233). Belle formule : le surgissement des dieux chez Racine n'est que l'envers de l'abdication de l'homme. Les dieux, dont les regards et la malice poursuivent les mortels, sont les fantômes de leur mauvaise foi, la damnation qu'ils prononcent, c'est la condamnation qu'ils s'infligent. Mais alors nous rejoignons très exactement ce que disait Roland Barthes : « Dans Racine, il n'y a qu'un seul rapport, celui de Dieu et de la créature » (p. 55). Quand Hermione s'écrie : « Qui te l'a dit ? », toute la question, en définitive, c'est de savoir *qui est qui*. Ce que la surface « psychologique » de l'émotion recouvre, c'est une crise d'identité volontaire, dans laquelle Hermione se jette pour se sauver. Car le *qui*, à la limite, ce n'est plus un Moi, ce n'est plus *personne* : « c'est Vénus tout entière à sa proie attachée » ; c'est le Dieu qui s'agite en nous et qui vient combler ce vide qu'est l'âme humaine de sa visitation funeste. De plus en plus manifestement, dans le théâtre de Racine, jusqu'au délire divin de Joad, la bouche des personnages est un creux où les dieux soufflent des paroles. *Qui te l'a dit ?* en ce sens, est la question centrale, l'unique question de la tragédie racinienne, dont l'interrogation angoissée d'Hermione constitue le premier stade encore confus, et à laquelle l'œuvre entière de Racine s'efforcera, peu à peu, de répondre.

Sommes-nous enfin rendus ? A peine nous croyons-nous installés au cœur ombreux d'une théologie, que nous débouchons dans une clairière sociologique, où nous attend Lucien Goldmann. « Une œuvre d'art est à la fois une production individuelle et un fait social », disait Sartre (*Situations IV*, p. 33). Une « vision du monde », répond, à tort ou à raison, Goldmann, est *d'abord* une vision collective, appartenant à un temps, une classe, un groupe, avant d'être celle d'un individu. Quoi qu'il en soit, l'examen des « structures littéraires » présente un rapport signifiant avec les structures sociologiques de l'époque, et du groupe janséniste de Racine en particulier. Cette théologie du paradoxe, ce héros tout entier déterminé et tout entier responsable, exprime, en un certain sens, sous le vêtement somptueux de la fable, l'impossible situation du bourgeois de robe, entièrement écrasé par le développement d'une monarchie centraliste, et pourtant entièrement loyal au monarque, héros tragique, lui aussi, et précisément, par la lucidité de son regard qui dévoile et démasque la Divinité qu'il sert [3]. La condition humaine vécue comme une atroce et indépassable contradiction, tel est le cœur du tragique. Renvoyés des significations esthétiques immédiates à une signification existentielle, et de cette signification existentielle à une signification métaphysique, puis théologique, puis sociologique ou, plus largement, historique, nous voici donc renvoyés, pour finir, à une signification *esthétique* (et là nous serons d'accord avec R. Picard), mais plus large, enrichie, approfondie : celle de l'essence particulière du tragique, qui fonde la tragédie racinienne. Mais impossible ici de se rabattre, comme fait Picard, sur l'histoire littéraire, et d'invoquer les lois d'un « genre tragique », déjà fixé du temps de Sophocle et d'Euripide [4]. Nous l'avons déjà dit, l'histoire littéraire, loin de permettre ici de comprendre, demande à être elle-même comprise. Déplacerait-on le long du temps le problème de la tragédie pour aborder heureusement chez les Grecs, l'histoire ou la sociologie n'en doivent pas moins céder la place, en dernière analyse, à la réflexion philosophique. Le sens de la tragédie racinienne n'est pas ailleurs que chez Racine ; il n'est ni en Grèce ni du côté de chez Jansénius : il est précisément dans la manière unique dont l'individu Jean Racine a absorbé et résorbé, pour en faire sa propre substance, les données diverses, voire contradictoires, de sa culture et de sa vie.

En bref, la simple exclamation d'Hermione a fait surgir devant nous une multitude de sens qui s'exigent mutuellement et dont, par définition, aucun n'est par lui-même suffisant, puisqu'il renvoie, pour être saisi pleinement, à tous les autres. Dès lors, dans cette polyvalence sémantique, il est vain de prétendre découvrir et privilégier un prétendu « sens littéraire ». Le « littéraire pur », comme la « poésie pure » de l'abbé Bremond, est un mythe, qui ne résiste pas à l'examen. Je ne nie pas un instant qu'il existe des « structures littéraires » et des « valeurs esthétiques », selon l'acception que R. Picard donne à ces mots ; je ne nie pas non plus leur intérêt ni leur importance, que j'estime, au contraire, capitale. Il y a un niveau proprement esthétique de l'analyse, tel que j'ai tâché de le définir en premier lieu, justiciable d'études particulières et précieuses. Je songe à l'indispensable *Drama-*

---

[3] Qu'on se souvienne des admirables réflexions de Pascal sur les rois et la royauté, prudemment expurgées dans l'édition de Port-Royal.
[4] Introduction à *Phèdre*, *op. cit.*, I, p. 743.

turgie classique en France de Jacques Schérer, sans laquelle on ne saurait comprendre la tragédie racinienne comme forme d'art, comme expression *scénique*. Comprendre Racine, c'est, nécessairement, comprendre qu'il a choisi de s'exprimer à la scène, et non dans le roman, et que ce choix oriente le sens même de sa création. Le style, la versification, l'écriture raciniens doivent faire l'objet d'enquêtes minutieuses et approfondies. En un mot, il faut une critique qui porte sur les modes fondamentaux de l'expression. Il n'en reste pas moins que les significations littéraires sont irréductibles aux seules significations esthétiques, aux seules valeurs de l'euphémie consciente, où R. Picard semble voir le tout de la littérature[5]. Les significations psychiques, existentielles, métaphysiques, historiques, éthiques, ne sont pas, comme R. Picard le croit, des « ailleurs » par rapport à l'œuvre ; elles ne la relient pas à une « *autre chose* dont elle est l'expression plus ou moins symbolique » (p. 114). Elles forment le tissu vivant de la littérature ; et un texte n'est rien d'autre, précisément, qu'une certaine *texture*.

Les images verticales sont ici trompeuses : il n'y a pas une espèce de soubassement, le « pré-littéraire », et, au-dessus, surgies on ne sait d'où, par miracle, des « structures littéraires », qui viendraient le coiffer. Si, de toute évidence, dans l'écriture, le travail s'ajoute toujours à la trouvaille — première, toutefois, Valéry nous le rappelle —, et si l'œuvre est toujours un ouvrage, c'est-à-dire la mise en forme d'un matériau, le sens ne se promène pas, pour autant, à la surface, et la forme n'est pas, même par la pensée, dissociable de la matière qui la porte. La forme, d'ailleurs, c'est la matière irradiant son propre sens. Dans le domaine qui nous occupe, puisque le matériau de construction est le langage, la construction est *imbrication*, non étagement. Il n'y a pas de « haut » ni de « bas » et, sur ce point, les métaphores de certains critiques actuels peuvent contribuer à l'illusion : on ne *s'élève* pas plus au sens général d'une œuvre qu'on ne *s'enfonce* dans ses dessous. Si la « profondeur » reste une catégorie valable (et même la seule qui définisse la littérature), c'est à condition d'être bien entendue : elle n'est ni enchaînement d'implications claires et évidentes, à la manière cartésienne de R. Picard, ni descente, lampe de la psychanalyse en main, dans des abîmes de ténèbres. La profondeur est une vertu *possible* de l'ambiguïté, à condition que celle-ci ne traduise pas le flou de la pensée, mais la surdétermination du sens, qui manifeste la richesse même de l'humain. Le sens est bien « contenu » tout entier dans les mots, mais il n'est pas donné tout entier à la fois : il ne se

---

[5] Toute une grande tradition *moraliste* de la critique française sait d'ailleurs, depuis les classiques, que « plaire » est inséparable d'« instruire » ; et, de Sainte-Beuve à P.-H. Simon, on sent d'instinct que le jugement esthétique inclut une affirmation éthique.

livre que selon certaines perspectives, il se fragmente selon la direction de l'attention. Une tragédie de Racine, si l'on est sous le charme des vers, est poème ; si l'on suit l'action, elle est drame. Ce poème dramatique, relié par la réflexion à son auteur, exprime la vie d'un homme. Mais un homme et ses valeurs, c'est toujours un rapport à Dieu et aux autres hommes : c'est, en filigrane, une religion, une politique, une société. D'où la pluralité des critiques possibles, qui correspond à la pluralité des significations réelles. Le théâtre de Racine, c'est tout cela, en même temps et d'un seul coup ; mais l'on n'y voit que ce que l'on regarde. La profondeur d'une œuvre doit donc s'entendre au sens *perceptif,* comme on parle de la profondeur d'un champ visuel, où la multiplication des points de vue n'épuise jamais le perçu et n'aboutit jamais à cette vision plane et totale qui étalerait devant elle son objet. Il y a donc bien des « niveaux » de signification, définis par le niveau de l'acuité perceptive ; il y a des « couches » significatives, mais pas des strates. De même, l'œuvre littéraire profonde — ou belle, les deux termes sont ici synonymes, — se définit comme la totalité, ou encore, la convergence et la confluence concrètes de significations indéfiniment multipliées et prolongées, qui, nous l'avons dit, s'exigent mutuellement et dont, par principe, aucune n'est par elle-même suffisante, puisqu'elle renvoie, pour être pleinement saisie, à toutes les autres. Si la valeur d'une œuvre littéraire est bien, en dernier comme en premier ressort, d'ordre esthétique, c'est à condition de comprendre que la « beauté » n'est pas un vernis adroitement posé sur un ongle plus ou moins sale, et que la critique devrait prendre soin de ne pas rayer. La beauté n'est rien d'autre que la plénitude d'une inépuisable richesse sémantique ; et le génie de l'écrivain, c'est d'avoir su enfermer dans l'écriture le principe de son infini éclatement.

Mais alors, un problème se pose : serions-nous condamnés, par le tournoiement des significations, à un pur vertige du sens ? L'ambiguïté de l'écriture littéraire, la polyvalence qui la fonde, donnent d'emblée plusieurs organisations possibles du même organisme. Comme le dit très bien J. Starobinski, « les divers types de lectures choisissent et prélèvent des structures *préférentielles*. Il n'est pas indifférent que nous interrogions un texte en historiens, en sociologues, en psychologues, en stylisticiens, ou en amateurs de beauté pure. Car chacune de ces approches a pour effet de changer la configuration du *tout,* d'appeler un nouveau contexte, de découper d'autres frontières, à l'intérieur desquelles régnera une autre loi de cohérence ». La critique est-elle donc vouée, comme le disait Roland Barthes, à être choix arbitraire d'un certain niveau de signification, c'est-à-dire d'un certain langage, défini non par sa « vérité », mais par sa « validité », ce qui implique sa simple cohérence interne ? Faut-il conclure, avec lui, que « n'importe quelle critique peut saisir n'importe quel objet », à la seule condition qu'elle joue son propre jeu avec rigueur ? Sans doute. Mais ce pluralisme, bien proche du scepticisme, ne me semble pas être le dernier mot. Loin de s'en tenir à l'éclatement des niveaux significatifs, la critique me paraît devoir rechercher l'interpénétration, l'intégration des langages, bref, le principe d'une totalisation du sens, qu'appelle l'œuvre d'art elle-même : car ce n'est rien d'autre que cette convergence, effectivement réalisée par l'art, que la réflexion critique doit s'efforcer de retrouver et d'expliciter. Ce qui, bien entendu, est beaucoup plus facile à dire qu'à faire, la tendance spontanée des points de vue étant plutôt de s'entre-dévorer que de s'entre-unir : nous sommes ainsi ramenés au problème central de ce colloque, où l'on a vu le langage de la psychanalyse et celui du marxisme tenter de s'expliquer, c'est-à-dire de s'annexer, mutuellement.

Le critique littéraire ne saurait avoir l'immodestie de croire qu'il peut apporter une clé pour pénétrer, au-delà du multiple, dans le sanctuaire de l'Un. L'ambiguïté du langage littéraire et de l'existence humaine qui la porte est sans doute indépassable. Mais il s'agit seulement de l'articuler de façon intelligible, non de la dépasser. Il n'est pas question de vouloir résoudre en une harmonieuse synthèse « tous ces renversements du pour au contre », dont parle Maurice Blanchot, et qui caractérisent l'être de la littérature : comme il le souligne, celle-ci « passe par des moments opposés et ne se reconnaît que dans l'affirmation de tous les moments qui s'opposent ». Ce qu'il convient alors de dégager (et la tâche me paraît possible), c'est le principe de la dialectique qui pose et soutient ces contradictions, qui articule ces moments. Le moteur de cette dialectique, à mon avis (j'afficherai ici ce « pari fatal » dont parle avec raison Roland Barthes) ne renvoie à rien d'autre qu'au mouvement et aux structures de l'*existence,* au sens que ce terme a pris dans des philosophies contemporaines qui, pour être passées de mode, semble-t-il, n'en offrent pas moins le type de compréhension unitaire que nous cherchons.

L'homme rêve, agit ou écrit : cela ne nie point la réalité propre — et, par conséquent, l'interprétation particulière — du songe, de l'action ou de l'écriture. Contre la tentation « réductrice », que connaissent bien, chacune à sa manière, la pensée freudienne et la pensée marxiste, il faut maintenir la spécificité et l'autonomie des significations, volontiers reconnues à la science, et qu'il faut bien aussi conférer aux autres activités. Mais, au bout du compte, l'agent est le même. Psychologie, sociologie, esthétique sont supportées par le même *sujet anthropologique.* Si ces diverses activités se recoupent, s'il y a entre elles un rapport intelligible d'analogie ou d'homologie, c'est qu'elles se regroupent et communiquent, *au départ,* par le bas : par l'existence humaine qui les fonde. Faute de cette convergence ontologique préalable, les diversifications ultérieures de la praxis feront surgir des significations ontiques parallèles, incapables de jamais se rejoindre. J'avancerai ici à l'extrême de ma position, en disant que la seule coordination compréhensive des diverses structures significatives est exactement l'inverse de celle que nous proposent les divers structuralismes : il ne s'agit pas d'insérer l'existence individuelle dans un cadre extérieur (la parole dans le langage, le sujet dans le groupe, etc.), où cette existence se clarifierait, en quelque sorte, en se dissipant. Il s'agit, au contraire, d'insérer ce cadre extérieur dans une existence individuelle, c'est-à-dire de voir comment la multiplicité infinie des significations offertes par une situation objective reçoit son sens du projet humain qui l'assume. Bien entendu, ce projet humain, à son tour, n'est pas une entité mystérieuse, mais une façon d'assumer une situation : on ne peut pas plus expliquer le projet par la situation que le comprendre en dehors d'elle. Les deux termes s'impliquent mutuellement, et la vraie dialectique est celle qui les relie l'un à l'autre dans un mouvement de dépassement perpétuel, non celle qui fait évanouir le terme qui la gêne au profit de l'autre. Le processus d'extériorisation de toute intériorité exige en retour l'intériorisation de toute extériorité, et c'est pourquoi les modèles d'intelligibilité proposés par les sciences humaines cessent d'être opératoires pour la saisie de la littérature, qui ne fait qu'un avec celle de l'existence. On voit qu'ici les problèmes de la critique littéraire, rigoureusement entendus, conduisent au cœur des débats actuels sur le sens même de la notion d'homme. Totalisation en spirale des significations vers l'horizon ultime du sens (à la manière du *Saint Genet* de Sartre) par le mouvement même de l'existence et la compréhension qui l'épouse ; ou exhaustivité de l'analyse sémiologique, au niveau isolé qu'elle découpe, objectivement et arbitrairement, dans la totalité du donné : il faut choisir, et ce choix est un choix de l'homme par lui-même. J'ai assez indiqué où va le mien.

DISCUSSION

GOLDMANN

Je ne suis pas d'accord avec Doubrovsky, c'est évident. Mais préciser mon désaccord avec lui ne signifie pas défendre Picard.

Deux éléments caractérisent d'emblée le niveau de pensée de Picard. D'une part, il pratique ce que j'appellerai l'amalgame dans la mesure où, ne visant en fait que les interprétations psychanalytiques de Barthes et de Weber, il déclare pourtant atteindre la nouvelle critique dans son ensemble. Et d'autre part il me paraît inspiré par un souci d'ordre, d'orthodoxie et d'hostilité envers tout non-conformisme et toute hérésie, souci qui me semble étranger et même contraire à l'esprit scientifique.

Je me séparerai essentiellement de Doubrovsky quand il affirme que seule la philosophie présente le type de compréhension unitaire qui peut intégrer et synthétiser les lectures non accordées que proposent les sciences humaines. Une des acquisitions fondamentales de la pensée contemporaine réside dans la conscience qu'elle a de sa propre relativité. Il n'y a pas *la* philosophie. Toute philosophie, la mienne comme la vôtre, est celle d'un moment, doit se comprendre en tant qu'elle est liée à une certaine situation historique et fait donc partie de la culture au même titre que toute forme de pensée, toute métaphysique, toute morale, toute psychologie.

Je pense, comme je l'ai dit, qu'il y a effectivement polysémie de l'œuvre — de toute expression — dans la mesure où elle s'intègre dans des contextes différents. Mais pourvu qu'on décide de considérer les pièces de Racine comme œuvre esthétique, intégrée à un contexte historique et culturel, il y a moyen d'en donner une description dont la vérité objective est contrôlable. Un seul critère scientifique, très précis, permet d'évaluer la qualité d'une approche et de départager les diverses interprétations qui se présentent : il consiste à mesurer dans toute lecture d'un texte combien d'éléments elle a dû en éliminer et combien elle a été obligée d'en ajouter. L'interprétation qui peut rendre compte du maximum et qui n'ajoute rien restera la plus valable aussi longtemps qu'une autre ne réalisera pas une intégration encore plus large.

Dans cette perspective, bien des éléments qu'a cités Doubrovsky peuvent s'intégrer à une analyse positive : il suffit qu'ils paraissent dans le texte. A titre d'exemple nous pouvons discuter une des analyses concrètes qu'il nous a données.

Je ne crois pas que l'on puisse interpréter le *Qui te l'a dit ?* d'Hermione comme une manifestation de l'absolu, comme la parole du dieu en elle.

A l'intérieur de la pièce, il y a un personnage en qui s'incarnent les exigences d'absolu, c'est Andromaque. Hermione se situe au niveau du mensonge, de l'erreur permanente. Vous me direz qu'il est possible d'intégrer des éléments contradictoires dans la structuration de l'héroïne ; je n'en vois précisément pas, ou du moins très peu. Les éléments contradictoires apparaissent dans notre conscience ; l'œuvre a ce privilège de présenter une expression cohérente des contradictions inhérentes à la conscience vécue. Un personnage comme Hermione est absolument dominé par la passion ; ce qui s'oppose à la passion, l'exigence de clarté, n'est pas dans Hermione.

De pareilles analyses sont précises et se discutent sur la base du texte.

D'autre part je n'ai nullement l'intention d'introduire des catégories sociologiques à l'intérieur de l'œuvre. Je pense simplement que l'analyse d'un contenu et d'une forme ne peut pas se faire d'une manière immédiate et intuitive et encore moins par la philosophie ou par une philosophie. L'œuvre est un fait social comme l'est la philosophie, la production artistique, etc. Seule son insertion dans une structure nouvelle, dans le contexte constitué par le sujet collectif, permettra à la recherche d'atteindre sa valeur et sa vérité proprement esthétiques.

DOUBROVSKY

D'après ce que je peux comprendre, je représente ici un troisième larron. Jusqu'à présent, en effet, la discussion s'établissait entre les psychanalystes et les sociologues ; n'étant ni l'un ni l'autre mais ayant plutôt de la sympathie pour les philosophes, j'y introduis donc un élément tout à fait nouveau. Cela ressemble un peu aux disputes dans *Le Bourgeois gentilhomme.*

Ceci dit, j'essaierai d'abord de répondre brièvement à propos du reproche d'éclectisme. Je le crois fondé. Analysant mon dernier livre, certains critiques ont fait remarquer que j'y proposais en définitive une sorte d'explication de texte où l'on puise son bien un peu partout. Je ferais le reproche inverse : avoir *une* philosophie ne doit peut-être pas être le fait du critique. Citant Starobinski, je disais que le sort du critique littéraire et du philosophe est commun, dans la mesure où les deux prennent un risque, où ils ne peuvent aboutir à une certitude scientifique, où ils peuvent se tromper, où ils en ont même le droit. Je crois néanmoins que le critique ne doit pas comme le philosophe vouloir imposer un certain système qui risquerait d'être un corset introduisant des déformations dans la lecture de l'œuvre.

D'autre part, si je suis éclectique, je le suis malgré tout au sein d'une certaine perspective, celle que constitue la philosophie existentielle. Chez un Heidegger, un Jaspers, un Sartre, un Merleau-Ponty, on trouve tout de même des éléments communs qui permettent de fonder un type de critique littéraire sans qu'il y ait là aucune doctrine, je le reconnais.

En deuxième lieu, je marque mon entier accord avec Goldmann sur la définition de la critique. Je ne qualifierai pourtant pas celle-ci de scientifique car c'est un mot dont je me méfie en littérature. L'interprétation la plus satisfaisante, j'en suis convaincu, est celle qui est obligée d'éliminer le moins possible de détails concrets et qui en intègre le plus. Mais, sur ce point, je répondrai qu'une critique comme celle de Sartre ou de Starobinski permet précisément d'intégrer aussi bien les données ou les concepts de la psychanalyse que ceux de la situation historique, tandis que Goldmann rejette, dans ses descriptions concrètes de Racine, tout ce qui a pu être utilisé par la psychanalyse. C'est donc lui qui élimine tout un secteur qui me paraît essentiel de la critique.

GOLDMANN

J'ai dit que l'interprétation la plus valable intégrait le maximum du texte, non pas des interprétations.

DOUBROVSKY

J'ai essayé de montrer que le texte n'est pas ce qui est dit, au sens où Picard le prend, mais nécessairement tout un ensemble d'implications.

En troisième lieu, je dirai que l'insertion sociologique qui donne le sens littéraire fondamental me semble impossible à réaliser. Lorsque je regarde les grottes de Lascaux et bien que je n'aie aucune connaissance de la préhistoire, je puis participer à une certaine expérience humaine. Autrement dit, s'il y a une transhistoricité possible de la conscience esthétique, c'est qu'il y a un sens que j'appellerai existentiel, qui est sous-jacent au sens historique et qui permet la communication. Pour moi, la permanence n'est pas celle d'un sens sociologique qui change forcément au cours de l'histoire, mais celle d'un sens humain qui demeure. J'invoquerai ici la notion de condition humaine telle que la définissait Sartre.

Enfin, Goldmann parle de cohérence. Mais où est la cohérence dans un texte des *Illuminations* de Rimbaud, dans un texte de Desnos ou de Breton ? On ne pourra certainement pas y trouver une cohérence de type conceptuel ou sociologique. Ainsi, la poésie — et je crois que la poésie est le fondement de la réflexion littéraire — nous oblige à revenir à l'expérience de l'existentiel.

MAURON

Je ne veux pas argumenter mais simplement fixer le point de vue de la psychocritique par rapport à celui que Lucien Goldmann nous a exposé avec tant de clarté. Il a posé la question du sujet et celle de la cohérence ; c'est, en somme, la même question. Qui parle dans l'œuvre d'art, qui pense en elle, et, par conséquent, qui lui donne sa cohérence ?

La réponse de la psychocritique est déjà ancienne puisque je l'ai donnée dans un livre sur Mallarmé qui date de 1949.

Le sujet de la création est le créateur, ou plus précisément ce que j'ai appelé le *moi* du créateur. Ce *moi* transcende, à l'intérieur même de l'individu, son inconscient ; il réalise de cette manière une sorte d'auto-psychanalyse — toute la légende d'Orphée qui descend aux Enfers appuie cette hypothèse. En même temps qu'il pratique cette auto-psychanalyse, le *moi* recueille tout le contenu de la conscience et des apports extérieurs. C'est lui enfin qui opère la synthèse de ces divers éléments.

La cohérence de l'œuvre d'art procède de cette synthèse élaborée au niveau de la psychologie individuelle. On ne donnera à l'œuvre qu'une cohérence partielle et partiale, si on cherche la source de celle-ci soit dans le phantasme pur, soit dans une vision du monde extérieure.

Je crois donc, comme Doubrovsky, que la critique doit décrire la synthèse des divers éléments intervenant dans une création ; je ne pense pas que cette synthèse soit d'ordre philosophique, comme il le dit ; j'estime qu'elle est d'ordre esthétique. En l'atteignant, on atteint la valeur même de l'œuvre d'art. Goldmann se trompe, selon moi, en cherchant la valeur de l'œuvre dans sa signification sociologique, dans ce que j'appellerais plutôt sa résonance sociale que sa valeur propre.

En attribuant la cohérence à des éléments sociologiques, il me semble que l'on fausse la nature de la pensée esthétique. Dans la pensée individuelle, l'inconscient pense et, comme l'a très bien montré Goldmann, le groupe pense aussi. La pensée de l'inconscient est du type le plus régressif ; celle du sujet collectif du type le plus conceptuel, le moins phantasmatique. Ni l'une ni l'autre ne constituent pourtant la pensée esthétique qui naît de leur synthèse.

Si l'on efface la distinction entre pensée esthétique et conceptuelle, je ne vois pas comment établir la différence entre une œuvre d'art et une œuvre scientifique ou philosophique. Si l'œuvre a pour fonction de refléter la vision du monde élaborée par le groupe, elle gagnerait à l'exprimer directement et clairement en un langage conceptuel ; elle n'aurait nul besoin, en somme, d'emprunter les harmoniques complexes d'une conscience individuelle.

Luporini

J'apprécie beaucoup que Goldmann maintienne la notion d'individu dans sa vision du marxisme, sans la confondre avec celle qu'a forgée l'humanisme bourgeois et utopique. Certains marxistes ont tort de penser à Robinson, aux robinsonnades dès qu'il est question de ce concept. Ils trahissent Marx. « L'individu, écrit celui-ci, c'est l'homme dans sa nudité » ; toute histoire suppose ce qu'il appelle « les individus vivants ». Marx a décrit aussi la situation des « freier Arbeiter », les travailleurs libres de la fin du Moyen Age en Occident, exemple d'une action historique dont le sujet était constitué par un tel type d'individus. Selon lui, une situation identique ne pourrait se reproduire que dans des formations sociales où le travailleur n'est pas inséré dans le marché du travail.

Cela dit, je pense qu'il y a dans l'exposé de Goldmann trois notions mal éclaircies ou justifiées incomplètement.

La première imprécision concerne la notion de structure génétique. J'accepte d'appeler le marxisme un structuralisme génétique à condition de distinguer genèses formelle et historique, qui renvoient à deux réalités tout à fait différentes. Dans une construction formelle — ainsi, celle du capital — le point de départ est constitué par une abstraction, à savoir, la description d'une forme sociale qui n'a jamais existé. La genèse ne part donc pas de la réalité mais la rejoint ; elle va des éléments simples aux éléments plus complexes. La genèse historique est d'un tout autre ordre. Pour Marx, on peut découvrir le génétique historique à partir du génétique formel mais pas dans l'ordre inverse. Je crois qu'il est nécessaire d'indiquer le choix que l'on fait à ce sujet.

Je suis tout à fait d'accord aussi sur la façon dont tu as déterminé le rapport entre explication et compréhension, dépassant d'un seul coup les contradictions d'une certaine philosophie allemande qui établit la distinction entre le niveau de la compréhension et celui de l'explication sans parvenir pourtant à les isoler l'un de l'autre. Je te pose néanmoins une question : en soutenant ta théorie, n'élimines-tu pas le problème du pourquoi, le pourquoi n'étant plus que le sursis au comment d'un niveau plus profond ? Je soulève ici le difficile problème de la distinction entre compréhension et interprétation mais je ne veux pas l'aborder maintenant.

Venons-en plutôt à examiner la troisième difficulté — la plus fondamentale à mon avis — que je découvre dans ta position. Elle concerne la description du passage qui s'opère entre le niveau de la compréhension et celui de l'explication. Tu présentes celui-ci comme l'insertion d'une structure dans une structure plus vaste.

Or cette catégorie de « plus vaste » me semble extrêmement équivoque. Le modèle de ce que tu proposes doit être le rapport que Marx indique entre la structure économique et la superstructure. Je ne pense pas que l'opposition établie par lui entre les deux termes de ce rapport concerne leur caractère structurel, ce que suggère, à tort selon moi, le couple infrastructure-superstructure introduit dans les traductions française, anglaise et italienne. L'opposition intervient sur le plan ontologique, elle donne une direction de la compréhension, elle indique sur quelle base s'édifie la signification.

La structure économique projette son caractère structurel sur la totalité sociale. Mais, cela dit, nous ne savons pas si les différents aspects de la superstructure ont tous aussi un caractère structurel. C'est un problème ouvert auquel le marxisme n'a pas donné de solution définitive. Seules les recherches concrètes peuvent nous répondre s'il existe ou non une méthodologie structuraliste dans les différents cas.

Le fait donc que l'insertion d'une structure dans une structure plus vaste n'est pas suffisamment justifié affaiblit, selon moi, la validité de tes affirmations concernant le parallélisme entre la cohérence d'une œuvre d'art et celle du groupe social. Je crois à ce propos qu'il y a toujours au moins une tendance à la cohérence mais que celle-ci peut avoir beaucoup d'interprétations du point de vue logique.

ADORNO (Traduction de Goldmann)

Adorno veut ajouter d'abord quelques remarques à mon exposé.

Il reprend à son compte le concept de réduction qui a si souvent été utilisé pour critiquer les analyses de la psychanalyse autant que du marxisme. Si l'on adopte une véritable perspective dialectique, génétique signifie que l'originaire est à la fois conservé et dépassé dans ce qui est né, que le neuf est devenu quelque chose d'autre dont il faut garder la spécificité.

Pour illustrer cette idée, il prend comme exemple la catégorie de l'individu. Lui-même l'a sans doute analysée d'une manière trop simplifiée, en la présentant comme une création sociale. Il ne s'agit pas pour autant d'une pure apparence qu'il faudrait faire disparaître en la dépassant. Création sociale, cette catégorie représente une réalité. Peut-être pourrait-elle, dans une évolution ultérieure, être libérée de certains éléments idéologiques et métaphysiques. Il n'en reste pas moins qu'elle constitue un acquis fondamental qui devrait être maintenu sinon renforcé à l'avenir.

Adorno ajoute aussi quelques remarques au texte qu'il a présenté. On lui a reproché d'être trop abstrait. Il pense que l'on devient nécessairement abstrait dès que l'on veut parler à un niveau général. Mais il sait aussi à quel point l'abstraction et la généralité risquent d'engendrer des erreurs. Il essaiera donc de corriger l'abstraction de ses thèses, non dans leur ensemble, mais sur le point qui concerne la séparation entre l'individuel et le sociologique.

Si l'individuel est une catégorie qui s'est dégagée difficilement au cours du devenir culturel et historique, il reste un certain nombre de points où les rapports qu'il entretient avec le sociologique sont à la fois particulièrement importants et critiques. Une étude concrète de ces rapports devrait commencer par se concentrer sur les points critiques, privilégiés pour l'élucidation du problème.

Le fait que les impressions sociales sont absorbées par le sujet, tout d'abord au niveau du moi, a entraîné la psychologie à séparer entièrement le moi du ça, à reconnaître l'intervention du social au niveau du premier et à considérer le second comme constituant le profond et l'asocial. Or, si, d'une part, le ça tend toujours à remonter et à pénétrer dans le moi, il existe, d'autre part, une action très profonde du moi sur le ça, se manifestant notamment par l'absorption de certaines images sociales par le ça. A partir d'un texte de Freud sur cette question, Jung a développé toute sa psychanalyse sur les images archaïques relativement stables qui se trouvent dans le ça. Il faut examiner dans cette perspective la relation entre l'envol et l'avion dont parlait Goldmann. L'avion qui venait d'apparaître au moment où Freud écrivait, a pu avoir un caractère particulièrement suggestif, une sorte de signifié à l'intérieur du ça.

On pourrait rendre compte aussi d'une compréhension de la survivance du mythe, de son caractère durable et permanent, de son rôle encore dans la société moderne : d'origine sociale, il a pénétré dans le ça. Donner aux images mythifiées un caractère de vérité pure et simple, oublier leur origine historique, c'est évidemment se trouver en pleine fausse conscience qui relève de la critique rationaliste des lumières. Mais il y a pourtant aussi en ces images quelque chose de vrai qu'une telle critique peut laisser échapper. A ce propos, Adorno donne en exemple le pouvoir de révélation des rêves qui découvrent une vérité masquée par la pensée diurne. Il estime donc que dans la lutte à mener contre la mythologie pour la rationalisation, il faut garder certaines limites. Elles consistent à respecter la fonction de vérité que peut avoir le mythe encore aujourd'hui, à ne pas situer la mythification sur le même plan que la fausse conscience par rapport à une raison qui se prend pour la vérité et qui a elle-même ses propres limites.

Adorno soulève enfin un problème particulièrement important dans la vie contemporaine, celui de la spontanéité. La chance qu'a celle-ci de se maintenir et de se développer dépend de la structuration de la personnalité individuelle. L'intégration totale de l'individu dans la société actuelle, sa réduction à une simple apparence se heurte-t-elle à des limites fondamentales et crée-t-elle par cela même des chances de résistance et de dépassement ou bien peut-elle aboutir vraiment et supprimer toute individualité authentique ?

L'expérience personnelle et les réflexions d'Adorno l'inciteraient à donner une réponse plutôt pessimiste à ces questions fondamentales. Ce pessimisme n'est pourtant pas une position acquise et définitive. Adorno se demande dans quelle mesure des études psychologiques pourraient tout de même l'infirmer, montrer les chances et les possibilités de résistance. En tout cas, seule une psychanalyse profondément rationalisée et imbibée de critique sociale est susceptible de mettre pareille chance en lumière.

Ricœur

Goldmann posait un certain nombre de questions. Je suis en accord fondamental sur le point initial, à savoir que l'œuvre littéraire, l'œuvre d'art, l'œuvre culturelle n'épuise certainement pas son sens au niveau de la satisfaction de type libidinal. Il faut le relais d'une signification au plan social ; on maintient d'ailleurs parfaitement le point de vue freudien en affirmant ceci, puisque toute la problématique de la sublimation et celle de l'identification rencontrent cette question : qu'est-ce qui distingue une œuvre culturelle d'un rêve ? et fournissent cette réponse : c'est que l'une est socialement efficace et que l'autre ne l'est pas. Par conséquent, nous nous tenons bien sur le même plan : celui où une interprétation enveloppe l'autre, non pas dans un rapport d'opposition extérieure mais vraiment dans un rapport dialectique de compréhension mutuelle.

La question que je te poserai se situe au niveau même où tu t'es tenu. Le nous collectif suffit-il, à son tour, je te le demande, et l'œuvre d'art établit-elle son sens à ce niveau ? Pour des raisons exactement semblables à celles qu'on a pu invoquer contre une constitution du sens de l'œuvre au plan de la satisfaction libidinale, on peut montrer, me semble-t-il, que l'explication sociologique n'enferme pas le sens elle non plus. En voici quelques indices.

Premièrement, nous ne pouvons administrer en aucune façon le critère de l'intégration dans une totalité sociale. C'est un vœu pieux d'espérer trouver le sens à ce niveau-là. De quel groupe s'agit-il, en effet ? D'un groupe dans lequel nous sommes insérés, d'une communauté limitée géographiquement et historiquement ? Non. Nous savons bien que le sens s'échappe et que les grands mouvements culturels ont dépassé les frontières. S'agit-il alors de la société actuelle ? Non. De son potentiel révolutionnaire ? Qui connaît celui-ci, qui le mesure ? On le connaîtra plus tard. Peut-on invoquer enfin la société globale, une sorte de totalité en marche ? C'est ne plus rien dire. Puisque nous ne pouvons jamais administrer que des significations partielles, évoquer la signification d'une totalité, c'est ne rien dire, ou bien c'est dire que le sens de l'œuvre est en suspens ; à moins qu'un fonctionnaire du sens ne vienne nous indiquer où il faut le découvrir. Cela, je le sais, tu l'exclus ; toute ta vie le démontre.

Deuxièmement, la pérennité même de l'œuvre nous donne des indications précises. Au fond, nous savons bien qu'une grande œuvre est celle qui a échappé à sa motivation sociale, qui lui survit et qui, par là même, peut être reprise dans un autre contexte social. Lucien Sebag a très bien exprimé cela dans son admirable article — la dernière chose qu'il ait écrite avant sa mort — : un des cinq critères de l'œuvre culturelle consistait, selon lui, dans le fait qu'elle surmonte son conditionnement social.

Troisièmement enfin il y a toutes sortes d'espèces de cohérence. Les formes les plus sociologisées de la cohérence, à savoir celles de l'outillage technologique ou de l'appareil juridique, conviennent le moins bien dès qu'il s'agit d'une œuvre d'art. Celle-ci a le plus souvent une fonction de rupture, de contestation ; elle plaide pour un mode d'intégration sociale que nous ne connaissons pas puisqu'elle contribue justement à le créer. Tant d'artistes prennent à témoin une autre époque qui viendra plus tard. Par conséquent, nous arrivons à un sens en suspens.

De l'explication analytique close ou de l'explication sociologique close, l'insuffisance me paraît donc égale. La recherche de ce que Doubrovsky appelait le sujet constitue la problématique nécessaire sans laquelle rien n'aurait de sens.

Celle-ci peut être un piège car le sujet n'est jamais celui que l'on croit. La psychanalyse nous a appris que le sujet n'est pas là où il se tient d'abord, que prendre conscience consiste à déplacer le sens vers un autre lieu que celui où la conscience était installée. La critique de la fausse-conscience à laquelle Adorno fait allusion a la même fonction de déplacer la prétendue conscience détentrice du sens. Quelle signification cela peut-il avoir de déplacer l'origine du sens sinon d'invoquer un autre sujet ? S'il n'y a pas d'autre sujet, nous nous trouvons dans les nécrologies du structuralisme. Sinon, le sujet est ce vers quoi on tend plutôt que le roc cartésien sur lequel on se tient.

Je m'appuierai sur deux points de ton exposé pour défendre ce point de vue. Tu dis : « Je ne donne pas d'explication du sujet ; l'œuvre est ce qu'elle est. » Je te demande : pour qui est-elle ainsi ? N'est-ce pas justement pour un sujet qu'elle suscite, qui seul pourra la porter parce que, par elle, il se comprendra ? En somme, l'œuvre est à la fois ce qui se donne à comprendre à un sujet, mais surtout ce qui se donne le sujet qui la comprendra. Et c'est dans cette problématique du « se comprendre soi-même » par le sens offert, que se constituera la problématique du sujet. Recourir à celle-ci peut paraître une solution de paresse — sujet transcendantal et sujet existentiel sont de tout repos — c'est pourtant l'acte philosophique le plus fondamental et le plus périlleux, dans la mesure où le sujet n'explique pas mais est à expliquer.

Lorsque tu fais appel au fondamental humain, je te demande : n'est-ce pas justement ce qui se constitue par une histoire des œuvres à travers celle des techniques, des politiques et des institutions, histoire qui n'existe nulle part ailleurs que dans cette possibilité d'être reconnue et reprise par des sujets. Dans ce fondamental humain, rien n'est perdu puisque l'archaïque de l'homme problématique dont parlait Adorno, est présent en lui. Il y est présent non pas comme un sujet mal adapté, mais simplement comme une mémoire culturelle. Peut-être est-ce à cette condition-là qu'il peut y avoir projet et aussi ce que j'appelle totalité.

GOLDMANN

Je vais essayer de répondre à toutes les questions mais je ne respecterai pas leur ordre. Je commencerai par celles de Ricœur qui a posé une série de problèmes fondamentaux.

Je voudrais d'abord rappeler ma thèse initiale. Dans la conscience de chaque individu il existe deux domaines de signification : une signification d'ordre libidinal que l'individu détient en tant que sujet et dont beaucoup d'éléments sont refoulés à cause du conflit avec l'autre ; une signification d'ordre social, une logique qui est toujours le fait d'un sujet multiple et qui est née du besoin d'agir sur le monde ; entre les éléments partiels du sujet multiple se développent des relations intrasubjectives. A partir de là, Ricœur pose une série de problèmes très importants ; je ne les ai pas abordés mais je suis content de pouvoir le faire maintenant. Comment déterminer le groupe qui est sujet d'une création littéraire ou culturelle ? Quel type de cohérence doit-on attribuer à celle-ci ? Ma réponse est à la fois rigoureuse et positive.

Quand j'analyse une œuvre, je recherche tout d'abord sa cohérence interne, c'est-à-dire la perspective qui me permet d'intégrer le maximum de texte à un sens. Dès que j'arrive à une hypothèse à peu près satisfaisante, je cherche à découvrir le groupe à partir de la situation duquel ce type de cohérence a un rôle fonctionnel. Il s'agit donc de la relation entre une structure et une fonction. La cohérence structurelle est une cohérence fonctionnelle à l'intérieur d'une structure plus vaste. Ainsi, je dis que le type de pensée janséniste se présente comme un essai de solution relative, élaboré par un groupe social précis, la noblesse de robe, à partir de la situation concrète dans laquelle celle-ci s'est trouvée. Je ne commence pas par me demander ce que doit penser la noblesse de robe. Je le découvre au contraire dans ses manifestations conscientes dont le jansénisme est une des expressions les plus pertinentes.

Il n'y a pas moyen, selon moi, de rendre compte de la cohérence maximale d'un texte, de sa logique interne sans la référer à celle d'un groupe social. Mais il est vrai, comme l'a dit Ricœur, que l'œuvre s'explique par des groupes partiels. Ce qui importe, en fait, c'est d'atteindre une signification, une structuration qui est fondamentalement du type d'une vision du bien, du mal, de la mort, de l'amour, et non de type libidinal ; elle sera produite par un ou plusieurs groupes et non par un Ego réduisant l'Autre à l'état de pur objet. Dès que les significations que la psychanalyse nous indique prédominent, elles dérangent la cohérence esthétique. Nous ne nous trouvons plus alors devant la grande œuvre mais nous allons vers l'autre pôle : l'œuvre moyenne, la folie, la névrose.

Ricœur a parfaitement raison quand il dit que la vie intellectuelle d'un groupe — la manière dont pense Pierre, Jean ou Jacques, plus particulièrement celle dont pense Pascal et celle avec laquelle il exprime sa pensée —, est un élément de la prise de conscience. J'ai seulement dit que la *signification* existe au niveau du groupe même s'il n'y a pas d'individu qui en ait conscience. Je n'ai jamais cru que toute signification est consciente. La prise de conscience peut être plus ou moins avancée ou même inexistante, selon les cas. Mais elle se fait et le sujet se constitue, dans une très grande mesure, à travers l'œuvre.

Luporini

S'agit-il de cohérence idéologique ?

Goldmann

Pas nécessairement. Dans le cas de la littérature et de l'art il s'agit de la cohérence d'un univers imaginaire et non conceptuel, mais qui peut être traduite en langage conceptuel.

Mauron m'a dit : si la cohérence de l'œuvre est d'ordre social, le langage conceptuel suffirait à l'exprimer. Je ne le pense pas. Une manière de penser, de sentir et d'agir, peut se traduire sur le plan de l'image verbale aussi bien que sur celui du concept ; dans le premier cas, on obtient l'œuvre littéraire, dans le second, l'œuvre philosophique. Quand Hegel dit qu'on ne peut atteindre le bien que par le mal, il recourt à l'expression conceptuelle. Gœthe exprime la même chose dans le *Faust* quand il dit qu'il n'y a pas de chemin vers Dieu hors du pacte avec Méphisto. Mais Méphisto est un personnage individualisé ; c'est Méphisto et non le diable, ou le mal. Phèdre mourante n'est pas une incarnation de *la* mort. Personnage individuel, concept, tableaux naissent tous d'une structuration psychique qui est particulièrement cohérente chez le créateur. Ils aident le groupe à prendre conscience en soi.

Une problématique individuelle de l'ordre de la libido qui n'a rien à voir avec la logique sociale mais émane d'un sujet individuel pour lequel tous les autres hommes ont un statut d'objet, peut-elle aussi créer une œuvre culturelle ?

Pour en décider, je demande à en voir un exemple concret. Le cas du rationalisme n'est pas probant car le concept d'individu appartient à une vision du monde qui est née d'une logique sociale, d'une logique à sujet pluriel. Peut-être le type précis d'œuvre que constitue la poésie moderne et qu'a signalé Doubrovsky, offre-t-il l'exemple de textes où la cohérence s'établit au niveau libidinal. Je ne veux pas me prononcer. Jusqu'à présent notre méthode de recherche n'a pas été appliquée à l'analyse des œuvres poétiques. Intuitivement, il me semble qu'elle pourrait l'être à Hölderlin et certainement aussi à Rimbaud. Il reste à le vérifier pour la poésie moderne. Si Mauron montre un jour qu'une situation libidinale peut rendre compte de la structuration d'un texte à 80 ou à 90 % je reconnaîtrai volontiers l'importance de ce facteur.

Le malentendu le plus important entre Mauron et moi provient de ce qu'il réduit l'analyse sociologique de l'œuvre à l'étude de ce qu'il appelle sa « résonance sociale ». La réception d'une œuvre — Eco l'a dit avec raison — est un secteur important de la sociologie de la culture. C'est celui auquel j'ai pu le moins m'intéresser pour des raisons strictement matérielles. L'objet principal de ma recherche concerne donc la signification sociale qui est immanente à l'œuvre et ne lui est pas du tout extérieure. Une manière de penser, de sentir, de créer, est régie par une logique qui naît d'une manière de se nourrir, d'agir avec les autres. Le type de cohérence que l'analyse sociologique dégage permet de découvrir la signification unitaire d'éléments apparemment contradictoires. Ainsi, qu'en France, au XVIe siècle, on ait nommé les juges en vendant les charges au plus offrant peut sembler absurde. Ce fait est parfaitement adapté à la situation concrète de la monarchie qui voulait créer un appareil d'Etat bourgeois pour l'opposer aux nobles ; vendre les charges, c'était opérer une sélection. Cette cohérence très précise se modifiera par la suite, aboutira à la création des commissaires et la nouvelle situation se trouvera bientôt intériorisée et amènera le groupe limité de la noblesse de robe à concevoir Dieu comme une exigence absolue mais impossible à réaliser. Il y a donc un rapport parfaitement rigoureux entre la situation de ce groupe et sa manière de penser.

Luporini a posé trois questions extrêmement importantes. La genèse dont tu parles — je l'appellerai transcendantale —, est un procédé intellectuel indispensable pour décrire une structure et surtout une succession de structures. Quand j'analyse une structure, je dois partir d'un schéma statique. Mais cette genèse-là n'a rien à voir avec celle dont j'ai parlé et qui est historique.

J'aurais très bien pu employer le terme de « structuralisme historique » mais je risquais d'effacer, ce faisant, la parenté évidente avec le structuralisme biographique. L'un et l'autre s'attachent à décrire le devenir réel, celui du groupe et celui de l'individu. Ensemble, je les oppose au structuralisme synchronique.

Tu m'as dis aussi que je n'aborde pas la fonction, le pourquoi. Je crois que je l'aborde de manière dialectique et non pas absolue. Ainsi, après avoir montré quelle est la structuration du jansénisme historique, je pose le problème de sa fonction dans le groupe plus vaste. Puis je poserai une série de pourquoi et de comment aux niveaux ultérieurs.

Tu as soulevé enfin le problème du rapport entre infra- et superstructure. Marx n'a jamais imaginé que la structure économique, l'infrastructure, était essentiellement et à jamais la partie qui détermine le tout. Il a lui-même prévu qu'une société socialiste transformerait cette situation. Qu'un secteur de la vie sociale agisse sur tout le reste sans en subir lui-même l'influence, c'est là un état pathologique. J'ai proposé de comparer ce phénomène à l'action des complexes en psychologie freudienne. Mais cet état constitue une situation historique précise et particulière. Je crois dès lors que le structuralisme historique ou génétique va dans le sens même de la démarche marxiste.

De divers côtés, on m'a interrogé sur la permanence de l'œuvre et sur ses possibilités de renaissances successives. La permanence implique ce que j'appelais l'homme fondamental à qui nous pouvons donner deux traits essentiels.

Le premier consiste dans la relation des besoins de l'homme avec la qualité. Quand j'ai faim, il m'est impossible de me nourrir de lunettes, c'est-à-dire qu'il me faut quelque chose qui ait certaines qualités concrètes. L'accroissement de la production a été considérable dès lors qu'on a pu dire qu'une paire de lunettes vaut dix pains. La disparition de la conscience du fait que les lunettes sont des lunettes et le pain du pain, a entraîné pourtant des distorsions fondamentales. Celles-ci sont peut-être utiles pour la maîtrise de la technique, elles rendent tout de même problématique la relation entre la société et les besoins humains.

Le deuxième trait que Bastide a mentionné explique la permanence de l'œuvre : il n'y a qu'un nombre limité de visions du monde auxquelles correspondent une multiplicité de situations historiques. L'homme tend à la cohérence de sa propre position mais toute position poussée à son dernier degré de cohérence correspondra aussi à un certain nombre d'autres situations passées ou à venir. A travers toutes les situations historiques, certaines visions du monde ressuscitent donc, avec des modalités, des sous-types différents.

L'étude des émergences et des disparitions de certaines visions du monde ressortit à la sociologie concrète et non à la philosophie. J'ai été le dernier à croire qu'on peut faire des sciences non philosophiques ; j'ai écrit *Sciences humaines et philosophie* où j'ai dit que toute science positive de l'homme doit avoir un caractère philosophique ; j'ajoute aujourd'hui que toute philosophie n'a de sens que si elle s'exprime au niveau de la science positive. Rechercher quelles sont les visions du monde est un problème d'analyse des faits.

J'en reviens ainsi à la position de Doubrovsky. Je dirai, et je terminerai par là, qu'en se présentant comme le dénominateur commun de tout un ensemble de méthodes, son attitude s'insère par certains côtés et malgré l'intention contraire de son auteur, dans le courant idéologique qui domine à l'heure actuelle. Des théories diverses et apparemment étrangères les unes aux autres ressortissent à ce courant : l'essai d'éliminer la sémantique au profit de la sémiologie, de nier l'existence d'un sens précis au niveau de la structure ; l'affirmation que les sens sont multiples et qu'on ne peut jamais en déceler un qui soit véritable ; la négation du sujet à l'intérieur d'une logique qui serait éternelle ; l'intérêt pour la structure abstraite et permanente éliminant le concret historique ; la séparation de la fonction et de la structure aboutissant à un structuralisme ou à un fonctionnalisme anhistoriques ; les théories de certains sociologues qui aboutissent à une sorte d'histoire se situant en dehors de la vie concrète. Ces perspectives se lient à une idéologie très précise, celle d'une société technocratique qui essaie de décharger les hommes du problème de la signification, qui leur demande de l'abandonner, de se contenter de consommer et d'exécuter, en réservant la recherche du sens à une toute petite élite dont la philoosphie et les théories sociologiques parlent à peine.

Moi-même, j'ai parlé de sens différents et je sais très bien que le devenir historique transforme les significations. J'ai proposé une méthodologie qui permette d'atteindre celles-ci. Je ne puis accepter un essai de synthèse générale tel que le propose Doubrovsky, où tout est introduit dans tout. Cela me semble extrêmement dangereux et problématique pour la saisie de la réalité car c'est oublier que l'homme se définit tout d'abord par les formes de signification. Ici, je rejoins Freud et je trouve assez symptomatique que les courants de la psychanalyse moderne rejettent de plus en plus au second plan cette phrase de lui : « Ce qui est ça doit devenir moi. » Pour ma part, j'y adhère en précisant que le moi n'est pas simplement le moi freudien mais le nous d'une communauté d'hommes ayant élaboré une raison qui donne un sens réel et valable à leur vie.

Lefebve

Eh bien, je crois qu'il est temps de mettre un terme à ces débats passionnants, et aussi à ce Colloque lui-même. Je tiens à souligner non seulement la richesse, qui fut constante, mais aussi le caractère international des interventions et des communications qui ont été présentées. Et enfin, en votre nom à tous, à remercier Lucien Goldmann, les organisateurs du Colloque, ainsi que les organismes qui y ont participé, c'est-à-dire l'Ecole pratique des Hautes Etudes, l'Institut de Sociologie de l'Université de Bruxelles et l'UNESCO, sans oublier le Cercle culturel de Royaumont qui nous a hébergés pour ce séjour si agréable.

TABLE DES MATIERES

	Pages
INTRODUCTION	7
Le problème de la réception, par Umberto Eco	13
L'interprétation psychanalytique des productions culturelles et des œuvres d'art, par André GREEN	19
Discussion	36
Introduction à une sociologie de l'opéra, par Robert WANGERMÉE	59
Discussion	75
Fonction du père et créations culturelles, par Guy ROSOLATO	79
Les origines d'un mythe personnel chez l'écrivain, par Charles MAURON	91
Discussion	98
Dialectique et psychanalyse, par Jacob TAUBES	111
Discussion	121
Une analyse d'Œdipe roi, par René GIRARD	127
Discussion	155
Pour une coopération entre la psychanalyse et la sociologie dans l'élaboration d'une théorie des « visions du monde », par Roger BASTIDE	165
Psychanalyse et culture, par Paul RICŒUR	179
Discussion	186
Le sujet de la création culturelle, par Lucien GOLDMANN	193
Critique et totalisation du sens, par Serge DOUBROVSKY	213
Discussion	224

D/1970/0171/10

© 1970 by Éditions de l'Institut de Sociologie de l'Université Libre de Bruxelles
Parc Léopold, 1040 Bruxelles, Belgique
Tous droits de traduction et de reproduction réservés pour tous pays

Imprimé en Belgique